Jô

Né à Rio de Janeiro en 1938, Jô Soares a fait ses études en Europe et aux États-Unis. Animateur à la télévision, il est devenu l'une des personnalités les plus appréciées du public brésilien, auprès duquel sa popularité et son succès ne se sont pas démentis en quarante ans. Parallèlement à sa carrière à l'écran, il multiplie les activités : au cinéma, comme acteur et réalisateur (*Le père du pauvre,* 1975), à la radio, où il anime une chronique satirique et un programme de jazz depuis 1988, au théâtre, pour lequel il écrit, joue et met en scène (*Prise de poids au pays de l'inflation ; Un gros en concert*), enfin dans la presse, en tant que journaliste-chroniqueur. Sans oublier, bien sûr, son œuvre d'essayiste et de romancier, représentée, entre autres, par *Elémentaire, ma chère Sarah !* (1997), best-seller international, et *L'homme qui tua Getúlio Vargas* (2000), tous deux parus chez Calmann-Lévy.

Homme d'une débordante énergie, Jô Soares, alias " le Gros ", est aussi, comme il l'a montré en reprenant à son compte le sobriquet que lui a valu sa silhouette aimablement replète, d'une inaltérable jovialité.

L'HOMME QUI TUA GETÚLIO VARGAS

DU MÊME AUTEUR
CHEZ POCKET

ÉLÉMENTAIRE, MA CHÈRE SARAH !

JÔ SOARES

L'HOMME QUI TUA GETÚLIO VARGAS

CALMANN-LÉVY

Titre original brésilien :
O HOMEM QUE MATOU GETÚLIO VARGAS

Traduit du portugais
par François Rosso

ISBN 2-266-10363-6

Avertissement

Ce livre est une œuvre de fiction. Les nombreux personnages ayant réellement existé qui interviennent à tout moment dans le récit, même s'ils apparaissent dans un contexte historique véridique, sont traités sur le mode de la fiction, dans un mélange de fantaisie et de réalité.

Je remercie pour la collaboration inestimable qu'il m'a apportée au cours de mes recherches Antônio Sérgio Ribeiro, véritable bibliothèque vivante sur Getúlio Vargas, Carmen Miranda et d'innombrables autres sujets, que j'ai consulté jusqu'aux limites de l'abus à toute heure du jour, de la nuit et du petit matin.

Pour mon fils Rafael

Ce livre est aussi dédié à
Fernando Morais, Rubem Fonseca et
Hilton Marques, amis patients qui ont,
comme toujours, eu la gentillesse de
le lire avant les autres.

L'assassinat n'a jamais changé l'histoire du monde.

Benjamin DISRAELI

L'image de l'assassin est indissociable de celle de la victime et de son histoire.

DON DELILLO

Chérie, j'ai oublié de me baisser !

Ronald REAGAN

PROLOGUE

Ouro Preto, Minas Gerais, 1897

La capitale de l'État du Minas Gerais a conservé l'importance politique et culturelle qu'elle avait acquise au temps de l'Inconfidência[1], ce cri étouffé de liberté qui s'éleva en l'époque où la ville s'appelait encore Vila Rica. Ses concerts de musique sacrée soutiennent parfaitement la comparaison avec ceux qu'on peut entendre en Europe, et la célèbre faculté de droit, une des plus anciennes du Brésil, attire des étudiants venus des quatre coins du pays.

Les rivalités sont aiguës entre les pensionnaires des différentes résidences universitaires et, comme toujours en pareil cas, elles suscitent des querelles et des affrontements. Au *Billard Helena*, rua San José – un des lieux de rencontre favoris des garçons venus « faire leur droit » dans la ville –, les rixes sont fréquentes.

Toutefois, les noctambules qui s'y sont réunis en cette nuit pluvieuse du lundi 7 juin ne manifestent rien de l'exubérance coutumière aux jeunes étudiants bohèmes. Appuyés au long comptoir poli par les ans, ils s'entretiennent à voix basse, entre deux verres. Ils ont une grande habitude des débordements agressifs des jeunes gens de l'université ; mais jamais, observent-ils pensivement, ils n'ont connu de violences pareilles à celles qui se sont produites la veille. Dimanche, tard dans la soirée, autour d'une des tables, queues de billard à la main, trois frères gauchos, fils d'un général influent du Rio Grande do Sul, se sont stupidement pris de querelle avec un étudiant autochtone. Un autre étudiant, celui-là originaire de São Paulo, voyant son condisciple du Minas en situation d'infériorité, est intervenu dans la bagarre pour le défendre. Il s'en est pris tout particulièrement au plus jeune des agresseurs, un gamin de petite taille et plutôt fluet, inscrit aux cours d'humanités classiques qui sont la préparation indispensable pour qui aspire à être admis à la faculté. Au bout du compte, le garçon, encore imberbe, s'est fait violemment rosser. Les autres clients de l'établissement ont fini par s'en mêler et tenter de séparer les adversaires, mais le mal était fait. Lorsqu'il est sorti de l'établissement, à moitié éclopé et soutenu par ses deux frères, le jeune gaucho a juré vengeance.

À quelques mètres de là, au moment même où les habitués du *Billard Helena* se remémorent le funeste incident de la veille, le garçon de São Paulo qui s'est immiscé dans la bagarre retourne tout tranquillement vers sa résidence en descendant la rua do Rosário. Il n'a guère accordé d'importance à l'échauffourée de la nuit précédente, et les menaces du jeune blanc-bec l'ont plutôt amusé…

Les trois frères gauchos sont déjà là, qui l'attendent derrière un mur, cachés par la pénombre. Lui n'a même pas le temps de réagir. Un instant plus tard, il gît sur le sol, abattu par neuf coups de pistolet tirés à bout portant. Il ne mourra qu'après quatre longs jours d'agonie.

Son nom était Carlos de Almeida Prado Jr., fils du leader républicain de São Paulo Carlos Vasconcelos de Almeida Prado. L'affaire a suscité une grande émotion dans le pays. La famille Almeida Prado est arrivée dans la ville au grand complet, et Carlos a été inhumé à Ouro Preto.

Il suffit, pour se représenter l'importance de la famille du défunt, de savoir que parmi les quatre hommes qui portèrent le cercueil se trouvait le président de l'État du Minas Gerais soi-même, Crispim Jacques Bias Fortes. Et que plus de quatre mille personnes accompagnèrent le convoi.

Des trois frères gauchos à l'origine de ce sinistre épisode, c'était Viriato, l'aîné (il avait dix-huit ans) qui était à l'initiative des coups de feu. Protásio, le deuxième, avait fêté son dix-septième anniversaire quelques mois plus tôt. Quant au petit dernier, le gamin imberbe et fluet qui avait juré vengeance, il atteignait à peine quatorze ans. Son nom était Getúlio Dornelles Vargas.

1

Banja Luka, Bosnie, 1897

À l'heure même où se produisait la tragédie d'Ouro Preto naissait dans la ville de Banja Luka, en Bosnie, sur les rives du Vrbas, un enfant du nom de Dimitri Borja Korozec.

L'histoire de Dimitri est pour le moins curieuse. Sa mère, Isabel, était une contorsionniste brésilienne née à São Borja, dans l'État du Rio Grande do Sul. Fille d'une belle esclave noire d'origine bantoue et de père inconnu, elle avait vu le jour le 28 septembre 1871, libérée d'emblée des chaînes de l'esclavage car, à l'instant où son premier vagissement retentit dans la pampa profonde, à Rio de Janeiro la princesse Isabel venait de signer la loi du Ventre libre[2].

À son baptême, la fillette reçut le nom de sa bienfaitrice, auquel on accola celui de la ville où elle était venue au monde.

Comme il est d'usage en pareil cas, les médisants de la ville proclamèrent que la petite métisse était le fruit illégitime des transports amoureux d'un jeune lieutenant-colonel nommé Manuel do Nascimento Vargas – ultérieurement père du fameux Getúlio. Manuel s'était distingué par sa conduite héroïque lors de la guerre du Paraguay[3] ; puis, en 1870, âgé de vingt-six ans et encore célibataire, il s'était établi à São Borja pour y diriger un domaine agricole. Il nia avec la plus grande véhémence les insinuations dont il était l'objet, affirmant hautement qu'il n'y avait là que pure calomnie. Toutefois, la ressemblance entre la fillette et le propriétaire terrien était assez frappante pour donner prise aux commérages.

Isabel était arrivée en Bosnie en 1890, après s'être jointe à la troupe d'un cirque italien. La jeune femme s'était enfuie de chez elle à quinze ans pour suivre un clown-jongleur du célèbre cirque des frères Temperani, lors d'une des nombreuses tournées que celui-ci avait effectuées au Brésil. C'était en 1886. Dans ses bagages, elle emportait deux présents que lui avait faits sa mère : une photographie de la bienveillante princesse et un roman, *Mota Coqueiro,* signé de José do Patrocínio[4], le héros noir de l'abolitionnisme.

À Doboj, la jeune enfant de la pampa avait planté là le clown et ses jongleries, leur préférant un linotypiste serbe du nom d'Ivan Korozec, en qui s'était allumé le feu d'une telle passion qu'il abandonna tout pour suivre la belle mulâtresse brésilienne dans sa tournée à travers les Balkans. Anarchiste dans l'âme, Ivan était affilié à la mystérieuse confrérie dite de la Poluskopzi. Jadis avait existé une antique société secrète russe, la Skopzi, autrement appelée les « Castrés de Russie », dont les membres s'émasculaient afin d'atteindre la plénitude spirituelle ; mais les initiés de la Poluskopzi, ou « Demi-Castrés », secte nihiliste ultraradicale, ne pratiquaient plus que l'ablation d'un testicule : le droit. Ce choix, naturellement, était lourd de sens politique. Les affidés symbolisaient ainsi que tous leurs descendants seraient nécessairement des hommes et des femmes de gauche. La rigoureuse confrérie comptait à l'époque un peu moins de quarante membres (et donc autant de testicules).

Fut-ce la fatalité ou un effet de la libido monotesticulaire d'Ivan ? Le fait est qu'Isabel tomba aussitôt enceinte. En artiste consciencieuse, elle travailla jusqu'à l'heure de son accouchement. Quand le cirque planta son chapiteau à Banja Luka, après une tournée de presque neuf mois, le public s'émerveilla en voyant cette ravissante créature contorsionner son gros ventre au milieu de la piste. Les derniers jours, Ivan Korozec craignit même que son rejeton ne naquît là, sur le sable, tout tordu et contrefait, au milieu des lions et des clowns. Mais ses craintes se révélèrent infondées : Dimitri vit le jour, très normalement, dans la roulotte d'un trapéziste bulgare, la femme à barbe faisant office de sage-femme. C'était un bébé parfaitement formé, à un détail près : il avait un deuxième index à chaque main.

Cette anomalie, toutefois, ne choqua personne ; elle passait même assez inaperçue, car ses douze doigts étaient parfaitement symétriques. Le nouveau-né fut aussitôt baigné dans les eaux du Vrbas, et sept jours plus tard, en dépit des protestations d'Isabel et conformément au rituel de la Poluskopzi, son testicule droit fut tranché et avalé par son père. (Cela, parce qu'il venait de naître : s'il avait été d'âge adulte, l'organe amputé eût été dûment ingurgité par le grand maître de l'ordre, Boris Kafelnikov, un obscur tailleur de Vladivostok.) À la grande surprise et à la non moins grande fierté des demi-castrés qui participèrent à la cérémonie, l'enfant ne pleura pas.

Par la suite, Dimitri – ou plutôt Dimo, comme l'appelaient ses parents – apprit à parler non seulement le serbo-croate, la langue de son père, mais aussi le portugais, que sa mère lui enseigna en lui lisant et relisant le livre de José do Patrocínio. Isabel lui fit aussi maints récits – assez romancés – sur la lutte des esclaves pour la liberté, en sorte que le légendaire combattant de la cause abolitionniste ne tarda pas à acquérir, dans le cerveau imaginatif de l'enfant, une stature quasi mystique : il se le représentait comme un saint guerrier, tranchant du fil de son épée les têtes des marchands d'esclaves.

Il montra pour l'apprentissage des langues des dispositions hors du commun, et, dans le monde cosmopolite des artistes de cirque, eut tôt fait de se familiariser avec l'allemand, l'anglais, l'italien, le russe, l'albanais et l'espagnol, et de s'exprimer dans chacun de ces idiomes couramment et sans accent.

Dès huit ans, il suffisait de le regarder pour deviner quel homme d'une beauté exceptionnelle il serait un jour. Il avait hérité des cheveux noirs et crépus de sa mère, et des yeux verts et de la peau blanche de son père. De son grand-père, il ignorait tout, mais s'enorgueillissait que coulât dans ses veines le sang africain de son aïeule, et il se fâchait lorsque, parfois, les clowns s'esclaffaient de l'entendre proclamer hautement que, sous la blancheur laiteuse de sa peau, il était aussi noir qu'un prince Watusi. Quoi qu'il en fût, sa silhouette longiligne, les manières naturellement élégantes qu'il acquit en grandissant ne laissaient pas de séduire tous ceux qui le rencontraient, et avec les années devait lui venir ce que les femmes ont coutume d'appeler un charme irrésistible. C'était de surcroît un jeune garçon intelligent et studieux, et ses airs rêveurs de poète romantique le rendaient immédiatement sympathique et attendrissant.

Dimo n'avait qu'un défaut, dû peut-être aux torsions et contorsions qu'il avait subies dans le ventre maternel : il était terriblement maladroit. Il avait beau avoir douze doigts, cela n'empêchait pas que les objets qu'il tenait lui échappent à peu près systématiquement des mains. Et, malgré la rigueur des entraînements intensifs auxquels il se soumettait, il fut bientôt visible qu'il ne serait jamais un professionnel du cirque. Il possédait certes un don inné pour escalader le mât soutenant le filet, voire monter à la corde jusqu'au trapèze, mais il lui manquait l'équilibre nécessaire pour se livrer à la moindre acrobatie. Anarchiste depuis le berceau et ayant son propre père pour mentor, à douze ans il avait déjà lu Proudhon, Bakounine et Kropotkine. Il jugeait Proudhon théorique à l'excès, et à ses yeux Bakounine était presque un conservateur. Il leur préférait Kropotkine, qui avait renoncé à sa charge de secrétaire général de la Société géographique de Russie pour épouser la cause anarchiste, mais estimait cependant qu'il manquait d'audace. Malgré son âge tendre, sa faveur allait aux méthodes violentes. Au vrai, il rêvait d'éliminer physiquement tous les tyrans de la planète.

En 1912, Isabel se vit contrainte d'abandonner le cirque en raison du déplacement d'une vertèbre. Ce malheureux accident ne se produisit pas au cours d'une de ses exhibitions, mais lors d'un pique-nique au pied du mont Maglic. Alors qu'il s'efforçait de remplir une carafe de vin blanc, Dimitri trébucha contre une racine et laissa échapper le tonnelet qu'il tenait, lequel vola dans les airs et alla heurter violemment les lombes maternelles. Après des mois de traitements infructueux, la famille finit par se transporter à Sarajevo. Les contacts d'Ivan Korozec avec les mouvements clandestins lui permirent de trouver un emploi chez un vieil imprimeur anarchiste, Nicolae Kulenovic. C'était dans l'arrière-salle de cette imprimerie que se rencontraient, tard dans la nuit, certains membres de la récemment créée « Ujedinjenje ili Smrt » – l'Union ou la Mort – également appelée la Main noire, une société secrète terroriste ayant pour but suprême l'unification du peuple serbe. Pour avoir quelque idée du climat politique régnant dans toute la Bosnie à cette époque, il convient de relater brièvement l'histoire de cette organisation et d'évoquer son fondateur, lequel devait jouer un rôle primordial dans l'avenir de Dimitri.

L'Union ou la Mort, la Main noire, avait été fondée en mai 1911 par un groupe de dix hommes. Son objectif : la création d'une Serbie unifiée, comprenant la Bosnie et l'Herzégovine, libérée de la domination austro-hongroise. Les moyens pour parvenir à ce but allaient de l'assassinat individuel au terrorisme de masse. Au bout d'un an d'existence à peine, l'organisation comptait plus de mille activistes prêts à tout, parmi lesquels nombre d'officiers de l'ar-

Sceau de la Main noire.

mée serbe. Tous utilisaient le sceau ci-contre comme signe d'identification.

La Main noire entraînait ses hommes à toutes sortes de méthodes de sabotage et d'assassinat politique. Elle était organisée en cellules de trois ou cinq membres, sous le commandement de comités de districts qui eux-mêmes obéissaient aux ordres venus du Comité central, à Belgrade. Pour que cette structure hiérarchique demeurât protégée par le secret, les affidés n'étaient informés que de ce qui était strictement nécessaire à l'accomplissement de leurs missions.

Au moment d'être admis, les initiés prêtaient serment au cours d'une cérémonie solennelle : « Je jure devant Dieu, sur mon honneur et sur ma vie, que j'obéirai à tous les ordres et exécuterai toutes les missions sans hésiter ou poser de questions. Je jure également devant Dieu, sur mon honneur et sur ma vie, que j'emporterai dans la tombe tous les secrets de cette organisation. »

Dragutin Dimitrijevic en uniforme de parade, avec panache et médailles.

Le fondateur et chef suprême de la Main noire était le colonel serbe Dragutin Dimitrijevic. Dragutin s'était transformé en spécialiste des méthodes de coup d'État, de conspiration et d'assassinat. Conscient de l'importance d'être toujours bien informé, le patriote fanatique n'avait jamais quitté les bastions du pouvoir ni révélé ses positions politiques véritables. De lui, un de ses amis attaché à la cour du roi Pierre Ier de Serbie a pu dire : « Il n'était jamais vu en aucun lieu compromettant, et pourtant nous savions qu'il était derrière chacune des actions. »

Les conspirations de Dragutin n'étaient cependant pas toutes couronnées de succès. Ainsi, un an plus tôt, avait-il envoyé un tueur à Vienne pour qu'il assassinât l'empereur François-Joseph en personne, mais l'attentat avait échoué.

Vigoureux et farouche, arborant une large moustache aux pointes dressées vers le ciel, Dragutin Dimitrijevic portait impeccablement son uniforme d'officier. Sans doute ses airs bravaches l'auraient-ils rendu simplement ridicule, s'il n'eût été un homme aussi puissant. Dans son adolescence, au lycée de Belgrade, chacun avait remarqué quel élève brillant il était. Infatigable, d'une énergie sans limites, populaire parmi ses camarades, il avait reçu d'eux le surnom d'Apis – le Taureau sacré des anciens Égyptiens. Ce surnom devait lui rester attaché pour le reste de sa vie.

Ivan Korozec décida de s'affilier à la faction nouvellement créée, ce qui ne fit qu'accroître l'admiration et la vénération quasi fanatiques que Dimitri portait à son père. Ces sentiments, du reste, étaient réciproques : Ivan était fasciné par les capacités intellectuelles hors du commun de son fils. Dimo paraissait plus âgé que ses quinze ans. Il mesurait un mètre quatre-vingts et, quand il se promenait dans les rues de Sarajevo, nombre de femmes se retournaient pour le contempler avec des yeux gourmands.

Le vendredi 20 décembre, une tempête de neige s'abattit sur la ville. Exauçant les supplications répétées de son fils, Ivan décida de l'emmener à une réunion secrète de l'Union ou la Mort. Enfreignant pour une fois les règles qu'il avait lui-même établies, le Taureau devait être présent. Il était à la recherche de nouveaux talents à faire entrer dans les rangs de l'organisation.

L'atmosphère, cette nuit-là, était vibrante d'excitation et d'enthousiasme patriotique. Vers deux heures du matin, alors que la réunion était presque terminée et bien qu'on ne lui eût rien demandé, Dimo interrompit un orateur qui discourait sur les maux de la domination austro-hongroise et se lança dans une harangue passionnée, appelant vigoureusement à moins de palabres et plus d'action concrète.

Apis fut immédiatement séduit par l'impétueux jeune homme. Des années plus tôt, en 1903, lui-même s'était trouvé à la tête des officiers conspirateurs qui avaient envahi le Palais royal et assassiné Alexandre Ier Obrénovic, souverain détesté, et son épouse, l'ancienne prostituée Draga. De son côté, Dimitri ne manqua pas d'être impressionné par le charisme du colonel, et il se réjouit que Dragutin Dimitrijevic et lui portassent presque le même nom.

En tant que professeur de stratégie et de tactique à l'Académie militaire, Dragutin exerçait une énorme influence sur ses disciples, tous prêts à le suivre jusqu'à la mort. Il résolut de prendre Dimo sous sa protection. Il n'avait aucune envie de le voir joindre les rangs de la Mlada Bosna, la « Jeune Bosnie », mouvement rival qui suscitait l'enthousiasme des étudiants de l'époque et qui lui avait déjà ravi l'un d'eux, Gavrilo Princip, un jeune patriote exalté doublé d'un tireur d'élite, naturellement fasciné par le terrorisme et dont Dimitrijevic s'était juré d'être le Pygmalion.

Cette nuit-là, donc, s'engagea entre Dimitri, Ivan Korozec et lui-même la conversation suivante :

« Ivan, se peut-il que ton fils soit aussi intrépide qu'il y paraît, ou ses paroles ne sont-elles qu'un écho qui résonne dans une tête creuse, comme disait mon grand-père ? demanda Dragutin en souriant.

– Je ne sais pas, camarade, je n'ai pas connu votre grand-père.

– À la vérité, son discours m'a beaucoup plu. »

Sans prêter plus d'attention au linotypiste, l'officier se tourna vers Dimitri :

« Quel âge as-tu ?

– Dix-huit ans, mentit celui-ci.

– Quinze ans, corrigea Ivan.

– Quand on lutte pour une cause, plus on est jeune, mieux ça vaut, déclara le colonel qui n'était pas à un cliché près.

– La trop grande jeunesse est l'excuse des lâches », renchérit Dimo à qui les clichés ne faisaient pas peur non plus.

La pétulance du garçon amusa tous les présents. Le féroce Apis se servit une vodka parfumée aux piments – sa préférée – et déclara :

« Nous verrons si tu as un vrai cœur de Serbe. As-tu entendu parler de la Skola Atentora ?

– L'École d'assassinat ? Bien sûr ! Mais j'ai toujours cru que ce n'était qu'une légende.

– Eh bien, ça n'en est pas une. Elle se trouve dans un vieux couvent abandonné, près d'ici, à Visoko. Si ton père en est d'accord, à partir d'aujourd'hui je me charge de ton éducation. »

Ivan ne savait que dire. Il était partagé entre la fierté de voir son fils devenir le protégé de Dimitrijevic et la crainte de la réaction d'Isabel. Il connaissait bien le caractère de sa fougueuse Brésilienne, et la savait fermement opposée à ce que son fils unique se trouvât mêlé aux combats extrémistes de son père. Or, les rares élus qui parvenaient à se faire admettre à la Skola Atentora étaient entraînés à toutes les techniques d'action terroriste et d'assassinat, et là, rien n'était simulé. Beaucoup trouvaient la mort au cours des exercices. Mais avant qu'il pût parler, Dimitri répondit à sa place :

« Excusez-moi, mon colonel. Mon père n'a rien à voir dans cette décision. (Il leva les mains, montrant ses quatre index.) Je porte depuis ma naissance la marque de mon destin ! »

Le groupe s'ébaubit devant cette imperfection si merveilleusement parfaite. Même l'inflexible Apis se sentit remué jusqu'aux entrailles par cet évident présage :

« Il n'y a plus aucun doute. Tu es l'Élu ! Le doublement du doigt qui appuie sur la détente ne peut être que le signe emblématique de l'assassin prédestiné. »

Il leva son verre pour porter un toast chargé d'émotion :

« Mort aux tyrans ! » lança-t-il.

Sur ces mots, les initiés présents à cette réunion historique burent leur vodka d'un trait et lancèrent leurs verres contre la vieille presse d'imprimerie de Nicolae Kulenovic.

En rentrant chez lui cette nuit-là, Ivan Korozec avait grand-peur que, en apprenant la nouvelle, Isabel ne lui arrachât le testicule qui lui restait.

1913 fut une année de troubles et d'angoisse pour les Serbes, plongés dans la première puis la seconde guerre balkanique[5] ; ce fut aussi une année de grandes satisfactions personnelles pour Dragutin Dimitrijevic. L'officier fut promu chef des services de renseignement de l'état-major, ce qui lui permit d'enserrer dans les griffes de la Main noire toute la Bosnie.

Le mouvement pour l'unification serbo-croate prit une grande ampleur dans les universités, et Apis observa tout cela avec une extrême attention. Il eut bientôt de nombreux agents infiltrés parmi les étudiants. De surcroît, l'argent rentrait à flots, car nombreuses étaient les donations anonymes qui lui parvenaient de sympathisants favorables à la cause d'une Serbie unie et puissante, et à la lutte pour cette cause au moyen d'actions violentes. Dragutin plaçait ces fonds secrets sur un compte de la Schweizerische Glücksgeldbank, à Zurich.

Les Serbes gagnèrent rapidement les deux guerres : la première contre les Turcs de l'Empire ottoman, la seconde contre la Bulgarie.

Cependant, loin du monde et de ses conflits, Dimitri Borja Korozec passait cette année 1913 cloîtré dans le vieux couvent Dusa, à Visoko. Le monastère, entouré de bois, occupait un domaine de dix hectares, à deux ou trois lieues du petit bourg. Les bâtiments, rasés par les musulmans en 1883, avaient été reconstruits par les initiés grâce aux fonds de l'Union ou la Mort et transformés en École des assassins. La façade restait partiellement détruite, et les affidés qui fréquentaient les lieux étaient habillés en moines : afin d'éviter les soupçons, la société secrète avait répandu la rumeur qu'en ces murs fonctionnait une léproserie pour frères trappistes. Si quelque curieux s'aventurait à l'intérieur de l'enceinte entourant les terres du monastère, le risque était grand qu'il perdît la vie ou fût estropié par les mines disséminées partout dans les jardins du domaine. Il arrivait, du reste, que des élèves distraits fussent eux-mêmes victimes de ces pièges.

La Skola Atentora était dirigée avec une rigueur implacable par le major Tankosic, bras droit d'Apis. Les exercices conduisaient les aspirants terroristes aux limites de l'épuisement. Gavrilo Princip lui-même, jeune homme de santé précaire auquel Dragutin Dimitrijevic tenait comme à la prunelle de ses yeux, avait abandonné l'École neuf mois plus tôt, faute de pouvoir supporter les rigueurs de ces entraînements.

Mais Dimo se consacrait corps et âme à tous les aspects de la formation. En matière d'armes blanches, il se familiarisa avec l'usage des poignards à double tranchant et des couteaux à lame courte. Il apprit l'art de l'escrime et y passa maître, qu'il s'agît du fleuret, de l'épée ou du sabre. Au cours des exercices, son corps se trouva bientôt marqué de nombreuses cicatrices – fruits de son inhabileté naturelle. Il s'instruisit dans la manière d'amorcer ou de désamorcer les bombes et manipula avec enthousiasme divers explosifs, telles la dynamite et la nitroglycérine. Ses maladresses furent bien vite connues des autres élèves, qui évitèrent de prendre part aux mêmes leçons que lui. Ceux qui étaient au courant de l'ablation de son testicule droit attribuaient railleusement sa gaucherie au rituel de la Poluskopzi. Un des professeurs perdit une main en lançant une petite grenade préparée par ses soins.

En dépit de ces peccadilles, Dimitri possédait d'incontestables compétences. Il était capable, au tir, d'atteindre un cigare placé entre les lèvres d'une personne à trente mètres de distance – mais, comme il n'y avait jamais de volontaires pour participer à ses démonstrations, Dimo fixait le cigare allumé aux branches d'un arbuste. Il savait comment confectionner des potions mortelles à base de cyanure, d'arsenic, de strychnine et d'autres substances toxiques, mais détestait les poisons. C'étaient, estimait-il, des armes bonnes pour les poltrons. Lui aspirait à affronter l'ennemi face à face. Il se distinguait également dans les arts martiaux, bien que les cours se terminassent rarement pour lui sans quelque entorse ou luxation.

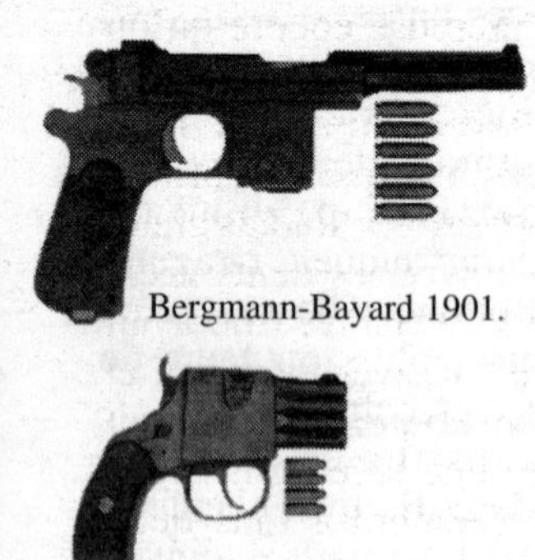
Bergmann-Bayard 1901.

Schuler-Reform 1904.

Ses dispositions innées pour le tir le conduisirent à se spécialiser dans les armes à feu, principalement les armes de poing. Sa préférée était un semi-automatique allemand de marque Bergmann-Bayard, conçu par Theodor Bergmann en 1901. Ce pistolet était initialement destiné à un usage militaire, et avait reçu le nom de Mars. C'était le premier à utiliser des projectiles de 9 millimètres : des balles d'une très grande puissance de pénétration. Il mesurait vingt-cinq centimètres de long, pesait environ un kilo, possédait un canon de quatre pouces et un chargeur à six cartouches. Les balles partaient à une vitesse de trois cent cinq mètres par seconde. Le recul était très violent, ce qui n'était pas pour déplaire à Dimitri, avide de sensations fortes. Outre le Mars, Dimo ne manquait jamais de porter sur lui un petit Schuler-Reform modèle 1904, un 6 millimètres, considéré comme le chef-d'œuvre de l'armurier August Schuler, un Allemand de Suhl qui avait inventé ce bijou pour tirer quatre coups consécutifs ou en une seule fois. Dimo avait coutume de l'attacher à sa jambe et il ne le quittait jamais.

En juin, quand il eut seize ans, il connut sa première passion amoureuse. Paradoxalement, l'objet de sa flamme n'était autre que son professeur de toxicologie, discipline qu'il dédaignait. Mira Kosanovic était une belle Albanaise de Serbie née à Durrës, un petit port sur l'Adriatique. Son visage anguleux, taillé à la serpe, ses pommettes saillantes, ses yeux noirs en amande, lui donnaient un je-ne-sais-quoi de félin, de presque sauvage. Quant à son corps, les vêtements amples et peu soignés qu'elle portait dans le monastère ne pouvaient en cacher les formes sensuelles. On disait à la Skola Atentora que Mira était plus dangereuse encore qu'on ne pouvait l'imaginer : au cours de la première guerre balkanique, qui venait de s'achever, elle avait livré contre les Turcs des combats corps à corps et, profitant de la surprise qu'elle provoquait parmi les soldats ennemis, elle leur tranchait la carotide avec les dents. Cela lui avait valu le surnom de Dents de Sabre. Elle avait huit ans de plus que Dimitri, mais lui, avec sa pâleur et ses cernes profonds de poète insomniaque, en paraissait déjà vingt et un. On peut se faire une idée de la brève mais foudroyante passion qui les embrasa tous deux grâce à une lettre écrite par Dimitri peu avant son départ de l'École des assassins, et que Mira gardait encore contre son sein lorsqu'on la trouva morte en 1937, dans les décombres de la ville de Guernica bombardée par les Allemands lors de la guerre d'Espagne. On prétend, du reste, que le visage de femme sur la gauche, dans le

Guernica, le célèbre tableau de Picasso. Il semblerait que Mira Kosanovic soit la femme représentée sur la gauche.

célèbre tableau de Picasso, est celui de Mira. Selon certains témoignages, le peintre aurait eu une liaison avec la fougueuse anarchiste à Paris, en 1923.

Voici le texte intégral de la lettre :

Ma bien-aimée,

Au moment où tu trouveras cette missive parmi les éprouvettes de ton laboratoire, je serai bien loin d'ici. Pourtant, je ne suis pas encore parti et tu me manques déjà immensément. Ma décision n'en est pas moins irrévocable.

Je quitte la Skola Atentora, prêt à suivre désormais le chemin qui m'est tracé. Conformément aux instructions de mon mentor et protecteur Dragutin Dimitrijevic, notre chef vénéré, je ne puis révéler la nature de ma première mission à personne, pas même à toi. Au vrai, si je m'y laissais aller, je n'aurais plus la force de te faire mes adieux, mais ne parviendrais pas davantage à continuer de vivre en ayant commis cette désobéissance, si vénielle soit-elle. Connaissant ta ferveur révolutionnaire, je sais d'avance que tu comprendras. Je peux seulement te dire que l'accomplissement de ma tâche sera d'importance vitale pour notre cause, et qu'elle frappera la tyrannie austro-hongroise d'un coup terrible. Si tout se passe comme je l'espère, c'est pour jamais que mon nom sera gravé dans la mémoire du peuple serbe ! Mais bien plus importante est pour moi la certitude que tu frémiras d'orgueil en apprenant l'acte intrépide de celui à qui tu as tant appris.

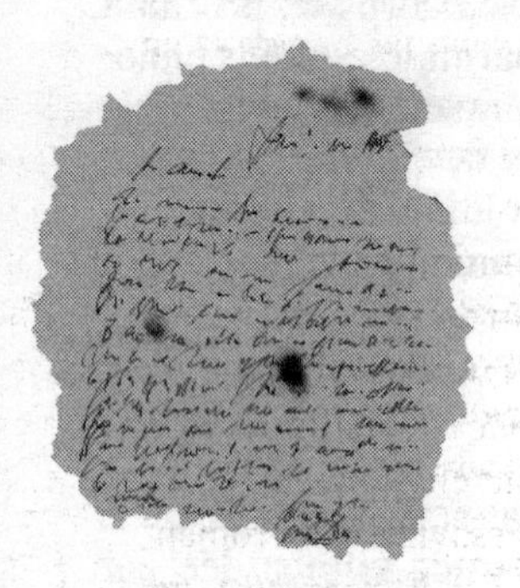

Fac-similé de la lettre trouvée sur Mira Kosanovic.

Oh, ce dont je parle n'est pas les combinaisons fatales de substances mortifères que tu m'as enseignées avec tant de patience. À moi, qui détestais les poisons ! Mais tu m'as fait découvrir le romantisme du curare, le lyrisme de la tisane de muguet qui, exactement dosée, fait cesser le cœur de battre. Et la poésie de la pommade de rhododendron, si odorante et en même temps capable d'épuiser une victime par une diarrhée mortelle...

Non. Ce dont je parle, ce sont les initiations plus profondes, plus intimes que j'ai reçues de toi. C'est d'amour ! Dis, est-il trop bourgeois de parler d'amour ?

Toi, c'est toi, ô maîtresse enchanteresse des nuits blanches, qui m'as révélé les enivrantes délices du Sexe, éveillant le plaisir dans chaque parcelle de mon corps extasié. Te rappelles-tu la première fois ? Te rappelles-tu ma maladresse ? Ce moment où tu m'as murmuré à l'oreille que ce n'était pas moi, mais toi qui devais ouvrir les jambes ? Et ton rire, ah ! ton rire quand je pris ta crise d'asthme pour le plus sublime des orgasmes ! Ah, Mira ! Je sens encore la chaleur de tes seins, dont l'empreinte indélébile est gravée dans la paume de mes mains. Je ferme les yeux et c'est ta voix que j'entends en moi, qui me parle de l'insolite jouissance que tu éprouves sous la caresse de mes quatre index... Et comment oublier cette fin d'après-midi dans les jardins du monastère, où tu as attiré ma tête vers la douce chaleur de ton ventre et où, au lieu de ton pubis parfumé, c'est – ô amant malhabile ! – l'herbe de la pelouse que mes lèvres ont goulûment baisée ?

Oui, bien plus que l'art des poisons, c'est tout ce que je sais de la vie que je te dois. Au long de cette année prodigieuse, tu as su – et non par tes leçons dans ton laboratoire ! – transformer en homme le petit garçon que je restais au fond de moi.

Je ne sais si nous nous reverrons, ma bien-aimée, ni si je survivrai à la périlleuse prouesse qui m'attend. Les risques sont grands. Je sais seulement, avec certitude, que j'emporte de toi le souvenir ineffaçable de la femme vaillante et généreuse qui m'a révélé l'amour.

Adieu.

L'Union ou la Mort !
Éternellement à toi,

Dimo

Sarajevo, dimanche 28 juin 1914

Le 28 juin : date sacrée entre toutes du calendrier historique des Serbes. Ce jour-là, à Sarajevo, on célèbre la bataille de Kosovo. Cette bataille a eu lieu voilà plus de cinq siècles et, selon la mystique slave, la fine fleur de la chevalerie des Balkans y fut décimée sur le Champ des Merles, victime de la barbarie des Turcs. Un ciel sans nuages s'étend au-dessus de la ville et le soleil baigne les toits des maisons parées de fleurs et de drapeaux. C'est jour de fête. Hommes et femmes arborent des vêtements aux couleurs vives et certains commémorent l'événement en dansant dans les rues en costume folklorique.

Par ignorance ou sottise, c'est aussi le jour qu'a choisi l'archiduc François-Ferdinand, héritier du trône austro-hongrois et profondément antipathique au peuple serbe, pour visiter Sarajevo. L'archiduc, répondant à l'invitation du général Oskar Potoirek, gouverneur de Bosnie, vient assister aux manœuvres militaires qui doivent se tenir dans le camp de Filipovic. Ce que Son Altesse Impériale ne peut savoir, c'est que, disposés au long des quelque cinq cents mètres qui séparent la gare de chemin de fer de la préfecture, où une cérémonie est prévue, l'attendent quelque vingt et un conspirateurs armés, membres de l'organisation dite Narodna Odbrana – la « Défense nationaliste ». Leur intention ? Éliminer ce symbole ostentatoire de la tyrannie.

À neuf heures du matin, Dimitri Borja Korozec entre au *Café Zora*, dans la rue Franz-Joseph, et demande à manger quelque chose. Il tient sous son bras la *Bosnische Post* de la veille, qui indique précisément le trajet que doit accomplir François-Ferdinand. Il choisit une table dans le fond, d'où il peut observer toute la salle. Depuis l'aube, il arpente les rues de Sarajevo, étudiant pas à pas l'itinéraire qu'emprunteront tout à l'heure l'archiduc et sa suite. Jamais il n'a ressenti pareille excitation. Malgré la chaleur, il porte un pardessus sombre et un large pantalon de serge couleur anthracite, pour mieux dissimuler ses armes. L'automatique Bergmann-Bayard, glissé sous sa ceinture, lui brûle la peau. De temps à autre, il tâte sa jambe pour vérifier que l'autre pistolet, le Reform, est toujours bien fixé à son mollet. Si tout se passe comme prévu, dans moins de deux heures l'acte sera consommé. Selon les instructions qu'il a reçues, il doit, sitôt après l'assassinat, partir retrouver Dragutin à Belgrade. Pour la millième fois, il repasse dans son esprit l'ensemble du plan. Rien ne peut le faire échouer.

Soudain, deux garçons entrent dans le café. Dimo reconnaît le premier : c'est Vaso Cubrilovic. Vaso a dix-sept ans, comme lui. Très maigre, il porte une fine moustache pour tâcher de se vieillir, mais l'artifice est sans effet : son mince duvet lui donne seulement l'air d'un gamin qui s'efforce de passer pour un adulte. Tous deux ont fait leurs études dans le même lycée, mais Dimitri ne l'a plus revu depuis qu'il est entré à la Skola Atentora. Il voudrait s'éclipser en cachant son visage derrière son journal, mais trop tard : Cubrilovic l'a déjà aperçu et s'approche de sa table avec son compagnon, un musulman de la province d'Herzégovine nommé Mohammed Mehmedbasic. En janvier, Mohammed, qui a vingt-sept ans, a été recruté par la Mlada Bosna – la « Jeune Bosnie » – pour assassiner le général Potoirek, gouverneur de Bosnie-Herzégovine. Heureusement pour le général, la police a choisi le train qui le conduisait vers Sarajevo pour y effectuer une inspection de routine, et Mehmedbasic, renonçant à son projet d'attentat, a jeté poignard et poison par la fenêtre du wagon.

Les deux jeunes gens sont nerveux, Dimitri le sent bien. Des fragments de leur conversation ont été ultérieurement notés par Mohammed et extraits de ses *Carnets d'un anarchiste musulman,* trouvés en 1940, à sa mort, dans un tiroir de la maison où il travaillait comme jardinier :

> *« Eh bien, où comptais-tu aller ? » demanda Cubrilovic, s'asseyant à côté de lui.*
>
> *J'eus conscience aussitôt que notre présence dérangeait ce jeune homme. C'était encore presque un enfant. Il ne devait pas avoir plus de dix-sept ans, comme Vaso.*
>
> *« Par là », répondit-il évasivement.*
>
> *Je le sentis rempli d'une certaine appréhension. Je tirai une chaise et m'installai juste en face de lui. Vaso me présenta :*
>
> *« Voici Mohammed Mehmedbasic. Mohammed, il faut que tu connaisses mon ami Dimitri Borja Korozec. Nous étions au lycée ensemble, et je puis t'assurer d'une chose : il n'existe pas en ce monde une personne plus incroyablement maladroite », dit Cubrilovic, riant nerveusement et sans parvenir à cacher l'agitation que suscitait en lui la perspective des événements qui se préparaient.*
>
> *De temps à autre, il regardait vers la porte et consultait sa montre. C'était clair : il ne serait pas capable de garder bien longtemps le secret*

sur nos plans. J'essayai alors de le faire sortir de ce café, mais c'était trop tard. Il raconta tout, regardant Dimitri droit dans les yeux :

« Dans un petit moment, nous allons assassiner l'archiduc François-Ferdinand. »

Dimitri réagit comme s'il avait reçu un coup de poing :

« Qui ça, nous ?

– Nous, la Narodna Odbrana, nous, la Mlada Bosna ! Nous sommes sept : moi, Mohammed ici présent, Trifko, Ilic, Nedjelko, Popovic et Gavrilo. Sept authentiques patriotes prêts à tout ! » fanfaronna ce stupide bavard – et, ouvrant son paletot, il laissa entrevoir la bombe qu'il cachait dessous.

Vaso était déjà allé beaucoup trop loin, pensai-je ; et je lui dis, en le tirant par le bras :

« Tais-toi donc ! Est-ce que tu veux tout faire rater ? »

Vaso éclata de rire.

« Voyons, ne sois pas bête ! Dimo et moi, nous nous sommes suffisamment parlé pendant les cours pour que je sache qu'il est de tout cœur avec notre cause. »

J'observai le visage du jeune homme en face de moi. Son regard n'exprimait pas la crainte, mais la haine. Et sa rage n'était pas dirigée contre l'archiduc, mais contre nous, car il se leva, agrippa violemment Vaso par le col et cria :

« Comment osez-vous ? Il est à moi, vous m'entendez ? À moi ! Rien qu'à moi ! »

J'entraînai en toute hâte Cubrilovic ahuri, craignant que n'apparût quelque policier alerté par le tumulte.

Au moment où les deux compagnons quittent le *Café Zora*, Dimitri prend soudain conscience du danger auquel il s'est exposé ; il s'étonne de sa propre réaction : de tels débordements de colère ne sont pas dans son caractère. Dans le café, tout le monde tourne la tête et le regarde, intrigué. S'il sort immédiatement, pense-t-il, son comportement n'en paraîtra que plus étrange. Or, des agents secrets autrichiens sont infiltrés partout dans la ville… Il faut ruser, inventer un prétexte quelconque pour que cette discussion stupide n'éveille aucun soupçon. Il se remémore la phrase qu'il a criée, et c'est alors que son esprit s'illumine d'une idée géniale. Il répète peu ou prou les mêmes mots, cette fois sans crier mais sur un ton plaintif et désolé, en prenant une voix de fausset :

« Il est à moi ! À moi et à personne d'autre ! Oh, mon Dieu, mon Dieu, faites qu'il ne m'abandonne pas ! »

Et, simulant des sanglots convulsifs, il se dirige d'une démarche efféminée vers les toilettes des messieurs. À son passage, les hommes détournent les yeux d'un air indigné, puis se désintéressent de lui et retournent à leurs affaires.

Dans les toilettes, tout en se lavant le visage et les mains, Dimo reconsidère la situation. Rien n'est perdu. Ce n'est pas la présence d'autres assassins aux aguets qui l'empêchera d'être le premier à tirer sur l'archiduc. Le seul qu'il craigne vraiment est Gavrilo Princip. Il se rappelle très bien le jeune poitrinaire, aux yeux profondément enfoncés dans leurs orbites, qu'il a connu au temps des réunions estudiantines. Il ne l'aime guère, car Princip l'a toujours méprisé, comme s'il ne voyait en Dimitri qu'un blanc-bec voulant passer pour « quelqu'un » ; mais il respecte sa réputation. À la Skola Atentora, on affirmait que Gavrilo était un tireur de premier ordre. Eh bien, soit ! Il suffira de se poster au meilleur endroit, au point stratégique, et l'archiduc sera sa proie, à lui et à nul autre. À l'École des assassins, il a été préparé à des situations plus difficiles. Pas question de se décourager devant le premier obstacle. Il sait exactement où se placer pour attendre le cortège ; c'est d'ailleurs pour cette raison qu'il a choisi le *Café Zora*.

Pour revenir de la préfecture, les voitures officielles devront emprunter le quai Appel, qui borde la rivière Miljacka, tourner à droite au niveau du pont Lateiner, au coin de l'épicerie Schiller, et continuer ensuite par la rue Franz-Joseph. Le *Café Zora* occupe exactement l'angle opposé à l'épicerie. Juste à côté de l'établissement se trouve une étroite ruelle, et c'est de là que Dimitri a l'intention de tirer. Toujours debout devant le lavabo, il examine le chargeur de son automatique Bergmann-Bayard, puis l'arme soigneusement. Il ouvre la porte des toilettes, complètement ragaillardi à présent, et traverse la salle en direction de la sortie. Le moment est venu de se placer en embuscade. En passant devant le comptoir, il aperçoit fugitivement son image réfléchie par l'immense miroir vénitien qui couvre presque entièrement la paroi. C'est un Dimitri plein d'insouciance qui, dans un geste de coquetterie satisfaite – fort rare chez lui – passe nonchalamment ses douze doigts dans sa chevelure frisée.

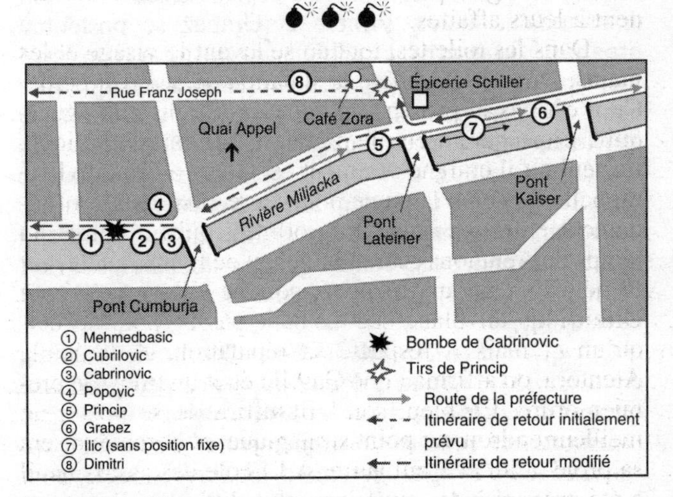

Sarajevo : position des assassins

À dix heures, l'archiduc François-Ferdinand achève de passer les troupes en revue et part vers la préfecture pour y assister à la réception prévue. Le cortège se compose de six automobiles. C'est le préfet Fehim Curcic, avec à son côté Herr Doktor Gerde, le chef de la police, qui en prend la tête. Juste derrière, capote baissée et arborant un fanion aux armes des Habsbourg, suit la voiture de François-Ferdinand, avec son épouse Sophie et le général Potoirek, assis sur la banquette arrière. Le propriétaire du véhicule, le comte Harrach, a pris place à côté du chauffeur. Le chef de la chancellerie militaire de l'archiduc, la dame de compagnie de l'archiduchesse et le bras droit de Potoirek, le lieutenant-colonel Merizzi, sont dans la troisième voiture. La quatrième et la cinquième transportent des officiers de la garnison de François-Ferdinand, ainsi que plusieurs hauts fonctionnaires bosniaques. Il n'y a personne dans la sixième : elle n'est là que par précaution, au cas où l'une des cinq autres tomberait en panne.

La foule, oublieuse des revendications politiques, est massée le long du quai Appel et accueille par des vivats le couple impérial. Les sept assassins s'y sont discrètement mêlés. Princip et Grabez se postent à proximité du pont Kaiser. Ilic, sans position fixe, va et vient parmi les badauds. Popovic reste à quelque distance. Près du pont Cumburja, Cabrinovic, Cubrilovic et Mohammed sont embusqués. C'est Mohammed, le musulman, qui se trouvera le premier en position de tirer. Il s'apprête à dégoupiller sa grenade, mais hésite pourtant, craignant de blesser grièvement un grand nombre d'innocents. Tandis qu'il se demande s'il doit ou non la lancer, il voit le cortège passer lentement devant lui.

À quelques mètres de là, Vaso Cubrilovic, l'ancien condisciple de Dimitri, donne la preuve peu glorieuse que ses discours sont plus explosifs que la bombe qu'il transporte. Il renonce brusquement à l'attentat programmé et s'éloigne vivement en traversant le pont Lateiner. Le conspirateur suivant est plus déterminé. Il s'agit de Nedjelko Cabrinovic, fils d'un ancien espion autrichien. Agitateur politique éprouvé, Nedjelko est venu de Belgrade dans le but de prendre part à l'assassinat et n'a pas l'intention d'avoir fait le voyage pour rien. Au moment où s'approche le cortège, qui descend nonchalamment la large avenue au bord de la Miljacka, il tire sa bombe de la poche de sa casaque, en brise la capsule contre un poteau et lance d'un geste ferme le projectile fumant dans la direction de François-Ferdinand.

Dans le bref laps de temps qu'il faut à la bombe pour franchir la distance séparant la main de Cabrilovic de la voiture de l'archiduc, un petit incident modifie dramatiquement les conséquences du geste meurtrier du terroriste : en entendant le sifflement de l'amorce activée par le choc contre le poteau, le comte Harrach pense tout à coup qu'un pneu de la voiture a crevé et ordonne au chauffeur :

« Arrêtez-vous. Il ne manquait plus que ça ! Un pneu crevé ! »

Sur ces mots, il se lève et se dispose à descendre de voiture.

Le chauffeur, qui à la différence du comte a très bien vu la bombe s'élever dans les airs, fait exactement le contraire : il accélère. Le brusque élan de la voiture fait perdre l'équilibre au comte, qui tombe sur la banquette arrière et voit ainsi l'objet fumant passer au-dessus de sa tête. François-Ferdinand, d'un geste réflexe, lève le bras et, ce faisant, détourne le projectile, qui finit par exploser sur la chaussée, juste devant la troisième voiture. L'explosion blesse une douzaine de spectateurs et le lieutenant-colonel Merizzi est atteint à la nuque – cependant que la cible véritable poursuit son chemin, indemne. Le reste du cortège le suit à toute allure jusqu'à la préfecture.

Lorsqu'il prend conscience que l'archiduc a échappé à l'attentat sans une égratignure, Cabrinovic avale une fiole de cyanure et se jette dans les eaux de la Miljacka. Inutilement : le poison est éventé et la rivière à sec. L'assassin frustré entrera dans l'Histoire comme « celui qui a échoué ».

François-Ferdinand, furieux, entre dans la préfecture. Au préfet, qui s'efforce d'accompagner ses larges enjambées, il lance d'une voix tonnante :
« Eh bien, monsieur le préfet ! Je viens visiter cette ville et je suis accueilli par des bombes ? C'est un outrage ! Un outrage ! »

Le préfet, par nervosité ou inconscience, commence à déplier les feuillets sur lesquels il a préalablement rédigé son discours de bienvenue, comme s'il ne s'était rien passé de particulier.
« Très digne Altesse Impériale… C'est le cœur rempli d'allégresse que nous accueillons un hôte si noble et illustre… »

Devant l'absurdité presque cocasse de la situation, la colère de l'archiduc s'apaise, et un moment plus tard il met un terme à la cérémonie en remerciant son amphitryon pour son chaleureux accueil.

Cependant, l'escadron d'officiers qui accompagne Son Altesse discute anxieusement de la nécessité d'un changement de programme immédiat. Le général Potoirek s'en va implorer François-Ferdinand de quitter Sarajevo au plus vite et par le chemin le plus court ; mais l'héritier du trône austro-hongrois est plus courageux qu'on ne pourrait le penser. Il se refuse tout net à interrompre sa visite.

« Ridicule ! Il faut plus qu'une bombe lancée par un voyou d'anarchiste pour effrayer un Habsbourg. »

Au vrai, l'archiduc n'est pas seulement brave. Il compte sur une protection spéciale et ignorée de tous (seuls ses auxiliaires les plus proches sont dans le secret) : sous sa tunique, il porte un gilet d'un type nouveau, à l'épreuve des balles, mélange de soie et de mailles tressées et cousues en bandes obliques. Aussi, poussé par un excès de confiance, François-Ferdinand met-il un point d'honneur à participer au déjeuner prévu dans la résidence du gouverneur, et, fidèle au programme établi, à visiter ensuite le musée municipal. Toutefois, il s'inquiète de la sécurité de son épouse :

« Sophie, il n'est nullement indispensable que vous m'accompagniez. Le plus sage serait que vous quittiez cette ville sur-le-champ.

– Mon ami, si vous pensez vous délivrer de moi si vite, vous vous trompez lourdement », réplique l'archiduchesse, posant sur lui un long regard où l'appréhension se mêle à la tendresse.

Au vrai, pour mieux comprendre la détermination de l'archiduchesse, peut-être faut-il se rappeler sa délicate situation à la cour d'Autriche. L'empereur n'a jamais approuvé le mariage de son neveu. La tradition aurait voulu que François-Ferdinand épousât une princesse apparentée à la maison de Habsbourg, ou à l'une ou l'autre des familles régnantes d'Europe ; or, Sophie ne remplissait pas ces strictes conditions. Leur union est certes reconnue, mais il s'agit d'un mariage morganatique, et la condition inférieure de l'épouse est officielle et manifeste : entre autres restrictions, le rigide protocole impérial ne permet pas qu'à l'occasion des grandes solennités Sophie paraisse dans le même carrosse que l'archiduc, assise au côté de son époux. Comme le couple s'aime d'un amour profond, c'est avec grande

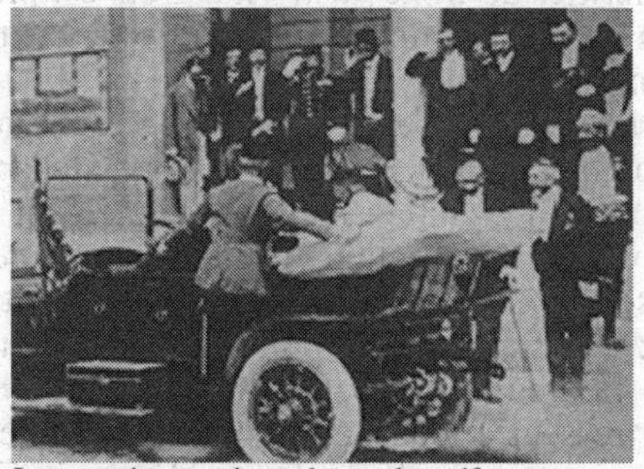

La montée en voiture devant la préfecture.

impatience que tous deux ont attendu ce voyage à Sarajevo, où, loin de la cour et du regard sévère de Sa Majesté, ils pourraient exceptionnellement apparaître ensemble.

« J'en suis bien convaincu. Si c'est ce que vous préférez, à votre guise », consent François-Ferdinand.

Tous deux descendent les marches de la préfecture et prennent place dans l'automobile qui les attend.

Dimitri entend le fracas de l'explosion, puis le tumulte qui s'ensuit. Des gens passent devant lui et courent dans toutes les directions. Il voit des policiers en grande discussion, qui désignent du doigt le pont Cumburja. Une appréhension le saisit, mais il décide d'attendre un moment avant de sortir de la ruelle où il a pris position, caché par une pile de fûts à bière. Peu à peu, il perd la notion du temps. Mais les minutes passent, et il ne peut plus contenir sa curiosité : dissimulant son automatique dans sa poche, il marche jusqu'à la rue Franz-Joseph pour tenter de savoir ce qui s'est passé. Il devine qu'un des sept conjurés de la Narodna Odbrana a lancé une bombe, mais quel est le résultat de cette tentative ? Il presse le pas en direction du quai Appel. Alors qu'il s'apprête à tourner le coin de la rue, juste devant l'épicerie Schiller, il se heurte à un jeune homme qui sort au même moment de la boutique en mordant dans un sandwich. Il le reconnaît immédiatement : c'est Gavrilo Princip. Feignant la surprise, il s'exclame :

« Gavrilo ! Ça alors, depuis tout ce temps ! Qu'est-ce que tu fais par ici ?

– Ce que je fais ? Je mange un sandwich.

– Je le vois bien. Ne me traite pas comme si j'avais six ans.

– Bah ! Je crois que maintenant ça n'a plus d'importance que tu saches ou non la vérité, puisque l'attentat a échoué, répond Princip la bouche pleine.

– Quel attentat ? interroge Dimitri, prenant l'air étonné.

– L'attentat contre le neveu du tyran, qui ose venir parader dans nos rues le jour de la bataille de Kosovo ! Dommage que cette canaille en ait réchappé.

– Comment s'en est-il sorti ?

– En levant le bras, il a dévié une bombe lancée par Cabrinovic. Cet idiot de Cabrinovic serait capable de rater un éléphant qui s'est couché pour dormir !

– Les éléphants ne se couchent pas pour dormir, rectifie distraitement Dimitri, qui se rappelle ses années au cirque.

– Peu importe. Ce qui est rageant, c'est que maintenant il n'y a plus moyen de l'atteindre. À l'heure qu'il est, ce lâche a déjà dû quitter la Bosnie caché sous les jupes de sa femme ! »

Dimitri est partagé entre deux sentiments : la tristesse que l'agression ait échoué et la joie d'avoir encore une chance d'assassiner l'archiduc lui-même.

« Il se pourrait qu'il reste dans la ville, observe-t-il, plein d'espoir.

– Mmm… Tu es optimiste. »

Ils gardent un moment le silence. Gavrilo finit de manger son sandwich, puis tire de sa poche un mouchoir plutôt sale pour s'essuyer les mains. Au moment où il entrouvre son veston pour ranger son mouchoir, Dimitri aperçoit un pistolet Browning glissé dans sa ceinture. Sans plus de façons, Princip change de sujet et lui demande des nouvelles d'un ami commun, rencontré au cours des soirées passées à discuter politique au café *Zeatna Student*, « l'Étudiant assoiffé ».

« Tu as revu Ante Pavelic ?

– Non.

– Moi non plus. Eh bien, au revoir.

– Au revoir. »

Les deux se séparent et s'en vont dans des directions opposées : Dimitri Borja Korozec se terre dans la ruelle, espérant de tout son cœur que François-Ferdinand aura décidé de poursuivre sa visite conformément au programme prévu ; et Gavrilo Princip part à la rencontre de son destin.

Dans leur certitude que le despote autrichien n'osera pas rester à Sarajevo, les autres assassins se sont eux aussi dispersés dans la foule, qui commente l'événement.

Cependant, insoucieux de ce que peuvent penser les conspirateurs, l'archiduc reprend son défilé avec sa suite. L'itinéraire initialement prévu connaîtra seulement une petite modification : au lieu de se rendre au musée, François-Ferdinand a l'intention de visiter les personnes blessées dans l'attentat. L'idée de ce changement de trajet vient du lieutenant-colonel Merizzi, atteint par un éclat de la bombe, et qui a fait cette suggestion avant d'être emmené au Centralno Bolnica, l'hôpital vers lequel se dirige l'archiduc. Mais aucun des chauffeurs n'a été informé. Une nouvelle fois, le cortège parcourt à grande vitesse la large avenue bordée par le quai Appel ; puis, au lieu de continuer tout droit et de longer la Miljacka jusqu'à l'hôpital, les premières voitures suivent le trajet initialement prévu et s'engagent dans la rue Franz-Joseph quelques instants à peine après que Dimitri et Gavrilo se sont dit au revoir. S'apercevant de l'erreur, le général Potoirek crie au chauffeur :

« Ce n'est pas le bon chemin ! Il faut continuer le long du quai. »

Le chauffeur, alarmé, appuie sur le frein avant de passer la marche arrière, et le véhicule transportant Son Altesse s'arrête juste au coin de l'épicerie Schiller.

En voyant la voiture du tyran s'immobiliser presque sous son nez, Dimitri a peine à croire en sa bonne fortune. À cette distance, impossible de manquer sa cible. Il tire de sa ceinture le Bergmann-Bayard et, pour mieux viser, appuie son bras tendu sur un des fûts abandonnés dans la ruelle. Il se sent le cœur sur les lèvres, tant son exaltation est intense – seulement comparable à celle qu'il a pu ressentir entre les bras de Mira Kosanovic. Il prend sa respiration, et tire.

La culasse ne bouge pas d'un millimètre.

Il tire de nouveau. De nouveau, rien ne se produit. Il a soudain la sensation que, pour une raison inconnue, son doigt s'est dilaté et ne parvient pas à appuyer sur la détente. Il examine la main qui tient le pistolet et constate, horrifié, ce qui s'est produit : si passionnée était sa volonté d'abattre l'héritier honni des Habsbourg que dans l'excitation du moment, par pur réflexe, il a glissé ses *deux* index en même temps dans le pontet de son arme. Il tente désespérément de les en extirper en les mouillant de salive et en faisant tourner son pistolet comme si c'était une bague trop serrée. En vain ! L'automatique est coincé autour de ses doigts. Sa petite anomalie de naissance où tous s'accordaient à lire la marque de sa prédestination à l'assassinat libérateur n'a eu, au bout du compte, qu'un seul effet : le faire échouer dans sa mission…

À l'instant même où il prend conscience de cette cruelle ironie du sort, Dimo entend deux coups de feu. Il lève la tête juste à temps pour que s'imprime sur sa rétine une image qui hantera à jamais ses cauchemars : l'archiduc François-Ferdinand, héritier de la couronne austro-hongroise, gît ensanglanté sur le corps de l'archiduchesse morte. Debout à moins de deux mètres de l'automobile se trouve Gavrilo Princip, son Browning fumant dans la main.

Encore glissé dans le pontet de l'arme, un doigt unique. Le doigt qui vient en cet instant de déclencher la Première Guerre mondiale.

***

Son gilet pare-balles n'a été d'aucune utilité à l'archiduc. Le tir de Gavrilo l'a atteint au cou, lui sectionnant l'artère jugulaire. Et il a été impossible de lui ôter sa tunique pour tenter d'arrêter le jaillissement du sang qui, déjà, imbibait son bel uniforme, car, pour éviter que des plis ne se forment sur l'étoffe, le très coquet héritier du trône avait l'habitude de la faire coudre sur son corps, la couture soigneusement cachée par ses boutons dorés.

Quoique terriblement abattu par son lamentable échec, Dimitri Borja Korozec est parvenu à s'enfuir du lieu du crime au moment où la foule s'élançait sur le jeune assassin. Il s'est débarrassé du pistolet Schuler-Reform attaché à sa jambe, et, cachant dans la poche de son pardessus son autre arme toujours coincée autour de ses deux index, il s'éloigne précipitamment par la rue Franz-Joseph. Il lui faut regagner au plus vite la maison de ses parents, dans la Kralja Tomislava, pas très loin de là. Il doit prendre sa valise déjà prête et partir immédiatement pour Belgrade, où Dragutin, le Taureau Apis, l'attend. Il ne peut imaginer quelle sera la réaction du terrible colonel, mais pas question de manquer le rendez-vous.

À la maison, ses parents sont convaincus qu'il est responsable de la mort de l'archiduc ; il trouve sa mère anxieuse et son père radieux. Lorsqu'il dissipe leur erreur, la situation s'inverse : c'est maintenant sa mère qui est radieuse et son père qui semble anxieux.

« Mais pourquoi l'as-tu raté ? » demande Ivan d'un ton attristé.

Sans mot dire, Dimo tire de sa poche sa main droite et son arme.

Isabel pousse un cri en voyant les doigts violacés de son fils ainsi pris au piège. Son instinct maternel s'enflamme aussitôt devant cette vision grotesque :

« Allons dans la cuisine. Avec du beurre, on devrait pouvoir décoincer tes doigts ! »

Ils essaient le beurre, la graisse, le savon, mais rien n'y fait. Impossible de dégager les index de Dimitri, qui sont de plus en plus tuméfiés. Isabel a soudain une idée :

« De la glace ! Il faut laisser ta main dans la glace jusqu'à ce que tes doigts aient désenflé.

– Je ne peux pas, maman. Il faut que je parte immédiatement pour Belgrade. Je suis seulement passé prendre ma valise et vous dire au revoir.

Photo de l'arrestation de Gavrilo Princip après l'assassinat.
La flèche indique le coin de la rue par où Dimitri s'est échappé.

Illustration de l'attentat
dans *Le Petit Journal illustré*.
Dimo est caché derrière l'angle.

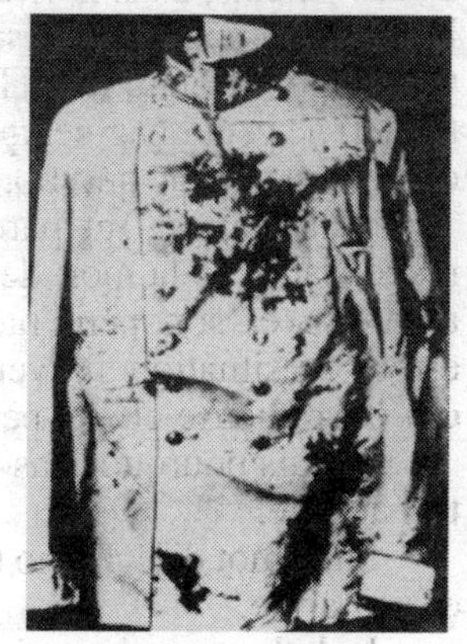

La tunique ensanglantée
de l'archiduc
François-Ferdinand.

◀ Gavrilo Princip.

L'arme du crime :
un Browning modèle 1900.

– Mais tu as à peine dix-sept ans ! Je ne te permets pas de quitter cette maison pour te lancer dans d'autres folies, proteste Isabel, horrifiée.

– Moi, je le lui permets, Isabel. Ce n'est plus à nous que sa vie appartient, mais à la Main noire, et, depuis le berceau, à la Poluskopzi ! » déclare solennellement Ivan, toujours fidèle à la secte des Demi-Castrés qui lui a tout appris.

Sans leur laisser le temps de discuter davantage, Dimo entre vivement dans sa chambre et en ressort un instant après, portant sa valise. Il embrasse tendrement père et mère et se dirige vers la porte.

« Attends ! Tu ne peux pas sortir dans la rue avec ce pistolet accroché à ta main », s'inquiète Ivan.

Tous trois gardent un moment le silence, réfléchissant à une solution. C'est alors que Dimitri a une idée, née de la hâte et du désarroi :

« Maman, je voudrais que tu me fasses un bandage qui enveloppe toute ma main et aussi le pistolet.

– Tu es fou ?

– Pas du tout. De cette façon, les gens croiront que c'est une blessure quelconque. Qui plus est, une main bandée écartera de moi tous les soupçons. Je sais que la police recherche d'autres étudiants impliqués dans l'attentat. »

Ivan, l'esprit obnubilé par la passion qu'il voue à son fils, trouve l'idée extraordinaire. Fort à contrecœur, Isabel accède à la requête du jeune homme et va prendre dans la salle de bains des bandages et des compresses en coton. Adroitement, elle transforme main et pistolet en une énorme poupée.

Dimo prend congé de ses parents et part aussitôt vers la gare. De la fenêtre, sa mère lui fait tristement un signe d'adieu, sans savoir si elle le reverra jamais. La dernière image qu'elle gardera de cette séparation sera celle de son fils lui faisant signe en retour, le bras tendu, la main droite enveloppée dans ce qui ressemble à un énorme gant de boxe tout blanc.

Bosnie, puis Belgrade, lundi 29 juin 1914

À l'aube, Belgrade se réveille sous un lourd nuage sombre venu de la vallée du Danube. Comme un présage du conflit qui s'apprête à ébranler le monde, le brouillard s'étend comme un linceul recouvrant toute la ville. Dimitri Borja Korozec, les vêtements salis et fatigué par sa nuit blanche, se dirige vers le parc de l'ancien palais de la princesse Ljubice. Le palais, un antique vestige du style balkanique, se trouve à proximité de la forteresse de Kalemegdan, édifiée par les Celtes au sommet d'une colline qui domine le confluent du Danube et de la Sava. C'est là que Dimo a rendez-vous avec le colonel Dragutin Dimitrijevic, là qu'il doit recevoir de lui ses instructions. Il a les idées plus confuses que d'habitude. À un chauffeur de taxi curieux qui l'interroge sur son énorme bandage, il répond qu'il s'est fait attaquer par un lion au jardin zoologique. Une religieuse qui le voit trébucher en descendant du véhicule remarque les traces de fatigue sur son visage et son air mal en point, et elle insiste pour l'emmener à la Clinica Central de la rue Pasterova. Dimo se défend contre cet assaut de compassion et franchit d'un pas pressé la distance qui le sépare de l'entrée du parc.

En parcourant les jardins, il aperçoit enfin le colonel assis sur un banc au pied d'un arbre. Le Taureau n'est pas seul : à son côté, les jambes croisées et tenant un parapluie, se trouve Milan Ciganovic. Il connaît bien ce vieil anarchiste. Ciganovic est le fournisseur d'armes et d'explosifs de la Skola Atentora. C'est lui qui lui a donné son petit Schuler-Reform, et le Bergmann-Bayard qui à présent est comme une extension de son bras. La rencontre est décrite en détail dans une longue lettre envoyée par Ciganovic de Bucarest, le 4 août 1914, à sa demi-sœur Olga Krupa, réfugiée à Londres et infirmière au dispensaire St. Mary du New Hospital for Women :

[…] De loin, le colonel lui fit signe de s'approcher. Dimo fit un geste en retour avec sa main pansée. Nous nous étonnâmes de l'aspect pour le moins excentrique que lui donnait ce bandage démesuré. Dimitri semblait très abattu :

« J'ai échoué, colonel. »

Dragutin se leva et le gifla violemment.

« N'utilise jamais ce mot ! Pour nos hommes, l'échec n'existe pas. Tu n'as peut-être pas réussi dans l'absolu, mais François-Ferdinand est mort. C'est tout ce qui importe. »

Observant le poing bandé de Dimitri, il lui demanda :

« Qu'est-ce que c'est que ce pansement ? Tu t'es blessé la main ?

– Non, colonel. C'est justement ce qui m'a fait éch… ce qui m'a empêché d'atteindre l'archiduc. J'étais en position, mon arme pointée sur lui, mais au moment de tirer, peut-être en raison de mon excitation, j'ai glissé les deux index de ma main droite contre la détente.

– Mon Dieu ! Et il a fallu une opération pour te couper les doigts ?

– Non. Ils sont toujours coincés dans le pistolet, qui est caché par ces bandages. C'est la seule solution que j'aie trouvée, puisqu'il me fallait de toute façon partir pour Belgrade au plus vite. Vous ne trouvez pas que c'est une idée ingénieuse ? »

Je sentis que, l'espace d'un instant, Dragutin Dimitrijevic était pris d'un doute sur la santé mentale du jeune terroriste. Mais il finit par déclarer qu'il trouvait cette solution « créative », ce qui me fit douter à mon tour de la santé mentale du colonel.

Dimitri Borja Korozec s'assit à côté de nous et nous raconta avec minutie comment s'était déroulé l'attentat. Le colonel me donna l'impression de s'estimer satisfait. Je remarquai qu'il semblait nourrir une affection toute particulière pour ce garçon, tout juste sorti de l'enfance. Dimitri, lui, était visiblement perturbé. Je demandai à Dragutin quelles seraient à son avis les conséquences de l'événement. C'est alors que je pus apprécier ses capacités d'analyse politique : il y a un peu plus d'un mois, en ce 29 juin, les paroles qu'il prononça étaient tout simplement prophétiques. Les yeux à demi fermés, comme s'il était en transe, Dragutin commença à parler d'une voix sourde et lointaine :

« Maintenant, il va se produire ce que nous désirions plus que tout. L'empereur enverra un ultimatum à la Serbie. Que cet ultimatum soit ou non suivi d'effet, il y aura la guerre. En raison du jeu des alliances, il ne se passera pas longtemps avant que tous les pays d'Europe ne soient partie prenante dans le conflit, et nous verrons finalement la destruction de l'Empire austro-hongrois. »

Nous écoutâmes, extasiés, les prédictions apocalyptiques du Taureau. Un silence se fit, qu'au bout d'un moment le jeune Dimitri rompit :

« Mais moi, pendant ce temps-là, qu'est-ce que je fais ? »

Le colonel le souffleta de nouveau.

« Que la jeunesse est donc pressée ! Il est certain que le major Tankosic et moi serons accusés d'avoir fomenté l'assassinat. Sans doute ne vivrai-je pas assez longtemps pour voir la réalisation de mon rêve. Quant à toi, il faudra donc que tu apprennes à prendre des décisions tout seul ! Il y a à la Schweizerische Glücksgeldbank de Zurich un compte au nom d'Apis. J'ai donné par écrit des instructions pour que tu sois autorisé à y puiser et à en effectuer des transferts en utilisant le nom de code Némésis. »

Je fus ébahi de constater quelle confiance illimitée le Taureau plaçait en ce jeune homme.

Jusqu'ici, seuls Tankosic et moi avions connaissance du nom de code – et encore ne nous en servions-nous que sous le contrôle rigoureux de Dragutin. J'utilisais l'argent de Zurich pour des achats d'armement, et le major pour payer les frais de fonctionnement de la Skola Atentora. Aucun autre membre de la Main noire ne connaissait l'existence du compte Apis en Suisse.

Mais son geste suivant m'effraya encore davantage. S'assurant que personne ne se promenait dans les jardins, il déboutonna le pantalon de son uniforme et ôta la ceinture qu'il portait toujours en secret à même son corps et qui était remplie de pièces d'or. Il tendit à Dimitri ce large ceinturon en cuir à boucle d'acier galvanisé, fabriqué expressément à son intention par un artisan du Monténégro. Ouvrant sa tunique, il prit ensuite le cordon auquel était accrochée la clef de la ceinture et le passa autour du cou de son jeune disciple :

« Tiens, dit-il. C'est une sorte de sauvegarde que je porte sur moi depuis la fondation de notre société secrète. La ceinture contient deux cents livres sterling en or, frappées à l'effigie du roi George V en 1911. Tu ne dois les changer qu'en cas d'extrême nécessité. »

Cependant que Dimitri, avec mon aide, ajustait le ceinturon autour de sa taille – non sans difficulté : sa main bandée rendait ses mouvements assez imprécis –, Dragutin Dimitrijevic prit dans sa poche un portefeuille et le glissa dans le pardessus du jeune homme :

Livre sterling en or, frappée à l'effigie du roi George V, 1911.

« Tu trouveras là-dedans quelques dinars, mille francs français, un passeport à ton

nom et un billet pour Paris par l'Orient-Express. Tu partiras ce soir même. Il est nécessaire que tu te caches en attendant que la situation se calme. Lorsque tu arriveras à Paris, tu iras trouver un nommé Gérard Bouchedefeu. C'est un ami anarchiste qui est déjà au courant de ta venue et qui t'hébergera en lieu sûr. L'adresse est avec le billet. »

Dimitri essaya de protester :

« Mais, colonel, si la guerre éclate, je veux être en première ligne pour essuyer le feu !

– Tais-toi ! cria Dragutin, accompagnant ces mots d'une troisième gifle. Tu as plus important à faire. Je ne t'ai pas entraîné pour que tu gaspilles tes talents dans des batailles traditionnelles. Ta fonction est de combattre la tyrannie en tous lieux et en tous pays. Tu es le fer de lance de la Main noire ! »

Je compris alors que, dans un moment de fougue incontrôlée, le colonel Dragutin Dimitrijevic venait de modifier profondément la mission initiale de l'Union ou la Mort. Homme d'une bravoure hors du commun, il savait que tôt ou tard il serait inévitablement condamné pour ses actions. Cachant les sentiments qui l'agitaient intérieurement, notre chef tira de sa serviette un appareil photographique :

« Je voudrais emporter un souvenir de vous deux. »

Il se leva, recula de trois pas et nous photographia, Dimo et moi. Je t'envoie une copie de ce cliché. Au cadrage, tu verras sans peine – toi qui es infirmière – dans quel état de grave déséquilibre émotionnel se trouvait notre vénéré colonel. Ensuite, ayant rangé son appareil, il embrassa paternellement Dimitri sur la bouche et lui ordonna de quitter les lieux, car il était dangereux que nous fussions vus ensemble. Dimitri nous fit ses adieux, visiblement inquiet

Dimitri, avec sa main bandée, photographié au côté de Ciganovic.

devant le futur incertain qui désormais l'attendait. Avant de partir, il se retourna vers Dragutin :

« Colonel, la confiance que vous placez en moi est si grande que je ne sais que dire…

– Alors, ne dis rien », répliqua le colonel, le gratifiant d'un dernier soufflet.

J'embrassai Dimitri avec émotion. D'un geste réflexe, il tendit sa main emmaillotée à Dragutin Dimitrijevic. Sans réfléchir lui non plus, le colonel serra le bandage avec force. La pression sur l'arme enveloppée de pansements eut pour effet de faire partir le coup.

J'entendis mal le son étouffé de l'automatique. Mais la balle 9 millimètres fit éclater la tête d'une statue de Diane chasseresse qui se dressait juste à côté de nous. Jamais je n'oublierai l'image de Dimitri Borja Korozec s'éloignant en claudiquant à travers le parc, et balançant son bras aux bandages fumants…

2

En 1883, impressionné par les trains qu'il avait vus aux États-Unis, Georges Nagemackers, fils d'un riche banquier belge de Liège et ami du roi Léopold II, résolut de créer la première ligne transcontinentale européenne de chemin de fer. Son enthousiasme contagieux gagna toute sa famille et jusqu'au roi lui-même, qui soutint activement son entreprise. Ainsi naquit la Compagnie internationale des Wagons-Lits et des Grands Express européens. Le nouveau train parcourait plus de trois mille kilomètres, reliant Paris à Constantinople, avec des arrêts à Strasbourg, Karlsruhe, Munich, Vienne, Budapest, Bucarest et Giurgiu, sur le Danube, ville frontière entre la Roumanie et la Bulgarie. De là, les passagers traversaient le fleuve en bac et continuaient leur voyage par un train plus modeste jusqu'à Varna, sur la mer Noire, où ils embarquaient de nouveau pour rejoindre Constantinople.

En 1914, le voyage – long de trois jours – était déjà devenu beaucoup plus commode et confortable, grâce à l'ouverture de nouvelles lignes reliant Budapest à Constantinople via Belgrade et Sofia. Pour la décoration, les wagons empruntaient au style créé par Mortimer Pullmann aux États-Unis. Ils se divisaient en voitures-lits, wagon-restaurant à la cuisine raffinée, wagon-fumoir pour les messieurs, wagon particulier pour les dames avec de petits cabinets comprenant un lavabo et un miroir pour que celles-ci pussent se recoiffer et se remaquiller tout à leur aise.

Chaque compartiment était richement décoré dans le style Art nouveau et garni de tapis persans, de tentures en velours drapé, de lambris d'acajou et de profonds fauteuils en cuir d'Espagne. Le long et luxueux voyage attirait l'élite de la société européenne, jusqu'aux membres des familles royales.

Intérieur d'un wagon de l'Orient-Express.

C'est justement sur l'Orient-Express que doit s'embarquer Dimitri Borja Korozec pour parcourir la longue distance jusqu'à Paris. D'un pas pressé, Dimo se dirige vers la gare de chemin de fer. Avec la tombée du soir, le brouillard qui enveloppe la ville semble se faire plus épais. En chemin, pour masquer la trace du coup de feu dans son faux bandage, Dimitri glisse dans le trou formé par la balle un petit bouquet de fleurs des champs acheté à une marchande ambulante, ce qui donne à l'ensemble un aspect encore un peu plus bizarre.

À la gare, les kiosques à journaux ont mis sur leurs présentoirs des éditions du soir spéciales consacrées au récit de l'assassinat de l'archiduc. Des centaines de passagers se disputent les quelques exemplaires qui restent pour gagner le privilège d'être les premiers à tout savoir de la tragédie. Les quais grouillent d'une foule agitée, et l'on se bouscule en marchant l'œil fixé sur les dramatiques nouvelles de Sarajevo. De loin, tous ces bras qui s'ouvrent et se ferment en tournant les pages font songer à un envol d'immenses papillons blancs.

Dimitri feint de s'intéresser au grand quotidien que feuillette un monsieur aux épais favoris marchant à son côté. S'apercevant de cette indiscrétion, l'homme replie son journal, cachant l'information au regard curieux de ce mal élevé à la main emmaillotée dans un gros bandage fleuri.

Dimo monte dans le train et s'installe dans le compartiment particulier de première classe que le colonel a réservé pour lui. Il observe, presque à contrecœur, l'élégante petite pièce. Il n'est pas le premier à se sentir intimidé devant tant de luxe ostentatoire : tous les passagers de modeste condition qui pénètrent dans les wagons pour la première fois, tels les domestiques ou les dames de compagnie qui accompagnent leurs richissimes patrons, éprouvent la même sensation. Plus tard, à Paris, le jeune homme confiera à Bouchedefeu la honte qu'il a ressentie à voyager dans une telle opulence : « L'argent gaspillé pour décorer et entretenir un seul wagon suffirait à nourrir les quartiers pauvres de Sarajevo pendant plusieurs mois ! » Mais Dragutin Dimitrijevic sait ce qu'il fait. Personne n'ira chercher un jeune terroriste dans ce palais sur roues.

Le chef de gare, en un rituel qui se répète semaine après semaine depuis des années, tire sa montre de la poche de son gilet, souffle dans son sifflet doré, et le train part avec une impeccable ponctualité. La vapeur de la locomotive enveloppe dans un nuage les personnes venues sur le quai faire leurs adieux aux voyageurs. Le chef de gare contemple, satisfait, le convoi qui s'éloigne lentement de Belgrade, quittant la gare et la ville tel un énorme serpent brun et doré rampant parmi les maisons endormies. Un nouveau voyage du légendaire Orient-Express vient de commencer.

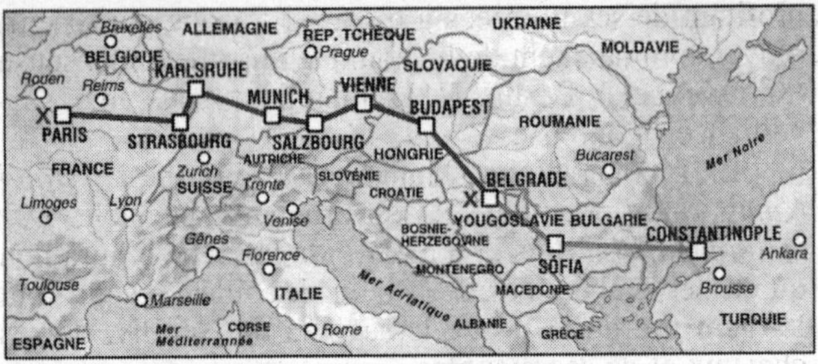

Trajet de l'Orient-Express parcouru par Dimitri à partir de Belgrade.

Sur le quai de la Hauptbahnhof de Munich, à deux pas de la Karlplatz, une femme d'allure svelte, tout de noir vêtue et coiffée d'un chapeau emplumé comme celui d'un dragon de cavalerie, attend, impatiente, l'arrivée du train. Elle sait déjà que l'Orient-Express a quitté Salzbourg à l'heure prévue : il devrait être là d'une minute à l'autre... La voilette de tulle qui dissimule son visage accroît l'aura de mystère qui nimbe sa silhouette. La vision est rendue plus insolite encore par la présence d'un nain indien en turban qui surveille ses bagages.

S'appuyant sur l'épaule du petit Oriental, elle se hausse sur la pointe des pieds et scrute l'horizon, cherchant à distinguer la fumée qui signalera l'approche de la locomotive.

Le nom de cette femme est Margaretha Geertruida Zelle MacLeod, mais elle est plus connue sous celui de Mata Hari. Le motif de sa vaine tentative pour passer inaperçue est des plus simples : Mata Hari s'efforce de voyager incognito jusqu'à Paris, afin d'y retrouver un ancien amant, le général français Adolphe-Pierre Messimy. Or, elle ne tient pas du tout à éveiller les soupçons du lieutenant Alfred Kiepert, un autre ex-amant, lié aux services de renseignements allemands, avec lequel elle entretient toujours une relation intermittente. Kiepert est un homme puissant ; en plusieurs occasions déjà, il lui a versé de fortes sommes pour qu'elle se chargeât de quelques missions ponctuelles, profitant de ses tournées à travers l'Europe pour l'employer comme agent de liaison. Depuis que la danseuse est revenue à Berlin, il la maintient sous une surveillance rigoureuse.

En février dernier, Mata Hari a séjourné à l'*Hôtel Cumberland* pour répéter son prochain spectacle, *Der Millionendieb*. Mais la première de la revue n'aura lieu qu'en septembre, et elle a déjà dilapidé presque tout l'argent tiré de la vente de sa villa de Neuilly, de ses chevaux et de ses meubles.

Mata Hari ne paraît pas son âge, mais ni son beau corps ferme et élancé, ni son visage sans rides ne suffisent à éteindre en elle le sentiment de la précarité, assez naturel chez une danseuse qui continue de se produire nue en scène à trente-huit ans. Aussi, sur un coup de tête, a-t-elle décidé ce petit voyage secret vers Paris. Prétextant une forte grippe, elle a interrompu les répétitions pour quelques jours, rempli en hâte deux de ses quarante-sept malles Louis-Vuitton, et elle est montée dans le premier train pour Munich afin d'y attendre la correspondance avec l'Orient-Express. Son intuition lui fait entrevoir que, d'une certaine manière, l'assassinat de Sarajevo pourrait contribuer à assainir ses finances. En deux mots : le général Messimy est ministre de la Guerre, et il est fort possible que les Français s'intéressent à quelques nouvelles de ce qui se trame dans l'état-major allemand. « Et vice versa », pense la danseuse – qui ignore encore qu'elle deviendra l'agent double le plus célèbre de la Grande Guerre.

La vie tempétueuse de Margaretha Geertruida Zelle MacLeod a commencé aux Pays-Bas, à Leeuwarden, où elle est née en 1876. À dix-neuf ans, elle a croisé la route du capitaine Rudolph MacLeod, un Néerlandais d'origine écossaise de vingt ans plus âgé qu'elle, qui n'a pas été insensible à sa remarquable beauté. MacLeod s'enorgueillissait beaucoup de son haut lignage : il descendait d'Olaf le Rouge, roi de Man. Malgré la différence d'âge, ils n'ont pas tardé à se marier et à s'établir à La Haye. Puis, en 1897, le capitaine MacLeod a été muté à Java et, le 1er mai, le couple a pris la mer en direction des Indes néerlandaises à bord du *SS Prinses Amalia.*

Toutefois, il est rapidement apparu que le tempérament incendiaire de la jeune femme s'accordait mal avec la vie paisible de l'île, et l'incompatibilité d'humeur entre les deux époux est allée croissant. Au bout de cinq ans, séparée du capitaine, Margaretha s'en est retournée aux Pays-Bas pour s'installer temporairement à Nimègue, dans la maison de son oncle. C'est quelques mois plus tard qu'a eu lieu à Paris sa première et triomphale démonstration de danse orientale, qui lui a valu d'être bientôt réclamée dans le monde entier.

De Java, elle a ramené Motilah, le nain hindou qui l'accompagne toujours. Elle en a aussi rapporté le secret des danses sensuelles de l'île, et son nom de théâtre : Œil du Matin. En javanais : Mata Hari.

Le long sifflement de la locomotive avertit les passagers sur le quai de la Hauptbahnhof que l'Orient-Express entre en gare.

ORIENT-EXPRESS

Mata Hari.

ORIENT-EXPRESS

Décidé à ne pas descendre du train avant l'arrivée à Paris, Dimitri Borja Korozec observe par la fenêtre de son compartiment les nouveaux passagers qui s'apprêtent à monter en voiture. Son attention est bientôt attirée par l'énigmatique silhouette féminine accompagnée de sa lilliputienne escorte. C'est d'abord la dame en noir qui se hisse dans le wagon, puis, non sans quelque difficulté, le nain. Il est si petit qu'il ne parvient pas à atteindre la première marche. En guise de solution, il repose sur le sol les deux malles Louis-Vuitton ornées d'initiales et s'en sert comme d'un escabeau. Frottant ses menottes, il sourit d'un air satisfait à madame sa patronne, visiblement fier de son ingéniosité. La dame est un peu moins contente, car elle se voit contrainte de redescendre sur le quai pour prendre elle-même ses bagages.

Malgré sa détermination première à ne pas bouger de son compartiment, Dimitri ne peut résister à l'impulsion qui le saisit d'aller observer de plus près ces nouveaux compagnons de voyage. Il ouvre la porte et s'engage avec précipitation dans l'étroit couloir, à l'instant même où le couple insolite arrive dans l'autre sens. Il s'ensuit qu'il trébuche sur le nain et s'écroule sur Mata Hari, qui chancelle à son tour. Dans la confusion, sa voilette sombre découvre ses traits, et Dimo reste pétrifié, fasciné par la beauté mystérieuse du visage de la danseuse. Mata Hari, de son côté, est frappée par l'expression candide et perdue du jeune homme. Remarquant le gigantesque bandage fleuri qui entoure sa main, elle saisit le petit bouquet et déclare en souriant :

« Merci. Jamais encore on ne m'avait offert de fleurs de manière si originale !

– Et moi, jamais de toute ma vie je n'ai vu une femme aussi belle », répond ingénument Dimitri, oubliant tout à coup Mira Kosanovic.

Tous deux se fixent intensément du regard, en silence, inconscients des secondes qui passent, leurs corps collés l'un à l'autre du fait de l'étroitesse du corridor. Mais la magie de cet instant est soudain brisée par le son d'une voix caverneuse, de basse profonde. Dimitri est tout étonné lorsqu'il comprend que ces résonances sépulcrales proviennent de la gorge du nain. Motilah, en faisant une révérence, désigne une porte du doigt :

« Voici votre cabine, Bégum, dit-il, utilisant l'appellation respectueuse qui signifie "dame" ou "maîtresse" en langue ourdoue.

– Magnifique ! Juste à côté de la mienne, s'exclame Dimitri en ouvrant la porte.

– Si Bégum préfère, elle peut prendre la seconde, à l'autre bout du wagon. Elles sont identiques. Je lui ai indiqué celle-ci parce que, au milieu du wagon, on sent moins les secousses du train.

– Non, non ! Je reste ici, répond Mata Hari d'un ton résolu et en lançant à Dimitri un lourd regard en coin.

– Comme Bégum voudra. »

Dimo saisit l'occasion au vol :

« Comme je suis impoli ! Je ne me suis même pas présenté. Mon nom est Dimitri Borja Korozec, déclare-t-il en s'inclinant pour baiser la main de la dame.

– Mata Hari », répond avec empressement celle-ci, oubliant sa volonté d'incognito.

À l'absence de réaction du jeune homme, Margaretha devine qu'il n'a jamais entendu parler d'elle. Baissant les yeux, elle présente l'homoncule qui l'accompagne :

« Et voici Motilah, mon fidèle homme de compagnie, secrétaire, chauffeur, majordome, garde du corps… Enfin, mon homme à tout faire. »

Motilah salue d'une inclination de la tête, joignant les mains à la façon indienne. Dimitri le regarde avec indifférence, mais s'étonne pourtant :

« Garde du corps ?

– Oh, oui ! Il ne faut pas le sous-estimer. Beaucoup d'hommes trois fois plus grands que lui l'ont appris à leurs dépens. Voyez-vous, Motilah est très versé dans les arts martiaux hindous, qu'on retrouve d'ailleurs très bien illustrés dans une forme de danse appelée *kathakali,* une de mes préférées. J'ignore si vous le savez, mais les danseurs de *kathakali* parviennent à un contrôle si parfait de leurs muscles faciaux qu'ils sont capables de rire avec un côté du visage et de pleurer avec l'autre. »

Dimitri est subjugué par ce flot soudain de vaine érudition.

« Seriez-vous danseuse, mademoiselle ?

– Oui, danseuse exotique.

– Quelle coïncidence ! Ma mère est contorsionniste. »

Mata Hari éclate de rire, amusée de la comparaison.

« Vous n'avez jamais entendu parler de moi ?

– Je viens tout juste de quitter le séminaire, ment effrontément Dimitri. Je vais passer quelque temps à Paris, chez un ami dominicain, histoire de reprendre contact avec le monde extérieur.

– Parfait ! Moi aussi, je vais à Paris. Nous pourrons profiter du voyage pour faire plus ample connaissance », dit Margaretha, lui tendant à baiser une jolie main lourde de bagues et d'arrière-pensées.

Troublé, Dimitri cherche à changer de sujet. Observant de nouveau le nain, il demande :

« Étant donné sa taille, comment se peut-il que votre petit serviteur fasse aussi office de chauffeur ?

– Il recule le siège avant et conduit debout. »

Dimitri ne sait s'il doit prendre au sérieux cette réponse pour le moins déroutante. Mais Mata Hari prend congé, tout en promettant de le retrouver plus tard :

« Nous nous verrons tout à l'heure, au wagon-restaurant. »

Dimo retourne dans son compartiment, encore tout retourné par cette rencontre.

Une légère secousse indique que l'Orient-Express s'apprête à quitter Munich. Le rituel des sifflets se répète une fois de plus. Peu à peu, la locomotive prend de la vitesse, et le train glisse sur les rails avec le ronronnement monotone qui accompagnera tout le voyage.

ORIENT-EXPRESS

Dans son compartiment, Margaretha MacLeod se prépare à capturer dans les rets de sa séduction cet impétueux jeune homme aux airs de poète, son plus récent compagnon de voyage présentant quelque intérêt. Elle réfléchit à l'âge de Dimitri. « Il ne peut pas avoir plus de dix-huit ans », songe-t-elle, ravie à la perspective de suborner ce jouvenceau. C'est que le voyage jusqu'à Paris est long, et plus longues encore les nuits à bord du train…

Nue, elle s'observe longuement dans l'étroit miroir vénitien de sa salle de bains miniature. L'image que lui renvoie le miroir n'est pas pour lui déplaire. Son visage lisse, ses seins fermes aux tétons rosés, sa peau laiteuse, ses lèvres charnues, en un mot toute l'aura de sensualité qui se dégage de son corps souple et élancé confortent l'opinion qu'elle a de sa personne : nul ne lui donnerait plus de vingt-cinq ans. Ouvrant son petit nécessaire, elle entame, presque mécaniquement, le rituel de sa toilette. D'abord, utilisant une dizaine de délicats tampons imbibés de lavande, elle frictionne de la pointe de ses doigts son visage, ses aisselles, son pubis et chacun des replis de son corps. Puis, avec le bouchon du flacon, elle humecte de parfum son cou, les lobes de ses oreilles et ses genoux. Enfin, elle se maquille discrètement les yeux et les lèvres. Quand elle en a terminé, elle se glisse dans sa robe du soir, prête à exercer une fois encore le seul art dans lequel elle est vraiment insurpassable : celui de la séduction.

ORIENT-EXPRESS

Dans le compartiment d'à côté, Dimitri Borja Korozec attend, plein d'espoir, l'heure de se laisser séduire.

Il y a un passager qui se sent parfaitement à son aise dans l'espace réduit du wagon-lit : c'est le nain indien Motilah Bakash. Pour lui, le compartiment a les dimensions d'un palais. N'était la hauteur du lavabo dans la salle de bains, on croirait que tout ici a été conçu tout exprès à sa mesure. Il s'assied, en pagne et turban, dans la position du lotus. Les yeux mi-clos, Motilah répète inlassablement le mantra sacré des adorateurs de Kali, la déesse noire de la destruction. Selon leur doctrine, le monde est né de la semence infinie de Shiva, qui, jaillissant dans le vagin cosmique de la déesse, a engendré l'univers tout entier. Motilah Bakash a placé devant lui, entourée d'encens, une statuette représentant Kali. L'image de la déesse est terrifiante. Son visage défiguré est couvert de sang. Sa bouche s'ouvre en un rictus monstrueux, répugnant, révélant sa langue protubérante et ses dents pointues comme des aiguilles. Trois de ses quatre mains tiennent respectivement une épée, un bouclier et un nœud pour la strangulation, cependant que la quatrième est étendue dans un geste que ses sectateurs interprètent comme une bénédiction sur eux. Kali apparaît nue, arborant seulement une ceinture de crânes humains et une guirlande de têtes coupées.

Progressivement, Motilah entre en transe. Il atteint bientôt le satori – l'illumination intérieure qui conduit au nirvana. Maintenant, il a la sensation de mesurer deux mètres. Il n'est plus le petit nain qui sert de factotum à une belle danseuse, mais un géant tout-puissant. Ce que personne ne sait, c'est que Motilah Bakash est l'ultime descendant de la secte Thug, une terrible confrérie d'assassins exterminée aux Indes par les Anglais en 1837 – mais les aïeux de Motilah ont alors réussi à s'enfuir et à gagner Java. Le petit homme a été élevé conformément aux traditions de la secte, s'initiant au culte vamakara, aussi appelé tantrisme de la main gauche, dont les adeptes atteignent la plénitude intérieure au moyen de pratiques sexuelles. Souvent, les initiés du Vamakara parviennent à l'orgasme sans même faire un geste, par la seule force de la méditation. Motilah a aussi étudié le *ramasi,* ou dialecte thug, et les signaux qu'utilisent les membres de la secte pour se reconnaître entre eux. Aujourd'hui toutefois, ces signaux paraissent de peu d'utilité, attendu que Motilah Bakash est certainement le dernier des Thugs.

Ce qui ne l'empêche point de garder toute sa vénération pour une doctrine qui a fait de lui, entre autres choses, un maître dans l'art de la strangulation. Son arme, d'apparence parfaitement inoffensive, est le *roomal,* l'écharpe sacrée qu'il garde toujours nouée autour du cou. Entre ses petits doigts, la douce étole de soie peut se transformer dans l'instant en un garrot fatal. Dans ses délires provoqués par le haschisch, Motilah se voit souvent sous l'aspect du *Sistrurus miliarus* : le minuscule serpent de trente centimètres à peine dont les crocs injectent pourtant dans la chair un venin parmi les plus mortifères...

Aussi, les admirateurs qui s'approchent de Mata Hari ne savent-ils pas le péril qu'ils encourent, car le nain nourrit en secret une passion dévorante et obsessionnelle pour la belle danseuse. Quand le minuscule Indien juge que, pour quelque raison, tel ou tel soupirant peut nuire à sa maîtresse, il élimine l'amoureux malavisé sans hésiter, et en silence. Au reste, une longue traînée de crimes insolubles commis dans les villes où se produit la vedette atteste irréfutablement la redoutable efficacité du nain Motilah Bakash.

Et malheureusement pour lui, Dimitri Borja Korozec ne s'est pas attiré les bonnes grâces du petit tueur, qui attend désormais le moment opportun pour se débarrasser de cet intrus. C'est pourquoi il invoque en ce moment l'inspiration de Kali, la déesse des meurtriers. La cadence du mantra sans fin répété se mêle au ronronnement de la locomotive...

Ignorant le danger qui le menace, Dimo, plein d'appréhension comme un adolescent, s'efforce de se préparer à sa deuxième rencontre avec la femme mystérieuse de tout à l'heure. Il n'a, c'est vrai, jamais entendu parler de Mata Hari, mais il devine qu'il s'agit d'une célébrité cherchant à voyager sans se faire reconnaître. Il ordonne au chasseur de lui apporter de l'huile, un seau rempli de glace et une savonnette. L'employé s'exécute sans ciller, habitué qu'il est à des requêtes infiniment plus excentriques depuis qu'il travaille sur l'Orient-Express. Dimitri défait son faux bandage et plonge sa main, avec le pistolet toujours accroché, dans le récipient. Son bras, peu à peu, est anesthésié par le froid. Il ne sent plus ses doigts bleuis par la glace, mais constate que ses deux index bloqués dans le pontet de l'automatique commencent à désenfler. Prenant dans sa main gauche la savonnette, il les enduit d'une épaisse couche de mousse et les masse avec de l'huile. Cela fait, il coince l'arme dans la poignée de la porte, et, appuyant son pied contre le battant et utilisant sa jambe comme levier, il pousse de toutes ses forces. Le résultat est qu'il manque arracher la poignée et se retrouve étalé sur le tapis du compartiment. Mais il parvient néanmoins à atteindre son but : après beaucoup d'efforts, d'huile et de savon, le Bergmann-Bayard finit par se dégager de ses doigts. Dimo se masse longuement la main pour rétablir complètement la circulation, puis il jette le pistolet par la fenêtre. Il ne tient aucunement à courir de risques lorsque le train franchira la sévère douane française. Il se jure *in petto* que jamais, au grand jamais, il ne se laissera reprendre à un tel piège par son index supplémentaire. « Quitte à l'amputer ! » pense-t-il, prêt aux mesures les plus extrêmes. Il vérifie que sa ceinture de pièces d'or est bien attachée, tâte la clef sous sa chemise et rajuste ses vêtements en désordre.

Un employé du wagon-restaurant passe dans le couloir et lance en français son dernier appel :

« Dernier service ! Dernier service ! »

Dimitri contrôle encore une fois son apparence dans le miroir, puis sort et se dirige, exultant, vers le rendez-vous fixé.

ORIENT-EXPRESS

Dimo trouve Mata Hari et Motilah Bakash déjà installés à une table de coin du luxueux wagon. La vaisselle de Limoges, les cristaux de Baccarat et les délicates nappes de lin, tous ornés du monogramme de la compagnie, ne laissent pas de l'impressionner.

Dans le restaurant, les convives, en smoking et robe du soir comme il se doit, discutent des dramatiques événements de Sarajevo, tout excités par la perspective d'un conflit imminent :

« J'ai entendu dire que des officiers serbes de haut rang seraient impliqués dans l'assassinat.

– Pauvre Sophie ! Quelle mort horrible, elle a été tuée d'une balle dans l'abdomen !

– Il paraît que les dernières paroles de l'archiduc ont été : “Sophie, mon amour ! Ne meurs pas ! Il faut que tu vives pour veiller sur nos enfants !”

– Croyez-vous que tous les assassins seront arrêtés ? »

À une des tables, un monsieur à grosses moustaches arborant un uniforme de parade tout couvert de médailles est au centre de l'attention. Il s'agit du général portugais Acácio Galhardo, qui a pris l'Orient-Express pour un simple voyage d'agrément et appartient du reste à l'armée de réserve depuis déjà de nombreuses années, mais à qui sa tenue militaire confère un air d'indéniable compétence en matière guerrière.

« Alors, général ? Ce sera bientôt la guerre ? » lui demande quelqu'un.

Le général Acácio observe un silence théâtral, puis, le visage grave, répond à la perplexité générale :

« S'il le faut, alors ce sera la guerre. Dans le cas contraire, nous verrons. »

En d'autres circonstances, il ne fait pas de doute que Dimitri interviendrait avec chaleur dans une telle discussion. Mais, avec l'enthousiasme de sa jeunesse, ses pensées ne sont en cet instant dirigées que sur un seul et unique objet : Mata Hari. Il a oublié la lutte des classes, oublié qu'il est mouillé jusqu'au cou dans la conspiration. Il ne veut que profiter de ce voyage en compagnie de cette femme extraordinaire que le hasard a fait monter dans le même train que lui. Il s'approche de la table où elle est assise, souriant avec ravissement. Motilah à son côté, Mata Hari lui fait signe de prendre place en face d'elle. Son étrange compagnon et elle sirotent un kir royal, et la danseuse fait signe au maître d'hôtel d'en apporter un autre pour Dimitri.

Le dîner, arrosé d'un champagne Rœderer Cristal 1910 – le préféré du tsar –, commence par une salade Aïda, une des spécialités du chef. Dans un saladier tapissé de feuilles de chicorée, des lamelles de poivron vert forment une sorte de dôme. À l'intérieur du dôme s'intercalent des couches de blancs d'œufs, de tomates, de crème de laitue et de cœurs d'artichauts. Les jaunes d'œufs piqués sur l'ensemble complètent l'aspect raffiné du plat. Le maître d'hôtel mélange devant les passagers les ingrédients de la sauce : huile et vinaigre, moutarde, sel et poivre de Cayenne, et la verse sur la salade. Mata Hari, Dimitri et même l'ascétique nain hindou savourent avec gourmandise ce délicat hors-d'œuvre et finissent la première bouteille de champagne. Après la salade, les convives se voient offrir le fameux cocktail de crevettes Orient-Express, dont la préparation est traditionnellement devenue un des plus charmants rituels du wagon-restaurant. Puis, à nouveau du champagne. Après quoi c'est le tour du consommé, présenté dans une soupière en porcelaine anglaise et versé sur du pain grillé dans le beurre. Et encore du champagne. Le plat de résistance est un rôti de bœuf à la moutarde de menthe. Plusieurs gourmets, d'ailleurs, n'ont pris place dans le train que pour se délecter de la saveur incomparable dont la moutarde de menthe imprègne subtilement la viande. Pour l'accompagner, ils commandent, bien sûr, d'autres bouteilles de champagne. Et comment refuser le dessert – ce soir, une crème de thé merveilleusement légère, accompagnée d'un coulis de fruits des bois ? C'est seulement après que vient le moment du café turc et des liqueurs. Mais Mata Hari et ses deux commensaux continuent au champagne.

ORIENT-EXPRESS

Quand l'Orient-Express quitte la gare de Karlsruhe, les trois convives sont toujours attablés, et quelque peu pompettes. Engourdi, Motilah Bakash (qui, on le voit ci-après, a l'habitude morbide de collectionner les photographies de ses victimes) reste silencieux, méditant la manière dont il va passer à l'attaque. Mais sa résistance au vin est proportionnelle à sa taille, et il se sent les paupières lourdes, cependant que son esprit est envahi de visions macabres mais embrumées par l'alcool, où le hideux masque noir de la déesse Kali se confond bizarrement avec le blanc visage de Mata Hari.

Photographie de Dimitri et de Mata Hari prise par Motilah sous l'emprise de la boisson. Point de vue du nain.

Dimitri et la danseuse, très intimes à présent, bavardent avec animation. Quelques-uns de leurs propos ont, du reste, été soigneusement notés par Tartarin

Charbonneau, un employé du wagon-restaurant aux velléités littéraires qui a été le seul à reconnaître l'artiste. Plus tard, Charbonneau a tenté de vendre ces notes à la presse, mais n'a rencontré qu'incrédulité, même auprès de sa famille et de ses collègues du train. Voici le fragment de dialogue entendu par Tartarin :

MATA HARI – ...Dimitri Borja Korozec ? Tu en as un drôle de nom ! Et que vient faire ce « Borgia » entre deux noms slaves ? C'est italien ?

DIMITRI – Ce n'est pas « Borgia », c'est « Borja ». Ma mère est brésilienne. Mais naturellement, tu ne sais pas où ça se trouve, le Brésil...

MATA HARI (souriante) – Voilà où tu te trompes, mon ami ! Figure-toi qu'un de mes plus fervents admirateurs est justement un Brésilien que j'ai rencontré l'année dernière, à Paris. Il s'appelle José do Patrocínio fils. Sais-tu qui il est ?

DIMITRI (étonné) – Je ne savais pas que José do Patrocínio avait un fils.

MATA HARI – Eh bien, il en a un. Et qui adore raconter toutes sortes d'histoires au sujet de son père. (Curieuse) Ainsi, tu as entendu parler du Noir qui a tant œuvré pour faire abolir l'esclavage dans le pays natal de ta mère ?

Le jeune homme la regarda fixement, et fit alors une déclaration que j'attribuai aux vapeurs de l'alcool, car elle était démentie par la blancheur de sa peau :

DIMITRI – C'est à lui que ma mère doit sa liberté. Sache que je suis le petit-fils d'une esclave africaine.

Mata Hari me fit l'impression d'être tout aussi incrédule que moi, mais de toute évidence elle préféra ne pas entrer dans les détails.

MATA HARI – Eh bien, le fils de ce libérateur est un des hommes les plus amusants que je connaisse. Il est journaliste, écrivain et attaché au consulat du Brésil.

DIMITRI – Je comprends ton enthousiasme. Pour commencer, il doit avoir hérité la beauté fière de son père !

MATA HARI – C'est tout le contraire ! José a un charme et une imagination hors du commun, mais physiquement c'est un vrai freluquet. Et tout petit. À peine plus grand que Motilah !

Le nain éméché et tout droit sorti des Mille et Une Nuits *qui les accompagnait laissa échapper un léger grognement, probablement irrité par cette comparaison.*

MATA HARI – De temps en temps, il lui est arrivé de profiter de sa peau sombre pour se faire passer pour un prince hindou. Il m'a raconté qu'un jour, à cause d'une femme, il s'était secrètement battu en duel avec le roi des Belges, dans le bois de Boulogne. Je l'avoue, j'ai succombé aux charmes latins de ce Brésilien plein de fantaisie… Mais toi ? Comment es-tu venu finir en Europe ?

DIMITRI – Je ne suis jamais allé dans le pays de ma mère. Je suis né à Banja Luka, en Bosnie. Mais qui sait ? Il se peut que, un jour, le destin m'emmène jusqu'au Brésil…

Pendant quelques instants, le jeune homme me parut perdu dans ses pensées. Puis il demanda :

DIMITRI – Comment se fait-il que tu aies fait sa connaissance ?

MATA HARI – De qui ? De José ? C'était au printemps. À ce moment-là, j'étais la vedette d'une comédie musicale qui s'appelait Le Minaret, *au Théâtre de la Renaissance. Je faisais un triomphe ! J'ai très vite remarqué un petit homme à la peau foncée installé au premier rang tous les soirs, et qui me lançait des roses à la fin du spectacle. Quand l'été est arrivé, j'ai joué dans une autre revue, aux Folies-Bergère cette fois. Je faisais un numéro de danses espagnoles. Nouveau triomphe ! Le public et la critique m'ont acclamée. Je me suis aperçue que le même petit homme m'avait suivie et qu'il assistait à toutes les représentations depuis le début. Finalement, le dernier soir aux Folies, il est venu dans ma loge et m'a invitée à souper. Je n'ai pas pu refuser. Ainsi est née notre amitié. Encore aujourd'hui, nous sommes très proches.*

Le garçon appelé Dimitri, presque un gamin, se rapprocha d'elle.

DIMITRI – J'espère beaucoup le connaître un jour.

MATA HARI – Si tu restes quelque temps à Paris et que tu fréquentes les cafés, tu le rencontreras sûrement.

Ce fut alors que Mata Hari me regarda de biais et comprit que j'écoutais la conversation. Elle se leva, tirant le jeune homme par la main.

MATA HARI – Il se fait tard. Nous ferions mieux de retourner dans nos compartiments.

Je n'entendis rien de plus. Tous deux partirent, suivis par le nain aux trois quarts saoul qui trottinait d'un pas mal assuré.

ORIENT-EXPRESS

En quittant le wagon-restaurant, Dimitri Borja Korozec commence à sentir plus fortement l'effet de tout ce qu'il a bu. Il n'a pas l'habitude d'absorber de telles quantités d'alcool. Il marche en s'appuyant sur la danseuse, lui passant sans plus de façons le bras autour de la taille. Le trio avance le long du couloir : Dimo agrippé à Mata Hari, et Motilah Bakash un peu en arrière, s'accrochant aux encadrements des fenêtres. Il n'espère qu'une chose : que sa danseuse bien-aimée aille tout droit se coucher. Ainsi pourra-t-il suivre Dimitri et l'étrangler silencieusement dans son compartiment. Et ainsi Kali, la Dévoreuse, verra-t-elle une fois de plus son appétit rassasié.

Mais les événements qui suivent indiquent clairement que les plans de Motilah devront subir quelques modifications. Quand le couple arrive devant le compartiment de Mata Hari, celle-ci pousse son jeune compagnon à l'intérieur sans qu'il ait le temps de dire ouf et referme la porte. Motilah est perplexe. Jamais il n'a vu sa chère Bégum se jeter dans les bras d'un homme dès la première rencontre. Peu importe. Il sait attendre. La patience n'est-elle pas la qualité première des Thugs ? Il s'en va cacher son petit corps maléfique dans les ombres du wagon et entre en contemplation, les mains croisées sur son *roomal* noué autour de son cou. Au bout de quelques minutes, il s'endort debout, raide comme un *blackamoor.*

ORIENT-EXPRESS

Une fois dans son compartiment, Mata Hari ne perd pas de temps. Suspendue au cou de Dimitri, elle lui suce les lèvres dans un long baiser voluptueux, et sa langue experte explore fougueusement la bouche de son jeune compagnon. Ses mains, entraînées aux formes de caresses les plus raffinées, parcourent son corps tout tremblant de désir, et elle colle ses cuisses vigoureuses de danseuse au sexe turgide du garçon. Celui-ci, tout exalté, lui arrache presque sa robe, tant il a hâte de sentir dans ses mains ses seins fermes qu'il devine sous la soie du corsage. Il mouille ses doigts de salive et caresse légèrement les tétons rosés de sa belle séductrice, qui défaille presque de plaisir. Il y a des années qu'elle n'a plus goûté aux élans d'un amant aussi jeune. Elle s'étend sur la couchette, se débarrassant du reste de ses vêtements, cependant que Dimitri jette au loin son veston et déboutonne lentement sa chemise. Fasciné, il dévore goulûment des yeux cette femme nue, éblouissante, qui s'offre à lui. Un moment, son regard s'attarde sur le pubis épilé de la troublante danseuse – et c'est alors que sa tête, soudain, se met à tourner, comme en un tourbillon. Ce sont deux, quatre, huit Mata Hari qui maintenant provoquent ses sens enfiévrés, dans un kaléidoscope érotique qu'il est incapable d'arrêter. Peut-être n'aurait-il pas dû boire autant. Brusquement, une nausée irrépressible lui monte de l'estomac. Pour ne point briser l'atmosphère de brûlante sensualité qui les enveloppe, il la supplie :

« Mon amour, attends ! Ne bouge pas. Laisse-moi aller dans le cabinet de toilette. Je veux me purifier pour toi !

– Non, non ! proteste-t-elle. Je veux te sentir tout entier, tout de suite, tel que tu es ! Je veux respirer l'odeur de ton sexe comme une chienne en rut ! »

Trop tard. Dimo est déjà sorti du compartiment et file à toute allure dans le couloir, à la recherche des water-closets.

Qu'on lui rende justice. Ce qui va suivre est beaucoup plus une conséquence de l'envie de vomir causée par l'abus d'alcool que de la balourdise habituelle du pauvre Dimitri. Les lieux d'aisances de l'Orient-Express sont situés à l'extrémité de chaque wagon. Bien sûr, il aurait pu se contenter du petit lavabo de son compartiment, mais il est contigu à celui de Mata Hari et Dimo ne souhaite pas que la danseuse soit incommodée par de peu ragoûtants borborygmes. Ayant peine à se contenir, il court jusqu'aux cabinets susdits et ouvre la porte.

Assis, impassible, sur la cuvette de faïence, uniforme impeccable et pantalon sur les chevilles, apparaît devant ses yeux le général Acácio Galhardo, qui a oublié de pousser le loquet. Saisi d'effroi, le vieux militaire lance un terrible cri de guerre :

« Occupé ! Occupé ! »

En vain. Dimitri n'a déjà plus aucun contrôle sur les contractions de son estomac.

« Mais vous ne voyez pas que c'est occupé ? continue de crier le général, ahuri.

– P-P-Pff... ardon, mon géné... ral, pardppfffff... », hoquette Dimitri, incapable de retenir les giclées qui fusent sur les médailles luisantes.

Finalement soulagé, il referme la porte derrière lui et part comme une flèche vers son compartiment, où il a bien besoin de se rafraîchir un peu avant d'aller retrouver Mata Hari. De loin, il entend encore les clameurs de détresse du pauvre militaire en villégiature :

« Mais j'avais pourtant prévenu que c'était occupé ! »

ORIENT-EXPRESS

Tout ce tumulte a réveillé Motilah Bakash. Sans comprendre ce qui se passe, il aperçoit Dimitri qui retourne en toute hâte vers son compartiment. C'est le moment ou jamais : dénouant de son cou l'écharpe sacrée, Motilah s'approche à pas feutrés. Par la porte entrouverte, il observe les mouvements de Dimitri. Il serre entre ses doigts la douce bande de soie, tout prêt à s'élancer.

Dans le compartiment, Dimo est penché à la fenêtre, se laissant peu à peu revigorer par la fraîcheur de la nuit. Il se sent mieux. Il se lave le visage et se gargarise avec de l'eau additionnée de quelques gouttes de la lotion dentifrice du docteur Pinot. Dans quelques secondes, il sera de nouveau auprès de Mata Hari, et alors… Cette pensée ravive son excitation. Au moment où il s'apprête à sortir pour retrouver les bras de son aimée, il trébuche sur le lacet dénoué d'une de ses bottines. Sans perdre de temps, il s'agenouille pour refaire le nœud.

C'est à cet instant précis que Motilah Bakash prend son élan et bondit sur lui comme un tigre pour enrouler autour de son cou la longue écharpe sacrée et donneuse de mort.

Du point de vue de la chorégraphie, la scène qui suit eût assurément fait honneur à l'un des saltimbanques du cirque où, naguère, se produisait Isabel. Faute d'avoir pu prévoir que Dimitri se baisserait aussi soudainement, Motilah fait un vol plané droit au-dessus de la tête du jeune homme et disparaît par la fenêtre ouverte. Inconscient qu'il a failli mourir étranglé entre les mains du nain maléfique, Dimo se convainc aussitôt que l'absurde acrobatie de Bakash n'est qu'une conséquence de son ébriété et se précipite à la fenêtre pour voir s'il est encore possible de le sauver. Il se croit atteint d'hallucinations, car Motilah Bakash est en effet toujours là, derrière la fenêtre, volant à côté du wagon. Regardant mieux, il s'aperçoit qu'un bout de l'écharpe de l'Indien s'est accroché à une des ferrures du train, et que Motilah se tient à l'autre bout. Dimitri se penche et s'efforce de le tirer à l'intérieur – sans y parvenir. Et déjà, le nain commence à donner des signes de faiblesse.

« Tiens bon ! Tu es presque hors de danger ! » lui crie Dimitri, tirant peu à peu à lui la longue bande de soie.

Il se penche davantage, quitte à risquer sa vie, et saisit dans les siennes les mains crispées de Motilah. Mais au moment où il croit l'avoir sauvé, ses doigts glissent tout à coup sur les paumes humides de sueur du petit assassin. Les derniers mots du nain qui parviennent à ses oreilles resteront gravés dans sa mémoire à jamais :

« Je... vais... tomber... »

L'instant d'après, Dimitri Borja Korozec contemple, en silence, la petite silhouette de Motilah Bakash qui se perd dans les ténèbres, sans savoir que seul le hasard lui a épargné de devenir une victime supplémentaire du tout dernier des Thugs.

Sous l'effet de l'émotion, il n'a plus aucune idée du temps qui a passé depuis qu'il regarde par cette fenêtre. Mais le sifflement de la locomotive le ramène brusquement à la réalité. L'Orient-Express vient d'entrer en gare de Strasbourg.

ORIENT-EXPRESS

Naguère française, Strasbourg est maintenant la dernière ville allemande avant la frontière. En ce petit matin, il y a sur le quai éclairé par les lampadaires une agitation inhabituelle à pareille heure. Un jeune lieutenant de hussards et quatre soldats de l'armée allemande sont en grande conversation avec le chef de gare.

Dimitri entre, essoufflé, dans le compartiment de Mata Hari. Il ne sait comment annoncer à la vedette la disparition tragique de Motilah. À la réflexion, il préfère attendre un moment plus opportun. Entre-temps, Mata Hari, lassée d'attendre le retour de sa nouvelle conquête, s'est rhabillée. Elle est mécontente, c'est visible.

« Je croyais que tu étais tombé du train !

– Moi ? » répond Dimitri, avec un éclat de rire forcé.

Il s'approche, affamé de baisers. Mais Mata Hari le repousse, l'air agacé :

« Pas maintenant.

– Pourquoi ?

– Mieux vaut attendre d'avoir passé la frontière. Je bous d'impatience d'être enfin en territoire français ! »

La conversation est interrompue par des coups frappés à la porte. Dimitri s'en écarte, inquiet tout à coup à l'idée qu'on a peut-être déjà découvert l'accident qui est arrivé au nain.

« Qui est-ce ? »

La porte s'ouvre et le lieutenant qui était tout à l'heure sur le quai entre dans le compartiment, s'avançant vers Mata Hari :

« Madame Margaretha MacLeod ? »

Elle essaie de donner le change :

« Je crois qu'il y a erreur, cher monsieur. Je ne connais pas cette personne.

– Pardonnez-moi, madame, mais nous avons reçu du lieutenant Alfred Kiepert l'ordre exprès de vous prier de descendre du train et de nous accompagner à Berlin.

– Mais puisque je vous dis que ce n'est pas moi ! » insiste la danseuse, nerveuse à la perspective de se voir forcée d'interrompre son voyage.

Le jeune hussard hésite, embarrassé par cette situation apparemment sans issue.

« Néanmoins, madame, nos informations sont sûres, et elles nous indiquent que vous êtes bien Margaretha MacLeod. »

Dimitri intervient, résolu à venir en aide à son amie :

« Je puis vous garantir, mon lieutenant, que cette dame ne s'appelle pas du tout Margaretha MacLeod. Son nom est Mata Hari ! » dit-il, se rengorgeant de fierté.

Le lieutenant se retourne courtoisement vers son adversaire vaincue :

« Nous y allons, madame ? »

Mata Hari, résignée, se prépare à quitter le train.

« Donnez-moi quelques minutes pour appeler mon secrétaire. Où est donc passé Motilah ?

– Je l'ai vu descendre du wagon. Il doit être par là-bas, je ne sais où exactement…, balbutie Dimitri, proférant une demi-vérité.

– Nous n'avons pas beaucoup de temps, madame. Le train pour Berlin nous attend sur l'autre quai, dit d'un ton plus pressant le hussard.

– Ah, les domestiques ! Jamais là quand on a besoin d'eux, s'exaspère Margaretha. Dimitri, si vous l'apercevez, dites-lui de ma part de rentrer immédiatement à Berlin. Je ne peux pas l'attendre. »

Les soldats l'aident à fermer ses malles et les emportent hors du compartiment. Mata Hari embrasse Dimo sur les lèvres et lui dit adieu avec une petite tape affectueuse sur la joue :

« Quel dommage… Qui sait, peut-être qu'un jour nos chemins se croiseront de nouveau ?

– J'attends ce jour avec impatience », répond Dimitri en lui baisant précipitamment la main, encore catastrophé par l'énorme bourde qu'il vient de commettre.

Elle se tourne vers le jeune officier :

« Je vois que j'avais sous-estimé la compétence des services secrets allemands, lieutenant. Toutefois, je serais heureuse que ce désagréable incident fût gardé absolument secret. Je n'aimerais guère que cette escapade se transformât en un scandale de plus.

– Quant à cela, madame, soyez sans crainte. Le

lieutenant Kiepert a donné des ordres formels pour que cette petite affaire soit conduite dans la plus grande discrétion. En d'autres termes, nos registres ne mentionneront jamais que madame a voulu faire un voyage incognito à Paris. »

Le petit groupe de soldats quitte le wagon, escortant Margaretha Geertruida Zelle MacLeod, alias Mata Hari.

Dimo, inconsolable, regagne son compartiment. Il ne peut se pardonner d'avoir aussi sottement révélé l'identité de la danseuse. Sans son intervention désastreuse, il la tiendrait maintenant entre ses bras. Il se console, toutefois, en songeant que nul n'aurait pu imaginer que l'exotique et troublante Mata Hari pût être affublée d'un prénom aussi prosaïque que Margaretha. Tout bien réfléchi, qui peut-elle être vraiment, cette femme mystérieuse ? Quelle influence occulte peut-elle détenir sur les destins de l'Allemagne pour qu'on la contraigne à descendre du train de manière si péremptoire ? Et lui, s'est-il beaucoup exposé en intervenant en sa faveur ? Il éloigne ces sombres pensées en voyant s'approcher un fonctionnaire des douanes, qui inspecte rapidement ses papiers. Cette formalité achevée, Dimitri s'étend sur sa couchette, exténué. Il reste encore huit heures de voyage avant l'arrivée à Paris, et là-bas il aura besoin de forces renouvelées.

Dimo ne tarde pas à s'endormir, et n'entend même pas que l'Orient-Express quitte Strasbourg pour franchir sa dernière étape jusqu'à la gare de l'Est.

ORIENT-EXPRESS

3

Paris, juillet 1914

Dès l'instant où il aperçoit l'imposante structure de fer de la gare de l'Est, Dimitri Borja Korozec se prend de passion pour la ville où s'achève son voyage. Comme il arrive à beaucoup de voyageurs qui y débarquent pour la première fois, il a clairement la sensation d'avoir déjà vécu à Paris. Accueilli par Gérard Bouchedefeu, conformément aux plans établis par Dragutin, Dimo s'installe dans une mansarde du 18 de la rue de l'Échiquier, à deux pas du faubourg Saint-Denis et des grands boulevards. Bouchedefeu a soixante-dix ans bien sonnés, mais il a conservé intacte toute la vitalité de ses vingt ans. Il continue d'exercer sa délicate profession de taxidermiste, et, comme il travaille chez lui, son petit domicile tient à la fois de l'appartement et du laboratoire. Divers animaux empaillés – chats, chiens, oiseaux, serpents et lézards –, appartenant à des clients qui n'ont jamais payé leur facture, décorent les lieux. Dès le vestibule,

Gérard Bouchedefeu.

un hibou aux ailes déployées et aux yeux éternellement écarquillés fait sursauter les visiteurs qui s'aventurent pour la première fois dans ce zoo privé de vie. Très grand et maigre, arborant une longue barbe blanche en bataille, toujours vêtu de noir et un béret immuablement vissé sur la tête, Gérard Bouchedefeu est une caricature vivante de vieil anarchiste. Expert en falsifications de toutes sortes (un talent acquis auprès d'un ancien coreligionnaire), Bouchedefeu a tôt fait de fabriquer pour Dimitri de faux papiers portant le nom banal de Jacques Dupont. Il lui prête dix-huit ans, l'âge minimal pour que le jeune homme puisse exercer le métier de chauffeur de taxi : un emploi discret et commode, que le vieil embaumeur lui obtient grâce à ses relations. Les premiers jours, Bouchedefeu circule dans Paris au côté du garçon, plan de la ville en main, et l'entraîne à sa nouvelle activité. Ils sortent le matin de bonne heure et parcourent les rues dans la classique automobile rouge foncé – couleur traditionnelle des taxis parisiens.

Au bout de deux semaines, Dimitri a acquis des connaissances suffisantes pour répondre aux demandes de la clientèle et affronter les récriminations éventuelles de quelques passagers. Comme il travaille parfois jusqu'au petit matin, il conduit avec à son côté un énorme mastiff napolitain embaumé, véritable chef-d'œuvre réalisé par son vieil ami en 1895. Bouchedefeu fait souvent remarquer en riant que le chien est plus vieux que Dimitri. Bientôt, Gérard se prend d'une sincère affection pour le jeune terroriste en herbe. L'enthousiasme de Dimo pour la Cause lui rappelle le temps de sa jeunesse, quand il a choisi de combattre sous le drapeau noir de l'anarchisme. Il lui apprend tout ce qu'il sait, et, le soir, dans les bistrots du quartier, tous deux ont de longues discussions avec des groupes d'anarchistes et de réfugiés serbes.

La canicule des derniers jours de juillet échauffe les esprits et précipite les événements. Ainsi que l'avait prédit le colonel Dimitrijevic, le 23, l'Empire austro-hongrois a envoyé un ultimatum à la Serbie ; mais chacun comprend que ce n'est là qu'un prétexte pour déclencher les hostilités. La Russie a déjà décrété la mobilisation de treize bataillons contre l'Allemagne, et le Kaiser Guillaume II a proclamé le *Kriegsgefahrzustand* : en d'autres termes, déclaré son pays en « état de péril de conflagration guerrière ». L'Angleterre, après s'être présentée un temps comme possible médiatrice, est désormais prête à agir. Dimitri attend ce moment avec la plus grande impatience. Naïvement, il est convaincu – comme son mentor Dragutin – qu'un conflit à l'échelle européenne constitue le seul espoir de voir un jour la Bosnie libérée. La France aussi est en faveur de la lutte armée, car elle compte bien récupérer ainsi l'Alsace-Lorraine, que les Allemands ont annexée en 1871. L'heure de la revanche a sonné. À Paris, de jeunes étudiants défilent sur les boulevards aux cris de « Mort au Kaiser ! » et de « Marchons sur Berlin ! », et chantent à tue-tête *La Marseillaise*. Des quotidiens tels que *Le Figaro* et *L'Écho de Paris* publient jour après jour des articles appelant à « la guerre [dans laquelle] tout se régénère et qu'il faut embrasser dans toute sa sauvage poésie ».

Dans tout le pays, il n'y a guère qu'une voix pour s'élever contre la dangereuse folie de telles déclarations : celle du journaliste et député Jean Jaurès. De son retranchement isolé du journal socialiste *L'Humanité*, il s'efforce obstinément de réveiller le bon sens de ses compatriotes. En vain ! Le journal a beau s'être engagé dans une campagne quotidienne en faveur de la paix, et Jaurès avoir prononcé à la tribune de la Chambre des discours véhéments pour démontrer l'absurdité du conflit qui se prépare, les Français sont décidés. Beaucoup, même, n'hésitent pas à traiter l'admirable militant de la paix de traître à la patrie.

Dans *Paris-Midi,* Léon Daudet affirme sans détour : « [...] nous ne voudrions déterminer personne à l'assassinat politique, mais que M. Jaurès soit pris de tremblement. Son article est capable de suggérer ce désir chez quelque énergumène ».

Dans *La Sociale,* Urbain Gohier va jusqu'à écrire ces mots inimaginables : « S'il y a un chef en France, M. Jaurès sera collé au mur en même temps que les affiches de mobilisation. »

Mais Jaurès, pacifiste passionné, ne se laisse nullement démonter par ces attaques. Le chef de file du Parti socialiste est un homme courageux.

À cinquante-quatre ans, corpulent, portant une barbe qu'il a laissé pousser non par coquetterie mais pour ne pas avoir à se raser tous les jours, Jean Jaurès est sans nul doute le député le plus mal habillé de la Chambre. L'absurde cravate noire à élastique qu'il a achetée en solde au *Bon Marché* a l'air d'un vieux chiffon lustré accroché à son cou. L'hiver, par-dessus son vieux complet, il porte un paletot sombre de couleur indéfinissable à force d'usure, le plus souvent boutonné de travers. Un chapeau melon plusieurs fois rafistolé complète cet accoutrement, remplacé, l'été, par un panama décoloré qui a lui aussi connu des jours meilleurs. Jean Jaurès ignore l'élégance et ses petites vanités.

Sa voracité est légendaire. Un de ses compagnons de lutte a observé, à la fin d'une campagne où l'on célébrait la victoire du candidat socialiste : « Quel bel appétit il a, notre Jaurès ! Il a avalé une bonne soupe bien grasse, un confit d'oie, un pâté de foie, une omelette, puis il s'est frotté le ventre et il a dit : "Oh ! j'aime bien ces petits repas de rien du tout…" »

Si la gourmandise est son seul péché, sa vie, c'est *L'Humanité*, le quotidien qu'il a fondé en 1904. Quand, en 1911, il a reçu cent vingt mille francs d'honoraires pour prononcer une série de conférences en Amérique du Sud, il a consacré l'intégralité de cette somme à résoudre les problèmes financiers de son journal bien-aimé. Et, malgré les inquiétudes de sa femme, de sa fille et de ses amis, qui craignent pour sa vie, jamais il ne change une virgule aux articles ou aux discours de son infatigable campagne pour la paix. Si cela dépendait de lui, la guerre n'éclaterait pas.

Aussi est-il bientôt devenu évident pour Dimitri Borja Korozec que Jean Jaurès doit être éliminé. Bouchedefeu ne partage pas son avis, et voudrait bien convaincre le jeune homme de l'inutilité d'un tel geste ; il s'efforce de lui expliquer qu'un conflit d'une telle ampleur plongera de toute façon le monde dans un bain de sang sans précédent, et que l'assassinat de Jaurès ne pèserait pas d'un grand poids pour précipiter les événements. Ils en discutent des heures d'affilée, parfois jusqu'au petit matin. Malgré cela, Dimitri ne se rend pas aux arguments du vieil anarchiste. Il entreprend de suivre méthodiquement le tribun polémiste afin d'établir son emploi du temps journalier. Jaurès est un homme aux habitudes simples : il quitte de bonne heure son domicile de la rue de la Tour et s'arrête chez le marchand de journaux, avec qui il échange quelques mots. Il achète le *Daily Mail* pour avoir les dernières nouvelles d'Angleterre, puis, comme il n'a pas d'auto, prend le métro jusqu'au siège de *L'Humanité,* au 142, rue Montmartre. À l'heure du déjeuner, il aime bien (s'il en a le temps) aller manger au *Coq d'Or* avec quelques amis, mais fréquente plus assidûment le *Café du Croissant,* qui a l'avantage d'être situé juste à côté du journal. L'après-midi, il se rend à la Chambre ; puis, lorsqu'il a terminé ses discours enflammés, il s'en retourne à la rédaction.

Une fois, Dimo a eu l'occasion de le prendre dans son taxi, mais il a résisté à la tentation. Quand arrive la dernière semaine du mois, il est prêt. Il sait exactement comment il s'y prendra pour éliminer le pacifiste obstiné. Si tout va bien, Jaurès, zélateur d'une paix de toutes parts combattue, ne fêtera pas son prochain anniversaire.

Paris, rue de l'Échiquier,
vendredi 31 juillet, 15 heures

Tout en faisant les cent pas dans son étroite mansarde, Dimitri Borja Korozec réfléchit aux quelques accessoires nécessaires à l'accomplissement de son plan. Celui-ci est simple. Il a étudié minutieusement la disposition des lieux et repéré l'entrée de service du *Café du Croissant*, celle qu'utilisent personnel et fournisseurs. Grâce à un moulage en cire qu'il est venu faire un soir après la fermeture, il a fabriqué une clef qui lui donnera accès à l'arrière de l'établissement au moment opportun. Il tire maintenant cette clef de la bouche d'un gros lézard momifié et la glisse dans sa poche, avec la moustache et la barbiche postiches qu'il a achetées dans une boutique d'articles de théâtre de la rue Lepic, non loin du Moulin Rouge. Puis il prépare la jaquette et le gilet noirs et le tablier blanc qui compléteront son déguisement.

Il ne devrait avoir aucune difficulté à s'introduire dans le restaurant travesti en garçon et à s'approcher de la table du député. Ce n'est qu'à ce moment-là qu'il mettra en action la bombe artisanale qu'il a soigneusement confectionnée dans le secret de sa chambre. Non pas la bombe conventionnelle des anarchistes, mais une délicieuse bombe au chocolat, empoisonnée. Les cours sur les substances toxiques de Mira Kosanovic lui ont enseigné comment métamorphoser certains produits domestiques des plus banals en armes fatales. Ainsi sait-il, par exemple, que la naphtaline, utilisée par toutes les ménagères pour tuer les mites, peut très bien – du moment qu'on l'administre à la dose qui convient – se révéler un poison aussi violent et foudroyant que le cyanure. Ses cristaux détruisent les globules rouges dans le sang, causant ainsi des dommages irréversibles et plongeant la victime dans le coma. Les symptômes – nausée, fièvre, hématurie – se manifestent au maximum vingt minutes après l'ingestion du produit. De toute façon, il vaut mieux que le journaliste ne meure pas dans l'instant et n'ait d'abord aucune idée de ce qui lui arrive.

À l'aide d'un pilon de pharmacien, Dimo broie une cinquantaine de ces petites boules blanches et les réduit en une poudre aussi fine que du sucre. Puis il prend un délicat stylet et ouvre précautionneusement le gâteau, acheté dans une élégante pâtisserie de la rue de Rivoli, mélange la poudre mortelle à la délicieuse crème contenue à l'intérieur, et le referme en masquant l'entaille qu'il vient de pratiquer au moyen d'une couche supplémentaire de chocolat, préparé par ses soins dans la cuisine de Bouchedefeu. Pendant quelques instants, il reste immobile, contemplant l'œuvre d'art culinaire qu'il entend servir à Jaurès ce soir même. Glouton comme il est, le gros tribun ne résistera pas à la tentation. Il engloutira le gâteau en trois cuillerées, sans même prendre le temps d'en sentir le goût.

Assis en face de lui et occupé à remplir de paille le ventre d'un chat angora aux yeux de verre bleutés, Bouchedefeu marmonne d'un air désapprobateur. Mais Dimo ne lui prête aucune attention. Il sourit, songeant que ce qui va se produire dans quelques heures ne manque pas d'ironie. Puisqu'il s'est rendu célèbre et par ses talents d'orateur et par son appétit insatiable, Jean Jaurès mourra comme il a vécu : par la bouche.

***

Paris, rue d'Assas, vendredi 31 juillet, 15 heures

Ce que Dimitri ignore, c'est qu'il n'est pas le seul à désirer avec autant d'ardeur la mort du journaliste. Dans sa chambre d'un petit hôtel discret de la rue d'Assas, Raoul Villain, un garçon blond, étudiant en égyptologie à l'École du Louvre, à peine plus âgé que Dimitri, se laisse tomber sur le vieux lit à une place poussé contre le mur. Les ressorts, fatigués par le poids des centaines de corps qui se sont succédé sur cette couche au long des années, grincent bruyamment. Les mains croisées derrière la tête, il contemple les deux revolvers noirs posés sur la commode. Son projet est de les utiliser ce soir même, telles des tenailles qui arracheront à jamais du tronc sacré de la patrie Jaurès, l'infâme Judas.

Il existe, cependant, une différence fondamentale entre les deux jeunes assassins. Au contraire de Dimitri, qui ne voit dans l'élimination de Jaurès qu'une tâche à accomplir, Villain éprouve pour le député une haine presque pathologique. Il n'a jamais lu une ligne de ses écrits, et l'abhorre sans le connaître. C'est l'homme qu'il hait aveuglément – l'homme, et tout ce qu'il représente.

Fils d'une folle et d'un alcoolique, Raoul a tôt quitté la maison familiale et s'est affilié à l'Association des amis de l'Alsace-Lorraine. C'est là qu'il a appris à exécrer Jaurès.

Au cours d'un voyage vers la frontière allemande, il a d'abord songé à assassiner le Kaiser. Comme son rêve s'est révélé irréalisable, il lui faudra se contenter de tuer le traître. La veille, alors qu'il errait aux alentours de *L'Humanité*, il a vu cinq hommes sortir du siège du journal. À ce moment, un passant a lancé à l'ami qui l'accompagnait :

« Regarde, là-bas ! C'est Jaurès. »

Villain a demandé :

« Pardon, messieurs. Pourriez-vous me dire lequel des cinq est Jean Jaurès ? »

Les deux hommes, ébahis, ont regardé Raoul un instant, ayant peine à croire qu'il y eût à Paris une personne qui ne reconnût pas le célèbre apologiste de la paix.

« Celui du milieu, bien sûr ! »

Raoul les a remerciés et a suivi le petit groupe jusqu'au *Café du Croissant.* Se prétendant socialiste, il a interrogé le gérant :

« Le citoyen Jaurès vient souvent ici ?

– Presque tous les soirs, après la fermeture du journal », a répondu fièrement le gérant.

C'est alors que Villain a résolu que le dernier jour de ce mois de juillet serait aussi le dernier de la vie de Jean Jaurès.

Raoul Villain se retourne sur son lit et prend sur la table de chevet un livre fatigué par l'usage. C'est *L'Oiseau bleu* de Maeterlinck. Il ne sait pas bien pourquoi, mais chaque fois qu'il relit les pages du romancier belge sur la quête du bonheur pour le monde, il se sent tout à coup aussi calme qu'un moine bouddhiste.

***

Paris, place du Panthéon,
vendredi 31 juillet, 15 heures

Construit en 1764 sur la montagne Sainte-Geneviève, au cœur du Quartier latin, le fameux monument a d'abord été conçu comme une église dédiée à la patronne de Paris. Plus tard, la Révolution l'a transformé en un majestueux mausolée pour y abriter les restes mortels des hommes illustres, changeant son nom en celui de « Panthéon ». Avec la restauration de la monarchie et l'avènement du Second Empire, l'édifice a connu de nouvelles modifications et retrouvé sa vocation initiale d'église.

Mais dix-neuf ans après la prise du pouvoir par le prince Louis-Napoléon, Léon Gambetta a proclamé la IIIe République. Point de changements politiques qui ne soient accompagnés de changements allégoriques : aussi le Panthéon est-il redevenu le lieu du dernier repos des grands hommes de France. Il convenait de procéder à une nouvelle inauguration en grande pompe, et l'occasion s'en est présentée en 1885, avec la mort d'un des écrivains les plus célèbres au monde : Victor Hugo. Exilé jadis pour la défense de ses idéaux républicains, Hugo est plus qu'un homme de lettres. C'est un symbole. Ses cendres ont été transportées au Panthéon au cours d'une cérémonie funèbre qui a bouleversé la France entière.

C'est à côté de cette glorieuse sépulture que deux hommes s'entretiennent en ce moment, à mi-voix car leur conversation exige le plus grand secret. L'un des deux est le directeur de la Sûreté parisienne, Xavier Guichard ; l'autre, un inspecteur principal connu pour son opiniâtreté, Victorien Javert. Grand, la mâchoire large, le visage taillé à la serpe, le crâne couvert d'une seule large mèche plaquée, le nez aplati à grosses narines, l'œil froid et perçant, Javert, à trente-six ans, est le portrait craché de son grand-père.

Celui-ci, inspecteur également, fut en son temps une véritable légende dans la police française en raison de l'obstination avec laquelle il avait consacré sa vie à poursuivre un dénommé Jean Valjean. On disait de lui : « Quand il est sérieux, on dirait un chien de chasse ; quand il rit, un tigre. »

La même description siérait parfaitement à son petit-fils. Malgré l'insistance de son père pour qu'il embrassât la profession d'ingénieur du télégraphe, Javert éprouve depuis l'enfance une fascination obsessionnelle pour feu son aïeul. Son nom lui a ouvert les portes de l'Académie de police, et il est bientôt apparu avec évidence que la ressemblance entre le Javert d'autrefois et celui d'aujourd'hui n'était pas seulement physique. Le petit-fils a également hérité du mythique inspecteur du XIXe siècle sa dévotion à sa tâche et sa ténacité quasi fanatique.

En cet instant, Victorien Javert interroge le chef de la Sûreté :

« Pardonnez mon impertinence, monsieur le directeur, mais pourriez-vous m'expliquer la raison de tout ce secret et de cette convocation en un lieu aussi éloigné de vos bureaux ? »

Guichard jette furtivement un regard autour de lui, pour s'assurer qu'aucun indiscret ne les observe.

« La raison en est simple, mon cher Victorien. Je compte vous charger d'une mission on ne peut plus confidentielle. Même mes supérieurs sont dans l'ignorance de ce que je m'apprête à vous demander.

– À vos ordres, monsieur le directeur », répond Javert sans hésiter.

Guichard allume sa pipe et s'explique :

« Vous avez certainement perçu l'indignation que suscite dans une grande partie de la population le député Jean Jaurès avec ses déclarations incessantes contre la guerre.

– Naturellement, monsieur le directeur, répond Javert, bien qu'il ne lise pas *L'Humanité* et s'intéresse peu à la politique.

– Fort bien. Pour cette raison, j'ai grand-peur que quelque exalté ne décide d'attenter à sa vie. Les menaces sont constantes. Il est indispensable que nous empêchions pareille catastrophe ! L'ordre que je vous donne est donc celui-ci : suivez Jaurès pas à pas, sans qu'il s'en aperçoive, et protégez sa vie à tout prix. »

Javert demeure un moment pensif.

« Monsieur le directeur, votre confiance m'honore assurément beaucoup, mais pourquoi moi ? Je suis en poste au commissariat du Châtelet. Ne serait-il pas préférable de faire appel à un de mes collègues de la rue du Mail, dans le IIe arrondissement ?

– C'est justement ce que je tiens à éviter. Jaurès connaît tous les policiers du quartier. Si jamais il se rend compte qu'il est suivi, il sera furieux. Voyez-vous, notre homme refuse avec le plus grand entêtement toute forme de protection.

– Eh bien, puisque monsieur le directeur le souhaite, je ferai de mon mieux », conclut Javert.

Xavier Guichard rallume sa pipe et, dans un geste paternel, passe son bras autour des épaules de l'inspecteur :

« Parfait. Sachez bien que je ne vous ai pas choisi au hasard. Je connais votre ténacité, et je sais de qui vous avez hérité. Au temps où je n'étais encore qu'un jeune gendarme, tout le monde parlait avec admiration du vieux Javert. Dommage qu'il ait connu une fin aussi tragique.

– Merci, monsieur le directeur », répond le policier, d'une voix contrainte car il n'aime guère qu'on fasse allusion au suicide de son grand-père.

Guichard reprend son ton de commandement :

« Partez immédiatement pour la Chambre des députés. À cette heure, c'est là que vous le trouverez. À partir de maintenant, je veux que Javert devienne l'ombre de Jean Jaurès. »

L'inspecteur principal s'éloigne à grandes enjambées, décidé comme toujours à accomplir la tâche qu'on lui a confiée, ou à mourir en s'efforçant de l'accomplir.

Paris, rédaction de L'Humanité,
vendredi 31 juillet, 19 h 30

Au journal de la rue Montmartre, la nervosité est presque palpable. Se souvenant de Zola, Jean Jaurès a décidé de rédiger un libelle dans le style de *J'accuse*. Des secrétaires de rédaction vont et viennent, transportant des dossiers bourrés d'articles plus anciens. Circulant entre les tables, le député, qui a occupé presque tout l'après-midi la tribune de la Chambre avec un nouveau discours enflammé contre la guerre, demande au rédacteur en chef si l'on a reçu des nouvelles concernant la position de l'Angleterre.

« Pour le moment, rien. Mais le Premier Ministre Asquith doit faire une déclaration à la Chambre des communes.

– Alors, nous n'apprendrons rien d'intéressant avant neuf heures. Mais le discours d'Asquith peut avoir une influence déterminante. Je veux continuer à espérer. Je ne commencerai pas mon article avant d'avoir connaissance de ce qu'il aura déclaré aux Communes.

– En attendant, si nous allions dîner ? propose un rédacteur. La nuit promet d'être longue.

– Bonne idée. Au *Coq d'Or* ? suggère quelqu'un.

– Non. Au *Coq d'Or,* il y a de la musique, des femmes… Trop de distractions. Mieux vaut manger un morceau à côté, au *Croissant* », décide Jaurès.

Il examine un moment les notes qu'il a griffonnées sur divers bouts de papier fourrés dans ses poches.

« Allons-y, messieurs. Il faut nous attendre à une soirée dramatique. »

💣💣💣

Paris, Chez Poccardi,
vendredi 31 juillet, 19 h 30

Tout près de là, assis à une table près d'une fenêtre du restaurant *Chez Poccardi,* Raoul Villain caresse le nœud de sa lavallière. Il a un sourire fixe sur les lèvres. Dans le menu, il a choisi les plats les plus coûteux et commandé une bouteille de chianti pour les accompagner, malgré la grimace du sommelier. Son repas terminé, il commande un café et un cognac. Il s'est rarement offert le luxe d'un dîner aussi dispendieux : la pension de cent vingt francs par mois qu'il reçoit de son père, greffier au tribunal de Reims, ne lui permet pas de telles dissipations.

Raoul est calme. L'alcool et le poids des deux revolvers qu'il a glissés dans les poches intérieures de son pardessus lui procurent un sentiment de confiance en lui peu habituel. Le rôle de justicier lui va comme un gant, pense-t-il.

Il termine la bouteille, paie les sept francs de l'addition, se lève, laissant au garçon un pourboire généreux, puis se dirige vers les lavabos. Là, il peigne avec soin ses cheveux blonds, se lave les mains – mais non comme Pilate, au contraire ; après quoi, il sort dans la rue de Richelieu et marche en direction du boulevard Montmartre. Il se sent léger comme un ange. Un ange exterminateur. Villain abattra le vilain.

Paris, rue de l'Échiquier,
vendredi 31 juillet, 19 h 30

Seul dans sa mansarde, vêtu en garçon de café, Dimitri Borja Korozec apporte les dernières touches à son déguisement. Il colle sur son visage barbiche et moustache et se regarde longuement dans le miroir. Le résultat n'est pas des plus convaincants : ces postiches aux poils trop abondants contrastent avec ses traits encore adolescents. Mais peu importe. Son intention est de se glisser discrètement de rue en rue, tête basse et en évitant les passants, jusqu'à l'entrée de service du *Croissant.* La distance n'est pas bien longue, et il a déjà choisi son itinéraire : il prendra la rue d'Hauteville jusqu'au boulevard Poissonnière, puis la rue du Sentier, tournera à droite dans la rue des Jeûneurs et continuera jusqu'au coin de la rue Montmartre.

Il pose la bombe au chocolat empoisonnée sur une assiette à dessert et enveloppe le tout dans un délicat papier rose, prenant grand soin de ne pas déformer le gâteau. Gérard Bouchedefeu, irrité depuis le début par son projet, est parti jouer aux échecs avec un ami basque du côté de Pigalle. Mais Dimitri n'y a vu aucun inconvénient : au contraire, il préfère rester seul pour ses ultimes préparatifs. De surcroît, il est sûr que le vieux se moquerait de son apparence.

Dimo s'assure que la clef de la porte de service est en sécurité au fond de sa poche et sort, transportant la mort entre ses mains.

Paris, 142, rue Montmartre,
vendredi 31 juillet, 19 h 30

Depuis que Jaurès est retourné à la rédaction, l'inspecteur Javert est discrètement posté près de l'entrée de l'immeuble. Obéissant aux instructions de Guichard, il a suivi le journaliste depuis sa sortie de la Chambre en prenant toutes les précautions pour ne pas se faire remarquer. Javert est habile dans l'art d'épier sans être vu. Au kiosque à journaux du coin de la rue, il achète, pour la première fois de sa vie, *L'Humanité*. Il ne s'est jamais intéressé aux socialistes et à leurs idées progressistes. À ses yeux, tout mouvement qui aspire à modifier l'ordre établi ne représente qu'une inadmissible menace de subversion. À l'exemple de son grand-père, qu'il n'a jamais connu personnellement, il a fondé son existence sur deux sentiments fort simples : la haine pour toute forme de rébellion et un respect inaltérable de l'autorité.

Ses énormes mains feuillettent le quotidien, qui le protège du regard des passants. Ce qu'il lit le remplit d'indignation. Comment le gouvernement peut-il tolérer qu'un tel fatras d'absurdités soit exposé sur la voie publique, à la portée de n'importe quel homme du peuple qui voudrait l'acheter ? À chaque page qu'il tourne, il est un peu plus scandalisé. Presque deux heures s'écoulent ainsi sans qu'il s'en rende compte.

Soudain, son attention est attirée par un jeune garçon de café qui passe devant lui, transportant avec précaution un petit paquet enveloppé de papier rose. Il le tient si gauchement qu'il ne semble guère accoutumé à porter des plateaux. Son instinct de limier lui souffle qu'il y a autre chose de curieux dans la physionomie du jeune homme. Sa moustache et sa barbiche. Elles n'ont pas l'air naturelles, elles lui donnent l'apparence d'un valet de cartes. Javert se demande s'il ne ferait pas bien de l'interpeller. D'un autre côté, il ne veut pas se laisser distraire de la mission qui lui a été confiée…

Tandis qu'il tarde à se décider, une petite troupe bruyante sort de l'immeuble et tourne le coin de la rue Montmartre. Au milieu, parlant plus fort que tout le monde, il aperçoit Jean Jaurès. Le jeune homme se retourne et, voyant la direction qu'emprunte le groupe, presse le pas. Javert perçoit une certaine nervosité dans le regard de ce personnage aux airs balourds. Il quitte son poste de guet et emboîte le pas à Jaurès et à ses compagnons, sans perdre de vue le garçon à la barbiche.

Celui-ci s'engouffre dans une ruelle obscure, cependant que les journalistes se dirigent vers le grand café qui fait le coin. Javert lit sur la façade le nom de l'établissement : *Café-Restaurant du Croissant.* Il s'immobilise quelques secondes, indécis. Doit-il se lancer à la poursuite du garçon, ou coller aux pas de Jaurès comme cela lui a été expressément ordonné ? L'habitude de l'obéissance aveugle, inculquée au cours de ses longues années de service, est la plus forte. L'inspecteur principal Javert fourre son journal dans sa poche et entre dans le restaurant un bref instant après Jaurès.

Paris, entrée de L'Humanité,
vendredi 31 juillet, 21 h 20

Un garçon blond à l'air bien élevé, portant une lavallière, s'approche de Mme Dubois, la portière du journal. Adressant à la vieille dame un gracieux sourire, il ôte son chapeau et lui demande respectueusement :

« Pardon, madame. Monsieur le député Jaurès est-il là ? »

Habituée aux mauvaises manières du personnel de la rédaction, la brave Mme Dubois est enchantée par la courtoisie du jeune homme.

« Non, monsieur. Tout le monde est allé dîner juste à côté, juste au coin de la rue.

– Merci, madame. Pardon de vous avoir dérangée.

– Mais c'est un plaisir, monsieur. »

Raoul Villain remet son chapeau, tâte les deux revolvers sous son pardessus et marche sereinement vers le *Croissant*.

Paris, au Café du Croissant,
vendredi 31 juillet, 21 h 30

Il n'y a plus une seule table libre au *Café-Restaurant du Croissant.* Dans la joyeuse agitation coutumière, serveurs et serveuses courent de tous côtés et débarrassent adroitement les convives de leurs assiettes vides. La chaleur ambiante augmente encore la soif de la clientèle. Au bar, un serveur active les pompes à bière avec la régularité d'une machine. Les chopes passent sous les robinets comme des pièces sur la chaîne de montage d'une usine. Trônant derrière la caisse, Albert, le gérant, surveille toute cette activité avec sa mauvaise humeur habituelle.

Le personnel de *L'Humanité* et le chef du Parti socialiste occupent trois tables dans le fond, à gauche de l'entrée. Jaurès, comme toujours, mange avec grand appétit, tout en participant à la conversation générale, particulièrement animée ce soir. De temps en temps, le groupe s'adresse en haussant la voix aux journalistes du *Bonnet rouge,* assis un peu plus loin. Le sujet, bien sûr, est la probabilité d'une guerre imminente. Quelqu'un fait observer que *L'Humanité* a perdu une bonne occasion de s'engager dans une cause populaire en n'exigeant pas le retour de l'Alsace-Lorraine au sein de la patrie française. Jaurès répond, la bouche pleine :

« Puisque nous supportons cette situation depuis quarante ans au nom du maintien de la paix, je ne vois pas pourquoi nous nous lancerions maintenant dans une guerre à cause de la Serbie. »

Diverses connaissances passent devant le groupe

attablé et s'arrêtent un moment pour échanger quelques vues. Les journalistes finissent leurs plats. Certains, comme Jaurès, commandent un dessert ; d'autres, seulement un café. Chacun est pressé de retourner à la rédaction.

Debout près de la porte, l'inspecteur Javert feint d'attendre qu'une table se libère. Il ne quitte pas Jaurès des yeux. Peut-être est-ce pour cette raison qu'il ne fait pas attention au jeune homme blond qui passe devant lui et lui heurte légèrement l'épaule. Le jeune homme s'excuse et se dirige vers le bar. Javert ne répond pas. Son regard reste fixé sur le journaliste.

Soudain, venant de l'autre bout de la salle, voilà que le garçon à barbiche et moustache qu'il a remarqué tout à l'heure dans la rue entre dans son champ de vision. Il s'avance vers Jaurès, apportant sur une assiette une bombe au chocolat. L'instinct de l'inspecteur lui dit qu'il y a quelque chose d'anormal dans la scène – mais quoi ? Tout à coup, il repère ce qui ne va pas : la transpiration causée par la forte chaleur commence à décoller les postiches du curieux personnage. « Une fausse moustache et une fausse barbe ! » pense Javert. De fait, la moustache s'est presque détachée et pend maintenant de travers sur la lèvre supérieure, tandis que la barbiche glisse lentement sur le menton. Le jeune homme, cependant, ne semble pas s'apercevoir que son déguisement est en train de le trahir. Il s'est approché du député et tend déjà l'assiette dans sa direction…

Javert veut se précipiter pour arrêter son geste, mais plusieurs mètres le séparent du faux garçon. Il écarte brusquement un couple qui, devant lui, prend congé du gérant et manque de buter contre une serveuse chargée d'un plateau. Il faut empêcher ce type d'arriver jusqu'à Jaurès : l'inspecteur flaire l'attentat, il sent que la vie du journaliste est en danger. Mais à peine a-t-il le temps de faire deux pas que retentit le bruit assourdissant d'un coup de feu. La balle frôle l'oreille de Javert, et une fraction de seconde plus tard Jean

Jaurès s'effondre, le visage sur la nappe, mortellement atteint. L'inspecteur ne parvient pas à comprendre ce qui s'est passé. D'où est partie cette balle ? Il n'a pas vu le garçon à la bombe au chocolat sortir une arme.

C'est seulement alors qu'il se retourne et voit le jeune homme blond qui est passé devant lui un instant plus tôt, revolver fumant dans la main, et les autres journalistes qui se jettent sur lui pour l'immobiliser. La stupeur lui paralyse le cerveau.

Quelqu'un sort en courant dans la rue, criant :

« On a tué Jaurès ! On a tué Jaurès ! »

Dimitri Borja Korozec, sa fausse barbiche pendant au bout de son menton, ne parvient pas à croire à ce qui est arrivé. Livide, il reste planté là et contemple, comme hypnotisé, le corps ensanglanté du combattant de la paix. Quelqu'un réclame un médecin, et un pharmacien du voisinage, qui dînait au *Croissant,* vient prendre le pouls du député. Il secoue la tête, l'air accablé. Appuyée au comptoir de l'entrée, une petite fleuriste pleure à gros sanglots. Dimo, lui, n'arrive pas à détacher ses yeux du cadavre. Son esprit est perdu dans des pensées où dominent la frustration et la déconvenue. Après tant de minutieuse préparation, un usurpateur l'a floué du privilège de mettre à mort l'ennemi !

Ébaubi comme il est, il n'a pas lâché le gâteau qu'il a empoisonné avec tant de zèle. C'est alors que les amis de Jaurès l'écartent sans ménagement, et que l'un d'eux, sans s'en rendre compte, lui heurte violemment le coude. La poussée a pour effet de propulser la bombe mortifère contre la bouche entrouverte de Dimitri – qui n'a pas la présence d'esprit de recracher la pâtisserie empoisonnée.

À peine a-t-il dégluti la première bouchée que le goût âcre de la naphtaline ramène le terroriste malheureux à la réalité. Il sent la substance toxique lui brûler la gorge et l'œsophage, et maudit sa fatale distraction. S'il ne trouve pas un hôpital dans les minutes qui suivent, sa mort est certaine. Terrifié, il jette sur le sol le reste du gâteau et court en titubant vers la porte de service.

L'inspecteur Javert se remet enfin du choc qu'il vient de subir. Submergé par la haine, il s'élance derrière Dimitri : sans cet individu, il aurait sauvé la vie de Jaurès ! C'est ce faux garçon balourd qui a détourné son attention, c'est par sa faute que, pour la première fois de sa carrière d'inspecteur principal, il a manqué à son devoir. Et au cours d'une mission à lui confiée par le chef de la Sûreté en personne… Jamais, au grand jamais il ne se le pardonnera. Il ramasse le reste de la bombe au chocolat. Pas besoin de le renifler deux fois pour se rendre compte qu'il est empoisonné. Il enveloppe les débris du gâteau dans son mouchoir et fourre le tout dans la poche de son pardessus. Plusieurs gendarmes du voisinage sont déjà sur les lieux et ont ceinturé l'assassin. Raoul Villain, qui semble parfaitement calme, prononce alors avec la solennité des imbéciles :

« Ce que j'ai fait, je l'ai fait pour la patrie. »

Javert ne peut plus rien pour Jaurès, hélas ! Mais il sait qu'il ne trouvera pas la paix tant qu'il n'aura pas traîné devant la justice l'autre type, le presque assassin. Serait-ce un complice ? L'esprit obnubilé, il traverse les cuisines au pas de course, dans un grand fracas de marmites renversées, et se lance comme un fou à la poursuite de Dimitri.

Entrée du *Café du Croissant,* peu après l'attentat.

Lorsqu'il se retrouve à nouveau dans la rue Montmartre, Dimo commence à sentir les premiers effets du poison qui lui court dans les entrailles.

Il arrache ses postiches encore plus ou moins collés à son visage et court du plus vite qu'il peut sur le trottoir, bousculant les passants qui lui barrent le chemin. Il connaît une clinique privée tout près d'ici, l'hôpital Lachaparde, à l'angle des rues de Paradis et d'Hauteville. Il traverse un carrefour encombré en évitant les autos et les omnibus et, courant toujours, s'engage dans la rue de Trévise. Il atteint la rue Richer et aperçoit en face de lui les Folies-Bergère.

Soudain, il se croit saisi d'un délire provoqué par la naphtaline : à la porte du théâtre, la silhouette de Mata Hari, demi-nue, danse devant ses yeux. Il secoue la tête et constate qu'il ne s'agit nullement d'un mirage. Ce qu'il voit est tout simplement une affiche de l'été précédent, époque où l'artiste présentait aux Folies son spectacle de danses espagnoles.

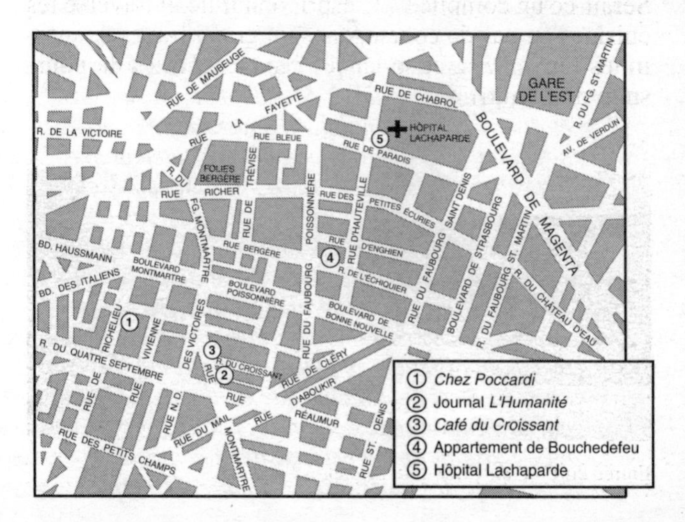

Il repart en toute hâte par la rue des Petites-Écuries, puis, chancelant et s'appuyant aux murs, remonte enfin la rue de Paradis et, balbutiant quelques mots difficilement intelligibles, tombe évanoui entre les bras d'une femme devant la porte de l'hôpital Lachaparde.

À deux rues de là, l'inspecteur Javert, qui reprend haleine après sa course effrénée, a tout juste le temps de distinguer au loin sa proie que deux infirmiers portent à l'intérieur du bâtiment.

Paris, soir du vendredi 31 juillet,
hôpital Lachaparde

Passage extrait du cahier (incomplet) de Dimitri Borja Korozec, intitulé *Souvenirs et trous de mémoire : notes pour une autobiographie*, et découvert en novembre 1954 dans une des caches de la secte dite « Confrérie musulmane », à Alexandrie, en Égypte :

Je revins à moi dans une chambre du premier étage, presque vide : à côté de moi, un seul lit était occupé par un patient sous sédatifs qui attendait sans doute une opération quelconque. La nouvelle de la mort de Jaurès s'était rapidement répandue dans l'établissement. Dans tous les coins, des internes et des infirmiers chuchotaient entre eux, nerveusement, et les couloirs étaient envahis d'une agitation inhabituelle. Je me plongeai dans mes pensées, étranger à ce brouhaha. Bientôt, je ne sus plus si j'étais éveillé ou si je rêvais – à moins que je ne fusse déjà au paradis : un visage de femme, beau et serein, me regardait doucement, se détachant sur la blancheur des murs de la chambre. La dame

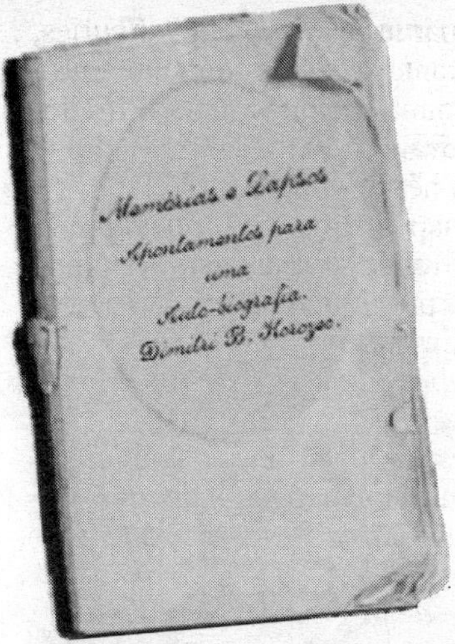

Cahier de Dimitri découvert à Alexandrie, en Égypte.

semblait d'âge moyen et était vêtue avec discrétion, d'une longue jupe plissée couleur cendre et d'un corsage blanc tout simple, à col montant fermé par une large bande de velours noir ornée d'un camée. Ses cheveux châtains étaient coiffés en chignon. Je me souviens d'avoir pensé que l'effigie du camée ressemblait au visage de ma mère. Un doux sourire lumineux flottait sur les lèvres de la dame. Mais ce qui me frappa le plus, ce furent ses yeux : des yeux qui me transperçaient avec une expression d'intense curiosité. Elle dirigea son regard vers mes six doigts crispés autour de son poignet. Je m'aperçus seulement alors que je serrais fermement sa main dans la mienne. J'essayai de me lever, mais elle m'en empêcha, s'asseyant sur le lit et me disant d'une voix ferme :

« Restez calme, jeune homme. Vous êtes encore très faible. Vous avez donné assez de travail aux infirmiers qui se sont chargés de votre lavage d'estomac.

– Mon lavage d'estomac ? répétai-je avec surprise.

– Oui. Vous ne vous rappelez pas ? Avant de vous évanouir, vous m'avez dit que vous aviez avalé de la naphtaline. On vous a donc nettoyé l'estomac avec du bicarbonate de soude et administré un diurétique pour protéger vos reins. Vous êtes hors de danger, à présent.

Seriez-vous assez bon pour me rendre ma main ? »

Je desserrai la pression de mes doigts et demandai :

« Êtes-vous médecin, madame ? »

Elle sourit d'un air énigmatique.

« Non, mais on peut dire que mon travail a des rapports étroits avec la médecine.

– Je vois. Vous êtes infirmière. »

La dame répondit, amusée :

« Vous êtes très loin de la vérité. Je suis Marie Curie. »

Bien que je connusse l'histoire et la politique comme peu de garçons de mon âge, ma culture dans d'autres domaines laissait encore beaucoup à désirer. J'avoue que, jusque-là, je n'avais jamais entendu parler de la grande scientifique, pourtant déjà consacrée par deux prix Nobel : de physique en 1903, de chimie en 1911. Pour cacher cette ignorance crasse, je lui baisai précipitamment la main.

« Madame, je vous dois la vie ! »

Mme Marie Curie parut touchée par mon impétuosité.

« Vous ne me devez rien du tout. C'est uniquement le hasard qui vous a fait tomber entre mes bras au moment où je sortais de l'hôpital. »

Effectivement, ma rencontre avec la célèbre physicienne n'aurait pu être plus fortuite : Marie Curie m'expliqua qu'elle était passée à l'hôpital Lachaparde en fin d'après-midi pour y rendre visite au professeur Grimot, le directeur de l'unité chirurgicale.

Elle me dit que Grimot, membre éminent de l'Académie des sciences, était surtout connu pour ses recherches très remarquables dans le domaine des transplantations d'organes. Dans son laboratoire, une poule pondeuse des Pyrénées avait survécu près de vingt minutes avec le cœur d'un leghorn mâle. Il entretenait, au reste, d'étroites relations avec Alexis Carrel, qui avait réalisé la première opération cardiaque sur un chien, au Rockefeller Institute for Medical Research de New York.

Très préoccupée par les menaces de guerre, Mme Curie était venue demander au professeur qu'il voulût bien l'appuyer auprès des fabricants d'équipements radiologiques, car elle souhaitait créer des unités de rayons X dans tous les hôpitaux de la région parisienne. Elle-même avait mis à la disposition du personnel médical tout le matériel de son laboratoire. Elle désirait aussi recruter parmi les médecins et les techniciens des volontaires spécialisés qui fussent capables de faire fonctionner ces équipements.

Un bienveillant hasard avait voulu que le professeur Grimot fût retardé par plusieurs opérations urgentes, et, par suite, que Mme Marie Curie entrât en collision avec moi au moment où elle quittait les lieux après la fin de leur entretien. Quoique évanoui, je n'avais plus lâché sa main et Mme Curie, émue, avait providentiellement veillé à ce qu'on me soignât sur l'heure et donné des ordres aux deux infirmiers avec son efficacité coutumière. Sans le respect que leur commandait la renommée scientifique de l'illustre visiteuse, sans doute ne se fussent-ils pas occupés de moi aussi rapidement – et je serais mort.

Peut-être pour m'épargner toute émotion, Mme Curie ne me dit tout d'abord rien de l'assassinat de Jaurès. Elle ne pouvait évidemment deviner qu'elle venait de sauver la vie d'un assassin frustré de son œuvre. Bien que je me sentisse très faible, je savais qu'il me fallait quitter ces lieux au plus vite.

« Madame, il faut que je rentre chez moi, maintenant. Ma mère doit s'inquiéter, mentis-je.

– Vous ne pouvez pas partir dans l'état où vous êtes. Il y a une foule de gens dans les rues.

– Une foule de gens, à une heure pareille ?» demandai-je, faisant l'innocent.

Je compris que, pour m'éviter un nouveau choc, elle hésitait entre me révéler la vérité et inventer une histoire quelconque. Elle pensa sans doute qu'un garçon aussi jeune ne devait guère s'intéresser aux événements politiques, car elle finit par m'annoncer d'une voix empreinte de tristesse :

« Vous ne le savez pas encore, mais ce soir on a tué Jaurès. La France est en deuil. Désormais, il ne sera plus possible de retenir les va-t-en-guerre. »

Ses pensées étaient probablement assombries par des visions de mort. Jamais elle n'aurait imaginé que cette guerre était ce que je désirais le plus au monde.

J'essayai à nouveau de la convaincre de me laisser partir :

« J'habite tout près, madame. Vous pouvez être sans inquiétude. »

Mais Mme Curie ne m'écoutait pas. Elle me demanda, changeant de sujet :

« Vous ne m'avez pas encore dit comment diable vous avez pu avaler de la naphtaline.

– C'était une farce de mon petit frère. Il a mis des boules de naphtaline dans des bouchées au chocolat, inventai-je.

– Comment vous appelez-vous ?

– Jacques. Jacques Dupont, mentis-je à nouveau.

– Eh bien, Jacques, voulez-vous me promettre de ne pas sortir d'ici avant une bonne nuit de sommeil ?

– C'est promis », continuai-je à mentir.

Je compris qu'il me faudrait fuir de cet hôpital en cachette, et que je ne le pourrais pas aussi longtemps qu'elle-même ne serait pas partie. Je bâillai longuement et fis semblant de m'endormir.

Quelques instants plus tard, je vis entre mes paupières mi-closes qu'elle se dirigeait vers la porte sur la pointe des pieds. Telle une ombre bienfaisante, elle sortit silencieusement dans le couloir, refermant la porte derrière elle. Ce fut la dernière vision que j'eus de ma sauveuse, Mme Marie Curie, la femme qui avait découvert la radioactivité.

* * *

Paris, rue de Paradis, vendredi 31 juillet, 23 heures

Avec la patience des vautours, une silhouette tout de noir vêtue guette dans la pénombre à l'entrée de l'hôpital Lachaparde. L'inspecteur Javert n'est pas pressé. Il a bien reconnu Dimitri Borja Korozec au moment où on l'emmenait à l'intérieur de l'établissement, et son angle de vision lui permet de voir également les portes latérales de l'édifice. Ainsi a-t-il la certitude que le jeune suspect n'a aucune issue par où s'échapper. Il l'aurait d'ailleurs suivi sans hésitation dans les couloirs de l'hôpital sans l'apparition inopportune de Mme Curie et toute l'agitation qui s'en est suivie.

« Les femmes ! se dit-il. Est-ce qu'elles ne feraient pas mieux de rester dans leurs cuisines au lieu d'aller cancaner dans des laboratoires ? Un de ces jours, elles finiront par vouloir entrer dans la police ! »

Mais il se repent aussitôt de cette pensée irrévérencieuse. Javert nourrit un respect presque pathologique pour les institutions, et, au bout du compte, Mme Curie *est* une institution. Il ne lui reste plus qu'à attendre.

« Après tout, il est entré dans cet hôpital, et, conformément aux lois élémentaires de la physique, tout ce qui entre finit par ressortir », songe-t-il, sans humour.

Soudain, il aperçoit Mme Curie qui franchit la porte du bâtiment. Son cœur bondit dans sa poitrine. Aura-t-il le courage de la questionner ? Il s'approche, poussé par son inébranlable sens du devoir. Obséquieusement, tenant son chapeau à la main, la sinistre silhouette aborde le double prix Nobel :

« Madame Curie ?

– Oui ?

– Inspecteur principal Javert. Pardonnez mon audace, madame, mais j'aimerais avoir quelques renseignements sur le jeune homme dont vous avez eu la générosité de vous occuper il y a un moment. »

Marie Curie sent aussitôt l'irritation la gagner. Depuis toujours – depuis ses années de jeunesse en Pologne –, elle n'a cessé de se rebeller contre l'arbitraire de tous les pouvoirs.

« Et pour quelle raison, je vous prie ?

– En raison de l'enquête que je mène sur la mort du député Jaurès.

– Ah oui ? Il me semble que votre enquête est un peu en retard. Que je sache, l'assassin a été pris en flagrant délit !

– Certes, madame, certes… Mais mon intuition me dit que le jeune homme de tout à l'heure pourrait bien être impliqué dans le crime. C'est pourquoi je souhaiterais… »

Elle l'interrompt brusquement :

« Votre intuition est ridicule, mon ami. C'est encore un enfant. Il n'a même pas de barbe au menton.

– Mais il en avait une. Et elle est tombée », déclare Javert, tirant de sa poche la barbiche qu'il a ramassée sur le trottoir de la rue Montmartre.

Marie Curie, en voyant le petit tas de poils dans la main de l'inspecteur, est saisie d'alarme. L'homme devant elle est-il vraiment un officier de police, ou un quelconque détraqué ? Se reprenant, elle lui rétorque en haussant le ton :

« Je n'ai aucune explication à vous donner. Écartez-vous de mon chemin, je vous prie. C'est un comble ! Vouloir mêler un malheureux enfant à cette tragédie ! Soyez sûr que je ferai part de votre impertinence au ministre de l'Intérieur. Bonsoir, monsieur. »

Sur ces mots, Mme Curie s'éloigne d'un pas rapide en direction de la voiture qui l'attend, cependant que Javert, suant à grosses gouttes, bredouille des excuses en essayant de se débarrasser de la fausse barbiche que la transpiration a collée à la paume de sa main.

Dimitri Borja Korozec patiente quelques minutes pour s'assurer que sa bienfaitrice inattendue ne rebroussera pas chemin. Ses oreilles ne perçoivent plus aucun va-et-vient dans le couloir. Il se lève, avec l'intention de reprendre ses vêtements jetés sur le dossier d'une chaise.

Mais Marie Curie avait raison : sans qu'il en eût conscience, il est encore très faible. À peine a-t-il fait deux pas qu'il sent la tête lui tourner. Il veut regagner son lit, mais s'écroule, évanoui, sur celui du patient sous sédatifs qui est son unique compagnon de chambre, et le fait dégringoler sur le sol.

Dans sa chute, le pauvre homme inconscient roule sous le lit suivant. Au moment où il disparaît, dans une synchronie qui semble presque mise en scène, deux infirmiers visiblement pressés entrent dans la chambre, portant une civière.

« Dépêchons-nous de l'emmener au bloc. Grimot et son équipe attendent ! dit le premier.

– Je ne sais pas ce qui lui prend, aujourd'hui. Trois opérations d'affilée ! commente le second.

– C'est son affaire, pas la tienne. Il y a des cas qui ne peuvent pas attendre », réplique le premier.

Saisissant Dimo l'un par les pieds, l'autre par les épaules, ils le font glisser sur la civière. Le second infirmier observe un instant le visage du jeune homme.

« C'est bizarre. Quand nous l'avons amené ici, il paraissait nettement plus vieux. Tu ne trouves pas ? »

L'autre répond, sans beaucoup s'attarder à cette remarque :

« Eh bien, ce doit être un effet de sa maladie. Tu comprends quelque chose à la médecine, toi ? De toute façon, ça ne peut être que lui. Il y a des jours que je n'ai vu aucun autre malade dans cette chambre. Et maintenant, assez causé. Tu sais que Grimot a horreur d'attendre. »

Les deux hommes sortent rapidement, emportant Dimitri évanoui vers le bloc opératoire.

💣💣💣

Dimo revient à lui sous la lumière intense de la salle d'opération, entouré d'hommes et de femmes gantés et vêtus de blanc. De leurs visages, il ne peut voir que les yeux, car un rectangle de toile leur couvre la bouche et le nez. Alarmé, il leur demande :

« Où suis-je ? Que s'est-il passé ? »

Le professeur Grimot, le chef de l'équipe chirurgicale, s'efforce de le tranquilliser :

« Calmez-vous, mon jeune ami. Vous n'avez aucune raison de vous inquiéter. Nous allons vous endormir dans un instant.

– M'endormir ?

– Naturellement. Vous n'imaginez pas que nous allons vous enlever un rein sans vous anesthésier ? »

Une terreur abyssale s'empare de Dimitri. Il fait un mouvement pour se lever, mais trois membres de l'équipe le maintiennent fermement en position couchée.

« Mais je n'ai rien aux reins ! crie Dimitri.

– Allons, allons. Vous croyez en savoir plus que les médecins ? » demande Grimot.

Il se tourne vers une infirmière qui tient un masque en caoutchouc doublé d'une compresse imbibée d'éther, par où doit passer le protoxyde d'azote.

« Passons à l'anesthésie. »

Avant même que Dimitri ait le temps de souffler mot, le masque est posé sur son nez et l'infirmière installe le tube qui permet le passage du gaz. Grimot poursuit doctement :

« Bien que vous soyez indigent, vous avez aujourd'hui la chance de profiter de ce qu'on fait de plus moderne en matière d'anesthésiques : une combinaison d'éther et de protoxyde d'azote, plus connu des profanes sous le nom de gaz hilarant. »

L'effet du mélange est presque immédiat. Dimo tente d'expliquer l'erreur dont il est victime, mais tout ce qui sort de sa bouche est un grand éclat de rire. Ses mots sont entrecoupés par des hoquets hystériques :

« Vous allez m'enlever un rein ? Ha ! Ha ! Ha ! Au lieu de mes douze doigts, j'aurais mieux fait de naître avec quatre reins ! Hi ! Hi ! Hi ! Je vous assure que vous vous trompez ! Ha ! Ha ! Ha ! Mes reins sont en parfait état ! Ha ! Ha ! Ho ! Ho ! Hîîî ! Hîîî... »

Après ces grotesques manifestations, Dimitri Borja Korozec glisse dans l'inconscience sous le regard perplexe de l'équipe médicale :

« Le phénomène auquel vous venez d'assister, mesdemoiselles et messieurs, n'est qu'un léger accès de délire causé par le protoxyde d'azote. En dépit de cet effet secondaire mineur qu'on observe chez certains patients, ce gaz est considérablement plus efficace que le chloroforme », pontifie le professeur Grimot à l'intention de ses disciples.

Ce disant, l'homme de l'art pratique avec dextérité une longue incision dans le corps inerte de Dimitri.

Même la patience des vautours a des limites. Fatigué d'attendre, l'inspecteur Javert se décide à poursuivre sa traque à l'intérieur de l'hôpital. Il frappe à la porte du bâtiment, et un portier de nuit vient lui ouvrir.

« Vous désirez ? demande-t-il d'une voix somnolente.

– Je suis l'inspecteur Javert. Je suis à la recherche d'un jeune homme qui est entré ici il y a environ deux heures, déclare le policier, agitant sa carte sous le nez du portier.

– Quel nom ?

– Je vous l'ai déjà dit. Inspecteur Javert.

– Je vous demande le nom du jeune homme, explique le portier.

– Je ne sais pas, mais c'est la dernière personne à avoir été admise dans cet hôpital. Je l'ai vu s'évanouir devant la porte et être secouru par Mme Curie et deux infirmiers.

– Alors, ce doit être le jeune homme souffrant d'intoxication. Il se repose dans une chambre au premier étage, mais ce n'est pas l'heure des visites. Si vous voulez bien revenir demain matin à partir de…

– Je suis ici pour une enquête à caractère officiel, le coupe durement l'inspecteur, brandissant de nouveau sa carte. Où ça, au premier étage ?

– Deuxième porte à droite dans le couloir », répond le portier.

Javert l'écarte de son chemin et monte rapidement l'escalier.

Le patient inconscient qui attendait son opération s'est réveillé sous le lit où Dimitri l'avait fait rouler. Il n'a aucune idée de ce qui a pu se passer, et, encore mal réveillé, il se recouche avec difficulté, couvrant son visage avec le drap, au moment même où Javert entre dans la chambre. Dans la pénombre, l'inspecteur ne distingue qu'une silhouette allongée, vers laquelle il s'élance aussitôt :

« Tu as beau te cacher, tu ne m'échapperas pas ! Je sais très bien que tu voulais tuer Jaurès ! Si tu ne l'as pas fait, c'est seulement parce que ton complice a été plus rapide ! Allons, avoue ! » hurle-t-il, égaré par la rage, en saisissant le malheureux par le cou et en le secouant comme un prunier.

À grand-peine, le malade parvient à écarter le drap qui lui couvre le visage. Lorsqu'il voit le lugubre personnage vêtu de noir qui est à deux doigts de l'étrangler, un cri étouffé jaillit de sa gorge :

« Au secours ! »

Javert s'aperçoit de son erreur et recule, effrayé.

« Excusez-moi, monsieur. Je vous ai confondu avec un empoisonneur. »

Le pauvre malade terrorisé a tout juste la force de tendre la main vers la clochette à côté de son lit pour appeler l'infirmière, avant de s'écrouler, foudroyé par une crise cardiaque. C'est au tour de Javert d'être saisi de panique. Sa longue expérience lui fait comprendre aussitôt que le malheureux est mort. Si jamais on le trouve ici, aucun doute : il sera accusé d'homicide ! Tout cela n'était qu'une lamentable erreur, mais il sait parfaitement que son statut d'inspecteur principal ne lui donne pas le droit à l'erreur. Il s'enfuit par le couloir en rasant les murs, court jusqu'à la première fenêtre qu'il trouve sur son chemin, saute et atterrit dans la rue, avant de se perdre dans l'obscurité.

Paris, samedi 1er août, au petit matin

Pour la première fois de sa carrière, Javert se sent totalement désorienté. L'esprit en pleine confusion, il est tiraillé entre son sens du devoir et sa honte. Il sait, en fonctionnaire irréprochable qu'il est, qu'il se trouve dans l'obligation absolue de se dénoncer et d'avouer la monstrueuse erreur qu'il a commise et qui a coûté la vie à un innocent. Mais il sait aussi qu'il ne supportera pas l'humiliation et le déshonneur qui seront l'inévitable conséquence de son geste précipité. Le nom de Javert, révéré par toutes les polices de France grâce à la carrière légendaire de son grand-père, sera souillé d'une tache ineffaçable ! Déchiré par cet affreux dilemme, l'inspecteur déambule depuis des heures dans les rues de Paris, perdu dans des pensées terrifiantes, sans plus avoir notion ni du temps ni de l'espace…

Vers quatre heures du matin, il s'aperçoit que ses pas l'ont mené jusqu'à la place du Châtelet, juste au pied de son commissariat. En voyant se dresser devant lui cet édifice qui symbolise à ses yeux le respect absolu de l'autorité, il prend enfin une décision : il entre et se dirige comme un automate vers son bureau, sans même répondre au salut du planton de service. Il s'assied, très droit, prend sa plume et une feuille de papier, et écrit d'une main ferme :

À Monsieur Xavier Guichard,
Directeur de la Sûreté de la Ville de Paris

Paris, le 1er août 1914

Monsieur le Directeur,
Je me vois, à mon immense regret, dans l'obligation de vous informer que je me suis montré incapable d'accomplir la mission dont vous aviez eu la généreuse bienveillance de me charger.

Mon manque de vigilance a provoqué deux tragédies irréparables. La première est l'assassinat du député Jaurès, que mon devoir était de protéger, fût-ce au prix de ma propre vie ; la seconde est la triste fin d'un innocent à l'hôpital Lachaparde, mort de peur en raison de mon absurde précipitation.

C'est pourquoi, pleinement conscient qu'un fonctionnaire de la force publique n'a pas le droit de se tromper, et moins encore de se tromper à

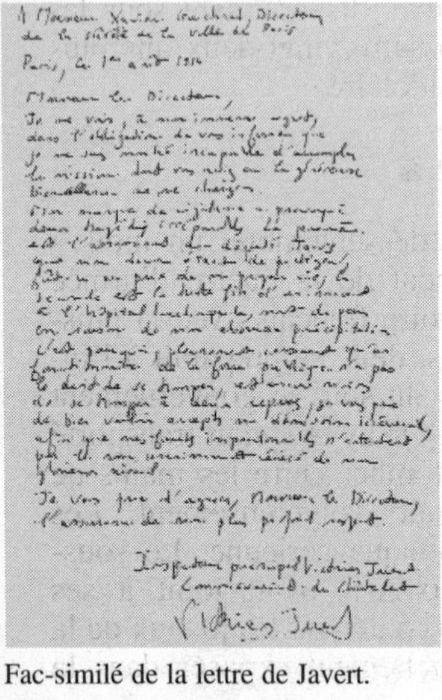

Fac-similé de la lettre de Javert.

deux reprises, je vous prie de bien vouloir accepter ma démission irrévocable, afin que mes fautes impardonnables n'entachent pas le nom unanimement vénéré de mon glorieux aïeul.

Je vous prie d'agréer, Monsieur le Directeur, l'assurance de mon plus profond respect.

Inspecteur principal
Victorien Javert
Commissariat du Châtelet

Il glisse soigneusement le feuillet plié dans une enveloppe, se dirige vers le planton, et lui ordonne que la lettre soit le plus tôt possible remise en main propre au directeur de la Sûreté.

Puis il sort du commissariat et traverse la place en direction du quai. Là, il se penche au-dessus du parapet. À cet endroit, les eaux de la Seine sont agitées par des courants qui provoquent de puissants remous. Il ôte son chapeau et le pose sur le rebord. Puis, d'un saut agile, il se jette dans le fleuve, disparaissant sous les flots à l'endroit même où, quatre-vingt-deux ans plus tôt, s'était suicidé son aïeul idolâtré.

***

Dès les premiers jours de septembre, un mois à peine après le commencement de la guerre, l'armée allemande avançait en territoire français avec la puissance d'une avalanche. Paris, déjà, se préparait à l'invasion. Le 2, à onze heures du soir, le gouvernement avait pris le train à la gare d'Orsay et s'était transporté à Bordeaux pour éviter de tomber entre les mains de l'ennemi, qui se rapprochait dangereusement. Les ministres redoutaient une attaque aérienne. Le sous-secrétaire d'État aux Beaux-Arts avait joint à ses bagages une mallette en cuir contenant les joyaux de la Couronne de France, habituellement exposés dans la galerie Apollon, au Louvre. En même temps, des dizaines de camions avaient quitté la capitale, emportant en lieu sûr l'or de la Banque de France, les plus grands chefs-d'œuvre des musées parisiens et les archives de l'État.

Le président Poincaré était parti de la gare d'Auteuil-Ceinture quelques jours plus tôt, dans un train spécialement affrété. Outre cet exode des officiels, nombre de Parisiens anonymes fuyaient leur ville et prenaient d'assaut tous les trains en direction du sud du pays.

Pour défendre la capitale menacée, on avait fait appel au général Joseph Gallieni, héros de la guerre franco-prussienne de 1870, et celui-ci avait quitté l'armée de réserve pour assumer cette tâche ingrate. Militaire d'une remarquable efficacité, le gouverneur de Paris nouvellement nommé s'était déclaré prêt à accomplir sa mission quoi qu'il en coûtât. Avant le départ du gouvernement pour Bordeaux, il s'était entretenu avec Millerand, le nouveau ministre de la Guerre, et l'avait averti sans détour :

« Vous savez ce qu'une telle mission peut signifier, monsieur le ministre ? Éventuellement la destruction de la tour Eiffel et de tous les ponts de Paris, y compris le pont de la Concorde, sans compter les usines et toutes les industries de première importance, afin que rien ne tombe au pouvoir des Allemands.

– Faites ce que vous jugerez nécessaire », avait sèchement répondu le ministre.

C'est dans ce climat de découragement et de tristesse que se retrouve plongé Dimitri Borja Korozec lorsqu'il sort de l'hôpital avec deux kilos en plus et un rein en moins. La perte de ce précieux organe a été en partie compensée par une alimentation saine et régulière, dont son corps n'a plus profité depuis le jour où il a quitté la maison familiale. Qui plus est, pendant les longues semaines de sa convalescence, ses airs d'enfant perdu ont conquis le cœur de toutes les infirmières, qui n'ont cessé de le bourrer de friandises.

Le professeur Grimot, pour sa part, ne s'est nullement laissé convaincre de l'inutilité de son opération, et il est venu à maintes reprises visiter Dimitri comme s'il lui avait sauvé la vie, accompagné d'élèves qu'il a gratifiés de doctes considérations sur le cas de son jeune patient. Dimitri a fait contre mauvaise fortune bon cœur.

Dès qu'il a pu recevoir des visites, il a fait parvenir un message à Bouchedefeu par l'intermédiaire d'un employé de l'hôpital, qui a trouvé le vieil anarchiste fou d'inquiétude, car il n'avait plus aucune nouvelle de Dimo depuis plusieurs jours. Dans sa haine pour toute forme de gouvernement, Gérard en était venu à penser que son protégé avait été secrètement arrêté lors de l'assassinat de Jaurès et torturé à mort dans les geôles souterraines de la Sûreté.

Enfin rassuré, Bouchedefeu prit l'habitude de passer ses après-midi à l'hôpital, discourant sans fin sur sa nouvelle passion : l'histoire du bidet à travers les âges et son influence sur la libération de la classe ouvrière. Selon le vieil homme, le bidet était le symbole même de la décadence et il entraînerait tôt ou tard l'affaiblissement irrémédiable des classes dominantes. Il l'expliqua avec enthousiasme à Dimitri :

« Bien que certaines sources laissent supposer l'existence d'engins plus ou moins semblables au Moyen Âge, c'est en 1736, sous le règne de Louis XV, que l'ébéniste Rémy Péverie créa le premier objet spécifiquement destiné à l'hygiène intime. Le nom "bidet" vient du verbe "bider", qui en ancien français signifiait "trotter", et il est né de l'analogie entre la position du cavalier sur sa monture et celle de l'utilisateur.

– Je croyais que "trotter" venait de "trottoir" », marmonna Dimitri.

Bouchedefeu feignit de n'avoir rien entendu.

« En 1742, Petri, un obscur poète florentin, composa même un sonnet dans lequel il appelait les prostituées *le amazzone del bidet*, "les amazones du bidet". Le succès de la nouvelle invention à la cour de

Versailles fut immédiat. Mme du Barry se fit même confectionner un bidet à rebords couverts de maroquin.

– C'est pour ça que Louis XV est tombé amoureux d'elle ? » interrompit Dimitri, l'air moqueur.

Bouchedefeu poursuivit :

« En 1738, Voltaire en personne se fit commander un bidet par l'abbé Moussinot, qui s'occupait de ses finances, dans une lettre où il lui écrivait ceci : "Mon cul, jaloux de la beauté de mes meubles, demande aussi un joli bassin percé avec de grands seaux de rechange."

– Mais quel rapport entre tout cela et l'affaiblissement des classes dominantes ? demanda Dimitri avec amusement.

– Tu ne comprends donc pas ? rétorqua Bouchedefeu, très irrité. Ce confort hygiénique conduit tout naturellement à l'oisiveté et à la décadence ! À mon avis, c'est le bidet qui a été la cause fondamentale de la Révolution française. Et, par la suite, du déclin de l'esprit révolutionnaire. Marat lui-même est mort poignardé sur son bidet.

– Non. Dans sa baignoire, corrigea Dimitri.

– C'est ce que prétendent les livres d'histoire. Pour moi, la vérité est tout autre », insinua le vieil anarchiste, avec l'air d'un homme qui a eu des révélations secrètes sur l'événement.

Finalement, trente-quatre jours après son admission à l'hôpital Lachaparde, Dimitri circulait de nouveau dans les rues presque vides de Paris à bord de son taxi de la compagnie Kermina-Métropole. Mais il n'imaginait pas que, d'ici peu, il serait engagé personnellement dans la guerre qu'il avait tant appelée de ses vœux.

Le 3 septembre, alors que les soldats de la Ire armée allemande, commandés par le général von Kluck, se trouvent à tout juste trente kilomètres de Paris, une désobéissance change l'histoire de la Première Guerre mondiale.

Au lieu d'envahir la capitale comme ses supérieurs le lui avaient ordonné, le général dirige son armée vers Meaux, au confluent des vallées de l'Ourcq et de la Marne. Par cette manœuvre, il entend profiter de l'espace laissé par le retrait des troupes anglaises et prendre à revers l'ensemble des forces françaises, placées sous le commandement de Joffre. Son objectif, ce faisant, est de les anéantir en une seule bataille définitive. Alors, la Ville lumière, sans protection, n'aura plus qu'à attendre.

Ce que von Kluck ignore, c'est que Gallieni a réussi à ramener dans Paris la VIe armée française, à la tête de laquelle se trouve le général Maunoury. Et, comme il ne s'attend à aucune attaque venant de la capitale, il laisse son flanc droit (composé principalement du IVe corps d'armée) totalement dégarni.

En trois jours de succès consécutifs, Maunoury et ses hommes atteignent la Marne.

C'est alors que la situation se retourne. Bien qu'il lui faille affronter au sud une contre-offensive des armées de Joffre, von Kluck renonce à sa stratégie initiale : au lieu de livrer bataille au gros de l'armée française, il lance toutes ses forces au secours de ses hommes attaqués par surprise. Faire échouer le plan de Gallieni lui apparaît maintenant comme un défi personnel.

Maunoury résiste, mais il a désespérément besoin de renforts pour sauver Paris. Ces renforts existent : ce sont les hommes de la VIIe division coloniale commandés par le général Trintinian, qui, venus de Verdun, ont rejoint Paris. Ils sont épuisés, mais prêts à tout pour arrêter l'avance de von Kluck.

Cependant, un problème se pose – apparemment insoluble : on ne dispose plus de convois militaires suffisants pour acheminer ces six mille soldats jusqu'à la Marne.

Le 6 septembre, à neuf heures du soir, dans son bureau du lycée Victor-Duruy où il a installé son quartier général, l'imaginatif général Gallieni a soudain une idée originale.

Il convoque de toute urgence le capitaine Jacquot, l'officier chargé des réquisitions. Le jeune capitaine, qui a non seulement la plus totale confiance en son chef, mais éprouve pour lui une affection quasi filiale, entre dans la pièce et se redresse pour un énergique salut militaire :

« À vos ordres, mon général.

– Jacquot, je crois que j'ai trouvé le moyen de transporter nos troupes sur le champ de bataille », annonce le général, les yeux brillants d'animation.

Devant cette perspective, le capitaine reprend courage ; voilà deux nuits qu'il ne dort pas, imaginant son beau Paris envahi par les Boches.

« J'étais sûr que vous trouveriez une solution, mon général. »

Gallieni se lève et s'approche de Jacquot :

« Je veux que vous réquisitionniez tous les taxis de Paris. »

Jacquot croit avoir mal entendu.

« Les taxis ?

– Oui. Les taxis et leurs chauffeurs. »

Le capitaine s'étonne :

« Mais, mon général, les chauffeurs de taxi sont des civils !

– Et alors ?

– Les civils n'ont jamais pris part aux opérations militaires.

– Eh bien, il faut un commencement à tout. À moins que vous ne préfériez voir Paris tomber aux mains des Allemands ? »

Jacquot se reprend immédiatement :

« Bien sûr que non, mon général. Tout plutôt que ça ! Même aller au front en taxi.

– Alors, au travail. Il est indispensable que le premier convoi parte cette nuit même. Et surtout, n'oubliez pas que tout doit être organisé dans le plus grand secret. »

Le capitaine claque des talons, salue avec enthousiasme et sort en toute hâte pour accomplir son ahurissante mission. Pour cela, il lui faut le concours de tous les policiers de la ville et de la garde républicaine. De son bureau, il appelle la préfecture de police et répète plusieurs fois au téléphone, irrité :

« Oui, c'est exactement cela ! Les taxis ! Tous les taxis avec leurs chauffeurs. Ce sont les ordres du gouverneur militaire, le général Joseph Gallieni ! »

C'est ainsi qu'avec six cents taxis Gallieni va rendre possible la victoire des troupes françaises dans la bataille de la Marne et introduire dans l'Histoire le transport automobile des soldats d'infanterie.

💣💣💣

Au même moment, dans le petit appartement de la rue de l'Échiquier, Dimitri Borja Korozec boit du vin rouge et joue au trictrac avec Gérard Bouchedefeu, sans avoir la moindre idée qu'à quelques centaines de mètres quelqu'un vient de lancer les dés d'un autre jeu, où lui-même sera bientôt un petit pion parmi des milliers d'autres : le jeu de la guerre.

💣💣💣

Dans l'après-midi du 8 septembre, Dimitri, comme à l'accoutumée, conduit son taxi dans les rues de Paris, en quête de passagers de plus en plus rares. Soudain, alors qu'il s'engage dans la rue de Rivoli, non loin de la Concorde, un sergent de ville lui fait signe de s'arrêter. Dimo gare son taxi, en maugréant. Il a déjà bien assimilé le ton de voix acrimonieux des chauffeurs de taxi parisiens :

« Qu'est-ce qu'il y a encore ? Qu'est-ce que j'ai fait ?

– Rien, mon vieux. Seulement, vous êtes réquisitionné. Vous et votre guimbarde.

– Réquisitionné ? Par qui ?

– Par le gouverneur militaire. Le général Gallieni.

– Et on peut savoir pour quoi faire ?

– Pour emmener des troufions jusqu'à Meaux, répond le sergent, en montant dans la voiture. Et tout de suite, encore. Il y a un détachement qui part dans quelques minutes de l'esplanade des Invalides.

– Mais il faut que je passe chez moi, que je me change !

– Pas la peine. Vous croyez que c'est le moment de faire des élégances ? »

Quand ils arrivent aux Invalides, une immense file de taxis remplis de soldats se met en branle. Un lieutenant s'approche :

« Lieutenant Alexandre Lefas, de la Division des transports. On peut faire rentrer combien d'hommes, dans ta charrette ?

– Autant que vous voudrez, mon lieutenant, répond Dimitri, déjà tout excité par l'aventure.

– Mmm... En se serrant, je dirais six, évalue le lieutenant.

– En se serrant bien, moi, je dirais huit ! exagère Dimitri.

– Non, c'est trop. Il ne faudrait pas que tu tombes en panne en chemin », dit Lefas, en faisant signe à un groupe de fantassins de monter dans le véhicule.

Il met une carte routière dans les mains de Dimitri.

« Prends ça. La route jusqu'à Meaux est indiquée. Sors par la Porte de la Villette.

– Soyez tranquille, mon lieutenant. Je connais le chemin !

– De toute façon, tu ne peux pas te tromper. Tu n'as qu'à suivre les autres. Bonne chance », dit le lieutenant en guise d'au revoir ; puis il se dirige, très affairé, vers un autre taxi.

Dimitri, pour plaisanter, se retourne vers les six passagers en uniforme qui se pressent à l'arrière et, mettant le compteur en marche, leur demande :

« Eh bien messieurs, où allons-nous ?

– À la Marne ! » répondent les soldats à l'unisson.

Dimitri démarre et se joint à l'étrange cortège guerrier qui part pour le front.

« À la Marne ! » Le dernier taxi de la file est celui de Dimitri.

Vers huit heures du soir, le Destin intervient une fois de plus pour jeter le désordre dans la vie tourmentée de Dimitri.

Au moment où il traverse un vallon noyé dans l'ombre, un grand bruit : le pneu arrière gauche de son taxi a éclaté. Les soldats sautent à terre pour l'aider, tout en regardant la file des autres véhicules devant eux se perdre dans l'obscurité. Le temps de changer la roue, et ils se retrouvent tout seuls, séparés de la colonne qui roule vers la Marne. Les vaillants fantassins sont inquiets : ils ne veulent pas manquer la bataille. Mais Dimitri s'empresse de les tranquilliser :

« Ne vous en faites pas. Je connais la région comme ma poche. Nous pouvons prendre un raccourci à deux pas d'ici et regagner le temps perdu. Meaux est à moins de vingt kilomètres. »

Tous remontent en voiture, et une minute plus tard Dimitri tourne à droite et s'engage dans un chemin mal pavé.

Trois heures se passent. Au bout des trois heures, force lui est d'avouer qu'il est complètement perdu.

Après avoir longuement tourné en rond, examiné vingt fois la carte et embouti une vache, ils finissent par se trouver aux abords d'une ville. L'obscurité est totale et le silence pesant. Pas un chat dans les rues. Ils sautent du taxi, étirent leurs jambes engourdies et partent en reconnaissance.

« Voilà. Nous y sommes », affirme Dimitri.

Les six soldats échangent des regards comme s'ils se trouvaient en face d'un idiot. L'un d'eux, le caporal Fouchard, un petit homme trapu assez mal embouché, ironise :

« Nous y sommes, ça, c'est évident. Mais où ?

– À Meaux, évidemment », affirme Dimitri.

Bernadet, un autre des passagers, tripote sa grosse moustache, puis déclare nerveusement :

« Ce n'est pas Meaux. Je suis déjà venu à Meaux. Cette ville, ce n'est pas Meaux. C'est plus grand que Meaux.

– Alors, où sommes-nous ? interroge Delesserd, le plus grand des six.

– Dans je ne sais quel endroit qui n'est pas Meaux », répète Bernadet.

Picardin, réparateur de bicyclettes dans la vie civile et le plus doué de sens pratique du petit groupe, suggère :

« Le mieux serait d'aller vers le centre et de demander. »

Ils remontent dans le taxi et roulent précautionneusement vers le centre-ville. Poirot et Balardin, les deux « bleus » qui n'ont pas encore osé se manifester, s'écrient au même moment, en désignant une bâtisse où luit faiblement une lanterne à une fenêtre :

« Regarde ! *L'Auberge du Vieux Cochon !* »

Dimitri donne un brusque coup de freins, qui a pour effet de faire dégringoler de la banquette ses six passagers. Il gare son véhicule et tous se dirigent vers l'auberge. Fouchard, avec l'autorité que lui confère son grade de caporal, tire sur le cordon de la cloche. Une grosse dame entrouvre la porte, l'air alarmé :

« Qui est-ce ?

– C'est l'armée française ! exagère Fouchard.

– Quelle peur vous m'avez faite ! J'ai cru que c'étaient les Prussiens, soupire la grosse dame. Entrez, entrez. Qu'est-ce que vous faites ici à une heure pareille ? Tout le monde dort, en ville !

– Eh bien, nous roulions vers Meaux, mais nous avons un peu dévié du chemin, explique Delesserd.

– Et comment, que vous avez dévié ! Meaux est à cinquante kilomètres plus au nord.

– Alors, nous ne sommes pas à Meaux ? insiste Dimitri, sous le regard furieux des soldats.

– Non, pardi ! Vous avez tourné à droite alors qu'il fallait prendre à gauche et continuer tout droit », répond l'aubergiste.

Épuisés et consternés, les soldats vont s'asseoir à une table dans un coin de la salle.

« Mais quelle est cette ville, alors ? demande Balardin.

– Melun.

– Melun ? Mais c'est ici qu'on fait le meilleur brie au monde ! » s'écrie Poirot, dont le rêve est d'être un jour chef cuisinier dans un grand restaurant.

Bernadet se caresse la moustache avec une fatuité autoritaire de grand connaisseur :

« Jamais de la vie ! Le meilleur brie, c'est justement le brie de Meaux. Le brie de Melun et le brie de Meaux, ça ne se compare même pas !

– Seule une personne qui n'a jamais goûté au brie de Melun peut dire une énormité pareille, se récrie Poirot, buté.

– La croûte du brie de Meaux est beaucoup plus uniforme. La fermentation provoquée par le champignon rend le brie de Meaux beaucoup plus crémeux, pontifie Bernadet.

– Peut-être, mais c'est au détriment du goût, rétorque Poirot. Ce qui n'arrive jamais avec le brie de Melun, qui mûrit en trois jours, alors qu'il en faut quatre au brie de Meaux.

– Foutaises ! » lance Bernadet, dédaigneux.

Fouchard s'immisce dans la conversation :

« Moi, je préfère le pont-l'évêque, dit-il.

– Est-ce qu'on t'a demandé quelque chose ? réplique Bernadet.

– Non, mais j'ai droit à mon opinion, il me semble ! D'abord, je suis dans l'armée depuis plus longtemps que toi. Aurais-tu oublié que je suis caporal ? »

Balardin décide à son tour de se mêler à la discussion :

« Je suis d'accord avec Fouchard. J'ai été élevé en Normandie, et laissez-moi vous dire que rien ne vaut un bon pont-l'évêque. C'est tout petit, un pont-l'évêque, mais ça vous a un arôme qui vous met l'eau à la bouche !

– Arôme pour arôme, moi qui suis de Riom, je reste fidèle au bleu d'Auvergne, grogne Picardin, qui ne veut pas être en reste.

– Et le roquefort ? Personne ne défend le roquefort ? Le fromage des rois et des papes ? Le préféré de Charlemagne ? » crie Delesserd avec indignation.

Balardin se tourne vers Dimitri :

« Et toi, qu'est-ce que tu en penses ?

– Moi, je suis poli. Quand il y a du fromage, j'en mange », répond Dimitri, qui ne tient pas à prendre parti.

Poirot repart à l'attaque :

« De toute façon, le goût des autres fromages ne m'intéresse pas. Ce que je disais, c'est que le brie de Melun est incomparablement meilleur que le brie de Meaux. D'ailleurs, c'est facile à vérifier. »

Il se tourne vers la propriétaire et lui demande :

« Pardon, madame. Comment vous appelez-vous ?

– Marguerite Bourdon. Et je suis d'accord avec monsieur. Notre brie est bien meilleur !

– Eh bien, madame Bourdon, pour qu'il n'y ait plus aucun doute, soyez assez bonne pour nous apporter un de vos délicieux fromages et une bouteille de vin rouge, commande Poirot.

– Plutôt deux bouteilles. C'est qu'on crève de soif, tous les sept ! » intervient Dimitri.

Douze bouteilles et quatre roues de brie plus tard, Dimitri, les six soldats et la grosse aubergiste continuent leur discussion entre deux bouchées ou deux gorgées, sans parvenir à une conclusion.

Photo des six soldats prise par Mme Bourdon. Assis, Poirot et Bernadet. Dimitri est allé chercher d'autres bouteilles de vin à la cave.

Cependant, à cinquante kilomètres de là, l'armée française est en train de gagner la bataille, après avoir surpris les Allemands par une fulgurante attaque nocturne. Des six cents taxis réquisitionnés par Gallieni, un seul n'est pas arrivé à destination : celui de Dimitri Borja Korozec.

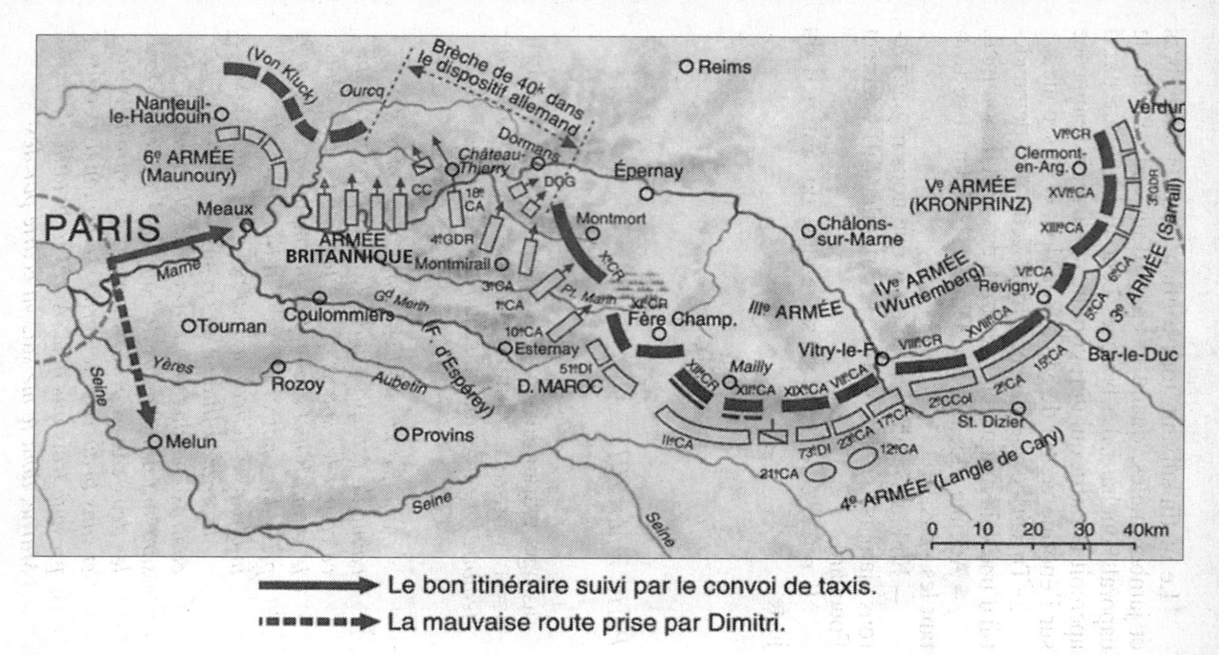

Le bon itinéraire suivi par le convoi de taxis.
La mauvaise route prise par Dimitri.

Le matin suivant, tous ronflent sous la table, bras et jambes mêlés, quand le chant d'un coq réveille le caporal Fouchard. La bouche sèche et l'œil vitreux, il aperçoit Dimitri, qui dort comme un ange, la tête posée sur l'énorme ventre de Mme Bourdon, et le secoue :

« Tu sais ce que je pense, mon vieux ? lui demande-t-il d'une voix rauque, encore abruti de vin et de sommeil.

– Aucune idée, répond Dimitri, bâillant et se frottant les yeux.

– Eh bien… Eh bien, je crois que nous n'y arriverons jamais, à la Marne ! » articule difficilement Fouchard.

Il rote, se retourne et se rendort du sommeil du juste.

Paris, 7 juin 1917

Passage extrait du cahier (incomplet) de Dimitri Borja Korozec, intitulé *Souvenirs et trous de mémoire : notes pour une autobiographie* :

> *Aujourd'hui, j'ai vingt ans. Je profite du calme de cet après-midi pluvieux pour noter sur ce cahier les soucis qui agitent mon esprit. Dans le salon, Bouchedefeu finit d'empailler une souris prise dans notre ratière. Il a l'intention de m'offrir ce délicat animal pour mon anniversaire.*
>
> *La tranquillité de ce crépuscule parisien contraste étrangement avec le déchaînement sanglant des champs de bataille. La guerre, dont les deux camps prévoyaient qu'elle serait courte et sans beaucoup de pertes, se prolonge depuis presque trois ans déjà. Après la bataille de la Marne, dont je me suis vu écarté par des*

circonstances indépendantes de ma volonté, les Allemands comme les Alliés ont creusé des lignes de tranchées sinueuses et protégées par des fils de fer barbelés. Ces tranchées s'étendent sur mille kilomètres, de la Suisse à la mer du Nord, et ressemblent à d'immenses fourmilières. Les soldats en sont arrivés à mener une existence souterraine. De véritables villes ont été construites sous le sol, avec des postes de commandement, des dépôts de munitions, des infirmeries, des cuisines et des latrines. Les lignes sont équipées de mitrailleuses, stratégiquement disposées pour éviter les attaques ennemies, et d'abris souterrains pour protéger les hommes des bombardements aériens. Dans certaines zones, ces abris atteignent jusqu'à cinquante mètres de profondeur. J'ai su par une lettre de Poirot (avec qui je me suis lié d'amitié) que le caporal Fouchard avait été tué par une bombe. La bombe n'a d'ailleurs jamais explosé, mais le hasard a voulu qu'elle tombât justement sur sa tête.

C'est dans les cabinets – le lieu où je me retire toujours quand j'ai l'intention de méditer – que je note méticuleusement ces observations, assis sur la cuvette. Si je fais aujourd'hui le bilan de ma vie d'assassin entraîné par l'Union ou la Mort, je dois reconnaître que mes dons n'ont pas encore trouvé le moyen de s'exprimer dans toute leur plénitude. J'espère, néanmoins, que les compétences que j'ai acquises à la Skola Atentora ne seront pas gâchées. Peut-être le futur me réserve-t-il des occasions plus glorieuses. Il n'empêche que j'éprouve un sentiment de frustration lorsque je pense que, à mon âge, Alexandre de Macédoine avait déjà conquis la Perse.

Deux nouvelles m'attristent tout particulièrement. En ce moment se tient à Salonique le procès de la Main noire, et la condamnation à mort du colonel Dragutin est donnée pour certaine. Je sais que les conseils d'Apis me manqueront beaucoup. Que doit faire un assassin solitaire en temps de guerre, quand des milliers d'hommes meurent jour après jour et que les tyrans ordonnent ces bains de sang en toute sécurité et loin du front ?

La seconde nouvelle fait les gros titres de tous les journaux : Mata Hari a été arrêtée pour espionnage et attend son jugement devant le IIIe Conseil de guerre à la prison de Vincennes. Il ne fait guère de doute qu'elle sera fusillée.

Récemment, ma mère m'a écrit, elle aussi. Elle semble inquiète de la tournure que prennent les événements, et je devine, à la manière dont elle s'exprime, qu'elle a le sentiment que je n'irai jamais la revoir. Pour la première fois, elle a tenu à me révéler le nom de mon grand-père brésilien, un certain général Manuel do Nascimento Vargas, dont elle affirme être la fille illégitime. Elle ajoute que cette affaire a toujours fait l'objet du secret le plus absolu, ce qui pour moi n'a aucun sens. En quoi le fait de connaître son nom peut-il avoir la moindre importance dans ma vie ? Je m'enorgueillis bien davantage du sang nègre de ma grand-mère. Elle veut aussi que je lui fasse le serment solennel d'aller un jour découvrir sa terre natale. Chaque fois qu'elle m'écrit, elle revient sur ce sujet. C'est un désir qui se transforme en véritable obsession. Enfin, ce sont des idées de mère.

J'ai lu que Mme Curie, ma salvatrice, avait créé sur le front des unités radiologiques mobiles, grâce à des fonds réunis par l'Union des femmes de France. Les Français appellent affectueusement les camionnettes équipées par ses soins les « Petites Curies ». Je me suis même porté volontaire pour conduire un de ces véhicules, mais j'ai été recalé à l'examen médical en raison de mes douze doigts. Ces pinailleurs de médecins militaires ont estimé que cette insignifiante anomalie pourrait diminuer mes aptitudes au volant.

Les Américains sont entrés en guerre, et la France se prépare à les accueillir. Les premiers contingents doivent arriver la semaine prochaine. À Paris, malgré la guerre qui fait rage, les activités artistiques et culturelles reprennent. Les théâtres rouvrent leurs portes. Les livres, les spectacles exaltent le courage des soldats.

Certaines réactions reflètent d'ailleurs un chauvinisme exagéré. La Parisienne, *d'Henry Becque, qui se jouait à guichets fermés, a été retirée de l'affiche au seul motif que le personnage central de la pièce est une femme mariée qui a deux amants. Les autorités ne veulent pas que l'ennemi prenne prétexte d'un tel sujet pour dénigrer l'image de la femme française. Vraiment, c'est de la bêtise patriotarde. À Sarajevo, il y avait une Berlinoise professeur d'allemand qui en avait quatre !*

Je dois interrompre ici mes réflexions : Gérard frappe à la porte en criant qu'il a besoin d'utiliser les cabinets. Tout à l'heure, nous sortirons pour fêter mon anniversaire. Bouchedefeu a obtenu d'un ami anarchiste qui travaille comme régisseur au Casino de Paris deux invitations pour une répétition de la nouvelle revue Laisse-les tomber. *À la perspective de voir parader sur scène les belles girls toutes nues sous leurs plumes, j'avoue que je me sens tout excité. Ensuite, nous irons dîner à la* Brasserie Lipp, *où se rencontre aujourd'hui la fine fleur des artistes et des intellectuels de la capitale.*

Qui sait ? Peut-être que ce soir, pour mes vingt ans, j'y rencontrerai une personne qui changera le cours de mon existence… La nuit est pleine de promesses, et la vie pleine d'imprévus.

En dépit de l'heure avancée, la *Brasserie Lipp* est bondée. Le parfum des meilleurs havanes flotte voluptueusement dans l'air. Célèbre pour ses bières et ses choucroutes, la brasserie a été fondée par Léonard Lipp en 1870 et garde tout le charme de la Belle Époque. Les grands miroirs Art nouveau accrochés à tous les murs doublent les dimensions des salles où se massent les convives.

Dans un coin du restaurant, vidant des bouteilles de brouilly dans un joyeux vacarme, sont attablés Pablo Picasso, Guillaume Apollinaire, Jean Cocteau, Erik Satie et Amedeo Modigliani, un jeune peintre et sculpteur italien très aimé du petit groupe. La discussion tourne autour de la critique publiée par Jean Poueigh dans le *Carnet de la semaine* sur le ballet *Parade*, que viennent de créer les Ballets russes sur un argument de Cocteau et une musique de Satie, dans des décors et des costumes de Picasso. Apollinaire a également apporté sa contribution, en rédigeant un texte de présentation pour le programme. Modigliani lit à haute voix l'injurieux article :

« "En dépit de la réclame et du tapage organisés autour du nom de Picasso, l'argument et la musique du ballet *Parade* n'ont également de grave que ceci : la sottise de l'un et la banalité de l'autre. En mettant leur imagination à nu, MM. Jean Cocteau et Erik Satie nous en ont révélé le fond. Il est parfois amusant de constater jusqu'à quelles profondeurs peut descendre l'ineptie." »

Repliant la coupure de journal, le jeune peintre poursuit d'un ton railleur :

« Alors, mes amis, comment comptez-vous répondre à cette ignominie ? Si cela dépendait de moi, j'irais tout droit à la rédaction du journal et j'obligerais ce ver de terre à avaler la page entière de son torchon !

– C'est parce que tu es passionné comme un Italien. Le mieux est de ne pas répondre à ces bassesses », affirme Cocteau, avec son flegme habituel.

Au fond, tous s'amusent beaucoup des réactions scandalisées causées par leur spectacle. N'est-ce pas justement ce qu'ils recherchaient ? *Parade* a été conçu dans l'intention de secouer les conventions et d'horripiler les esprits conservateurs. Rien de plus jubilatoire que de choquer le bourgeois.

Apollinaire, qui a été éloigné du front en raison d'une blessure à la tête mais n'en continue pas moins d'arborer son uniforme d'officier d'artillerie, tire de la poche de sa tunique une lettre froissée et se tourne vers Picasso :

« Moi aussi, j'ai des nouvelles. Je ne t'en avais pas encore parlé, mais le haut commandement s'est décidé à suivre tes conseils.

– Quels conseils ? demande le peintre.

– Si tu permets, j'aimerais d'abord lire ceci pour les autres. Il s'agit d'une lettre que notre cher Pablo m'a envoyée le 7 février 1915. »

Tirant le feuillet de l'enveloppe, il commence à lire, avec des inflexions volontairement emphatiques :

« "Je voudrais vous faire une excellente suggestion pour le corps d'artillerie. Même lorsqu'ils sont peints en gris, les engins d'artillerie, les canons, peuvent être facilement repérés par les avions, car ils conservent leurs formes immédiatement identifiables. Au lieu de cela, il faudrait les peindre de couleurs vives : des parties rouges, jaunes, grises, bleues, blanches, comme un arlequin."

– Extraordinaire ! commente Cocteau, goguenard. Tu as réussi à transporter ton obsession des arlequins jusqu'au front ! Tu devrais proposer qu'on utilise les mêmes couleurs pour les uniformes militaires. Comme ça, les généraux s'habilleraient en Pierrot et les infirmières en Colombine. »

Erik Satie saisit la réplique au vol :

« Excellente idée. Ainsi, la guerre se transformerait en une immense commedia dell'arte. »

Tout le petit groupe part d'un grand éclat de rire joyeux. Se tournant de nouveau vers Picasso, Apollinaire poursuit sur le même ton :

« On ne peut jamais savoir ce qui se passe dans la tête des militaires. Qui sait si, sans le vouloir, tu n'as pas inventé un nouveau type de déguisement ? »

Modigliani se lève solennellement, son verre à la main :

« Salut et gloire à Pablo Picasso, l'inventeur de l'art du camouflage ! »

Les autres se lèvent à leur tour pour finir leurs verres, riant très fort de cette idée farfelue.

Ce qui attire tout de suite l'attention de Dimitri lorsque, après l'extraordinaire revue du Casino de Paris, il entre chez *Lipp* en compagnie de Bouchedefeu, est la présence d'un petit homme à la peau sombre qui tout à l'heure criait des bravos enthousiastes au premier rang du théâtre. Il est assis à une table en face d'un groupe de bohèmes, des artistes probablement, qui portent un toast à quelqu'un.

Le petit homme lui rappelle un lutin tout droit sorti de ces contes de fées qui ont peuplé son imaginaire d'enfant. Malgré son curieux physique, il émane de lui un charme indiscutable. Il fume un cigare au bout d'un long fume-cigare d'ébène, et il est habillé avec recherche. Un nœud papillon à pois se détache sous les pointes de son col cassé. En observant mieux, on remarque que ses vêtements, si bien coupés soient-ils, ont connu des jours meilleurs ; mais ses manchettes usées ne retirent rien à sa pose aristocratique. Elles lui confèrent, au contraire, un air romantique de vieille noblesse ruinée. Au reste, les très jolies femmes qui l'accompagnent semblent fascinées par lui. Elles portent encore un maquillage de scène, et Dimo les reconnaît ; ce sont trois des plus belles girls du spectacle auquel il vient d'assister : une blonde, une rousse et une

La *Brasserie Lipp*. La flèche indique la table occupée par Dimitri et Bouchedefeu à l'intérieur du restaurant.

brune. Tous quatre boivent du champagne et bavardent avec animation.

Attiré par cet insolite personnage, Dimitri fait signe à Bouchedefeu de s'installer avec lui à la table la plus proche. Ils commandent de la bière, des pieds de cochon et des pommes de terre frites. Lorsque le garçon s'éloigne, Dimo tend l'oreille pour entendre l'histoire que le lutin au fume-cigare a commencé de raconter à ses danseuses, dans un français presque sans accent :

« À cette époque, je séjournais en Amazonie et j'avais entraîné un couple de perroquets à crier très fort mon nom : "Vive José do Patrocínio fils !" Mais un jour, ils se sont envolés et j'en ai été assez triste. J'ai fini par oublier cet incident, et je me suis embarqué pour l'Europe. Des années plus tard, je suis revenu chasser dans la même forêt. Après avoir abattu deux énormes onces, je me suis assis contre un tronc d'arbre au bord du fleuve pour me reposer. Je commençais à somnoler, quand j'ai entendu un grand vacarme venant du ciel. J'ai alors levé la tête, et j'ai vu que le ciel était littéralement envahi par une nuée de perroquets. Ils volaient en bande autour de moi et répétaient en chœur : "Vive José do Patrocínio fils ! Vive José do Patrocínio fils !" Mes deux protégés enfuis leur avaient appris à me saluer. »

Entendant ce nom, Dimitri intervient aussitôt dans la conversation, en portugais :

« Excusez mon indiscrétion, monsieur, mais la coïncidence est trop extraordinaire. Aurais-je l'honneur de me trouver en présence du fils du grand José do Patrocínio ? »

Le petit homme, tout étonné, répond dans la même langue :

« Exactement, mon jeune ami. Zeca soi-même. Ou Zeca Pato, pour les intimes. » (Par égard pour ses compagnes et pour Bouchedefeu, il continue en français.) « Mais comment se fait-il que vous ayez entendu parler de mon père et de moi ? »

Dimitri raconte rapidement l'histoire de sa naissance et de ses origines. Il parle de la fierté qu'il éprouve d'avoir pour aïeule une esclave noire, souligne tout ce que Patrocínio père représente pour sa mère. Zeca est d'abord un peu dérouté, car la peau blanche de Dimo ne révèle en rien le sang africain dont il s'enorgueillit. Celui-ci, dans son enthousiasme, se retient tout juste de dévoiler au passage ses activités d'anarchiste. Il termine en relatant son inoubliable rencontre avec Mata Hari parmi les lambris de l'Orient-Express, non sans rapporter en quels termes élogieux la danseuse orientale a parlé de lui, Patrocínio.

« Quelle femme ! confie Patrocínio à voix basse. Savez-vous, mon garçon, que pour elle un homme peut aller jusqu'à plonger la tête la première dans le monde ténébreux de l'espionnage !.... »

Ayant laissé échapper ces mots, il se tait, énigmatique, et tire une longue bouffée de son cigare.

La fille rousse se pend à son bras :

« José ! Ne me dis pas que tu es devenu espion ?

– Oh, je ne dis ni oui ni non… Quoi qu'il en soit, j'ai abandonné il y a quelques jours mon poste au consulat d'Amsterdam pour tenter de tromper la vigilance des gardiens du fort de Vincennes et d'aller rendre visite à Mata Hari dans sa prison. Voire organiser une évasion, je ne sais pas… Tout cela au nom du passé.

– Vous prendriez un tel risque ? demande Dimitri.

– Qu'est-ce que le risque pour un homme comme moi, qui s'est déjà battu en duel dans le bois de Boulogne avec le roi Albert de Belgique pour l'amour d'une femme ?

– Vous avez fait ça ?

– Bien sûr ! Mais je lui ai laissé la vie. Je n'ai pas eu le cœur de priver la Belgique de son souverain. George m'a confié il n'y a pas si longtemps qu'il avait toujours à la main une cicatrice que je lui ai faite en lui portant une de mes bottes imparables avec mon fleuret.

– Quel George ? interroge Bouchedefeu.

– George V d'Angleterre. »

Bouchedefeu ne semble pas accorder beaucoup de crédit à ces prouesses passées ou futures :

« En tout cas, observe-t-il, Mata Hari doit être très bien gardée. »

Patrocínio s'échauffe de nouveau au souvenir de la danseuse :

« Quelle femme ! Folle d'amour pour moi. Malheureusement, c'était une situation intenable. J'avais conscience que quelqu'un d'autre payait pour ses caprices, pour tout ce luxe où elle vivait, car moi, je n'aurais pas pu faire face à de telles dépenses. Aussi, parfois, jaloux et révolté contre moi-même, je l'insultais. Et je levais les poings pour la rosser. Mais alors, elle souriait, elle s'approchait comme une chatte et elle me disait : “Baby…”

– Baby ? répète Bouchedefeu, observant de pied en cap le lutin mûrissant.

– C'est comme ça qu'elle m'appelait. Baby… Il y

avait un nain hindou qui l'accompagnait toujours. Je ne sais pas ce qu'il va devenir, maintenant que Maty a été arrêtée.

– Maty ? lance Bouchedefeu, presque agressif.

– Un petit nom tendre que je lui donnais. Elle était Maty, j'étais Baby. Baby, Maty, Maty, Baby... », rêve-t-il tout haut.

Dimitri baisse la tête, troublé par le souvenir de Motilah Bakash volant par la fenêtre de l'Orient-Express.

Patrocínio regarde les trois girls, songeur, et fait servir une autre tournée. Bouchedefeu, quant à lui, conserve ses doutes sur la véracité de son histoire :

« Est-ce que nous parlons bien de la même Mata Hari ?

– La seule ! L'unique ! Une fois, égaré par la jalousie, je l'ai jetée sur un canapé et je l'ai giflée comme un dément... »

La brune, émoustillée, voudrait en savoir davantage :

« Elle t'a rendu la pareille ?

– Au contraire ! Elle a tendu vers moi des bras suppliants, en répétant : "Baby... Baby..." Perdant la tête, j'ai roulé avec elle sur le parquet et je l'ai possédée je ne sais plus combien de fois. Quelle femme insatiable ! C'était sept fois, huit fois par nuit...

– Et toutes les fois avec vous ? » demande, sceptique et un peu ivre, Bouchedefeu.

Patrocínio lui lance un regard de dédain et, se tournant vers Dimitri, change de sujet :

« Il faut que vous connaissiez le Brésil, mon jeune ami.

– C'est ce que ma mère ne cesse de me répéter. Peut-être, quand la guerre sera finie.

– Si vous voulez un conseil, partez-y tout de suite. Éloignez-vous de cette maudite guerre. Le Brésil est le pays de l'avenir : là-bas, tout est à faire. Quel âge avez-vous ?

– Vingt ans aujourd'hui. »

Zeca lève son verre :

« Alors, vivez ! Vous êtes trop jeune pour perdre votre temps ici.

– Jeune, et sympathique, complète la jolie blonde, qui, stimulée par le champagne et les histoires osées de Patrocínio, pose un baiser sur la joue de Dimitri.

– Comment vous appelez-vous ? lui demande celui-ci, intéressé et l'embrassant à son tour.

– Annette. Je ne suis pas une Mata Hari, mais je crois que tu mérites une petite gâterie pour ton anniversaire… »

Elle se lève et saisit Dimitri par le bras avant même qu'il ait le temps de réagir.

« Si j'en juge par le physique de ce charmant garçon, le cadeau est plutôt pour toi ! » observe en riant Patrocínio.

Il tire une carte en bristol de la poche de son gilet, y griffonne un nom et la tend à Dimitri :

« Si vous vous décidez à partir pour le Brésil, voici le nom d'un grand ami à moi, qui travaille pour la Lloyd Brasileiro. On vient de lui confier le commandement d'un cargo et il doit bientôt accoster à Marseille. Vous n'aurez qu'à aller le trouver de ma part.

– Merci, monsieur. Je n'ai pas de mots pour vous dire combien je me sens honoré et privilégié d'avoir fait votre connaissance.

– Alors, n'en cherchez pas ! Joyeux anniversaire. Annette, occupe-toi bien de ce petit. Pauvre de moi ! Cette nuit, il va falloir que je me contente de deux… », soupire le rejeton du grand abolitionniste.

C'est ainsi que Dimitri Borja Korozec connut José do Patrocínio fils, intrigant mulâtre au talent indiscutable, polyglotte, attaché consulaire, poète et journaliste, que sa mythomanie faillit, quelques mois plus tard, à Londres, envoyer à la potence sous l'accusation d'espionnage[6].

Photographie de Patrocínio fils sans effet d'éclairage.

Photographie de Patrocínio fils avec effet d'éclairage.

Bien que totalement saoul à présent, Gérard Bouchedefeu prend conscience que Dimitri est sur le point de partir. L'abus d'alcool l'a mis de mauvaise humeur. Il grommelle :

« Au moins, tu pourrais ne pas oublier le cadeau que je t'ai préparé avec tant de soin ! »

Et, fourrant sa main dans la poche de son paletot, il en tire la souris empaillée qu'il jette de loin à Dimitri.

Mais celui-ci ne réussit pas à attraper au vol le petit animal, qui vole vers la table d'à côté et finit sa trajectoire dans le cou de Jean Cocteau. Cocteau pousse un cri et grimpe sur sa chaise :

« Un rat ! ! ! »

Deux secondes après, le restaurant s'est déjà transformé en pandémonium. Les femmes hurlent, les hommes s'emportent, les garçons paniqués courent dans tous les sens. Dimo profite de la confusion générale pour récupérer la petite bête embaumée, qui a maintenant atterri dans le verre de Modigliani. Il s'excuse en balbutiant et se hâte de sortir, entraînant la blonde Annette par la main. Apollinaire et Satie ont volé au secours du malheureux poète presque en état de choc, tandis que Picasso se roule par terre en hoquetant de rire.

Des années plus tard, le peintre riait encore en se souvenant de la scène et de ce garçon bredouillant qui sortait de chez *Lipp* en tenant une petite souris morte par la queue.

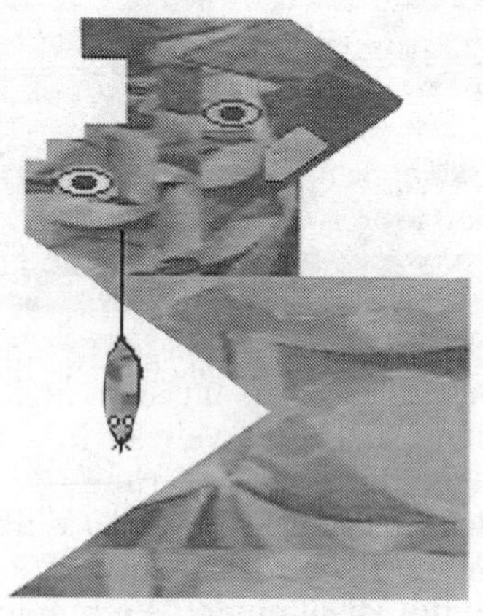

Portrait de Dimitri griffonné par Picasso sur une nappe en papier de la *Brasserie Lipp*.

Paris, lundi 15 octobre 1917

Malgré l'euphorie qui règne dans la population française après l'annonce de la victoire de Verdun, Dimitri Borja Korozec, pour la première fois de sa vie, se sent profondément démoralisé. Comme prévu, Dragutin a été fusillé pour haute trahison et l'exécution de Mata Hari a eu lieu ce matin au fort de Vincennes après que le IIIe Conseil de guerre eut rejeté son ultime appel. Dimitri a passé une nuit blanche en songeant au triste sort de la danseuse. La victoire des bolcheviks en

Russie jette encore davantage le trouble dans ses pensées. Tout bien pesé, se demande-t-il avec angoisse, le terrorisme solitaire est-il le bon choix ou tout son entraînement n'aurait-il pas été une vaine dépense d'énergie qui a seulement fait de lui un assassin sans victimes ? Dimo passe des journées entières dans sa chambre, sans quitter son lit, relisant sans fin Bakounine et Kropotkine.

C'est dans cet état d'esprit que le trouve Gérard Bouchedefeu, exactement cinq heures après la mort de Mata Hari. Le vieil anarchiste a reçu d'un camarade arrivé hier de Sarajevo un triste message, qui ne pourra qu'aggraver la dépression de son jeune ami : les parents de Dimitri sont morts dans une épidémie de typhus. Bien qu'il ait passé sa vie à se jouer de la mort, l'embaumeur ne sait comment s'y prendre pour annoncer à Dimo ce terrible malheur. Dans l'Antiquité, se souvient-il sombrement, les rois faisaient mettre à mort les porteurs de mauvaises nouvelles. Il s'approche de Dimitri et arrache du lit la couverture :

« Je pensais à quelque chose. Tu n'as aucune raison de te sentir aussi abattu. Laisse-moi te raconter une fable japonaise qui va sûrement te remonter le moral. »

Dimitri se redresse dans son lit, intrigué, et Bouchedefeu s'assied à côté de lui :

« Un moine revenait dans son monastère après des années de pèlerinage. Au moment où il passait la porte, il vit que les barbares avaient incendié le temple et détruit les jardins. Au désespoir, le pauvre homme se laissa tomber sur le sol en arrachant ses vêtements et cria vers les cieux : “Je pars sur les chemins en quête de la sagesse et de la résignation, et quand je reviens voilà ce que je trouve ? Quel est le sens d'une telle cruauté ?” Au même moment, un autre moine, vieux et aveugle, s'approcha de lui et lui dit : “Ainsi, tes années de voyage ne t'ont servi à rien ? N'as-tu pas appris que, si cruel que soit le malheur, il pourrait toujours être arrivé quelque chose de pire ?” Le jeune moine répliqua avec irritation : “Ne sois pas stupide, vieil aveugle. Qu'aurait-il pu arriver qui m'attristât plus que cela ?”

Le vieux lui dit alors : “C’est toi qui es stupide. Tu pleures pour les pierres du temple et les plantes du jardin sans savoir que ton père et ta mère sont morts du typhus.” »

Dimitri regarde un moment Bouchedefeu et se met à rire :

« Mon pauvre Gérard, si tu crois me réconforter avec des histoires pareilles, tu es encore plus fou que ton vieil aveugle. Qu’est-ce que j’ai à voir avec les moines et les monastères ?

– Rien. Mais ton père et ta mère sont morts du typhus. »

Il faut un moment à Dimo pour se rendre compte de l’énormité de ce qu’il vient d’entendre :

« Qu’est-ce que tu dis ?

– Ça. Ton père et ta mère sont morts du typhus. Je suis désolé pour toi, mon petit. Si ça peut te consoler, moi aussi je suis orphelin. »

Dimitri Borja Korozec pleure silencieusement sur cette perte immense et irréparable. Il se sent terriblement seul et désemparé. Bouchedefeu, inquiet, ne sait que dire :

« Tu verras. Un jour, cette souffrance, qui te semble insupportable, s’effacera. Comme dit le proverbe : “Plus grande est la douleur, plus grand le soulagement”. »

Dimitri, qui n’a jamais entendu un proverbe aussi sot, continue de pleurer à gros sanglots. Bouchedefeu caresse maladroitement le visage du garçon et sort de la chambre en refermant la porte. L’art de réconforter les affligés n’est pas la qualité première des vieux anarchistes.

Après un bain glacé et un léger déjeuner avalé à la hâte, Dimitri Borja Korozec sort de la maison à deux heures de l’après-midi, décidé à changer radicalement de vie. Le choc de la perte de ses parents l’a tout à coup tiré de l'état léthargique où il se trouvait, et il a pris sa décision : il accomplira la promesse faite jadis à sa mère. L'heure est venue de se secouer. Il partira pour le Brésil par le premier bateau où il trouvera place, mais sans utiliser la carte que lui a remise Patrocínio fils, car il n'entend pas jouir d'un traitement de faveur pour son voyage. Il n'en a aucunement besoin. N'a-t-il pas à sa disposition les fonds de la Main noire, déposés à la Schweizerischer Glücksgeldbank de Zurich, sur le compte Apis ? Pour les faire transférer, il lui suffit du nom de code que Dragutin lui a révélé. Jusqu'à présent, il n'a jamais eu recours à ce compte secret, mais il estime que le moment est arrivé. Assez d'apathie, assez de cette vie misérable ! Et pour vivre, pour agir, il lui faut, entre autres choses, apprendre à dépenser de l'argent.

La succursale française de la Glücksgeldbank se trouve rue Tronchet, près de la Madeleine. Aujourd'hui, décide-t-il, pas question de circuler en métro. Il fait signe à un taxi arrêté devant l'immeuble. Mais le taxi ne bouge pas. Il le pourrait difficilement : c'est le sien. Dans un élan de rébellion, il rejette l'idée de prendre le volant, et hèle un collègue qui passe par la rue de l'Échiquier :

« Taxi ! »

Ce cri banal a pour lui un goût tout particulier de liberté.

« Je suis désolé, monsieur, mais ce compte a été fermé en août 1914, juste après le commencement de la guerre », lui explique pour la énième fois le caissier à pince-nez et cheveux séparés par une raie au milieu.

Dimitri insiste :

« Il doit y avoir une erreur quelque part. Je n'ai peut-être pas écrit correctement le code d'accès. C'est "Némésis". Pourriez-vous vérifier de nouveau ?

– Nous avons déjà vérifié cinq fois. Voulez-vous vous entretenir avec le directeur de l'agence ? Je crois qu'il aimerait vous parler. »

Dimo est conduit en présence de M. La Fortune. Le vaste bureau est sobrement décoré, comme il convient à un banquier suisse. M. La Fortune, un homme de haute taille au physique athlétique, le reçoit debout. Visiblement, il est déjà informé du problème. Il parle en ouvrant à peine les lèvres, non par discourtoisie mais par souci de discrétion :

« Je suis navré, monsieur, mais je ne peux que vous répéter ce que vous a déjà dit mon employé. Malheureusement – malheureusement pour nous aussi ! – le compte Apis, avec son code d'accès "Némésis" a été clos voilà un peu plus de trois ans. Si j'ai demandé à vous voir, c'est parce que j'ai ici un document qui a été envoyé à toutes nos succursales. Nous avons reçu de Zurich l'ordre de le remettre à toute personne qui se présenterait pour effectuer une opération sur le compte. »

Les doigts tremblants, Dimo reçoit de M. La Fortune une enveloppe grise et sort de la pièce, hébété, laissant le directeur la main tendue dans le vide.

* * *

Aussitôt dans la rue, Dimitri entre dans un café de la place de la Madeleine. Il s'assied, commande un pastis et lit l'énigmatique document aux lettres presque effacées – qui fut traduit, bien des années plus tard, par un bénédictin portugais du monastère de São Bento, à Viana do Castelo, et retraduit en français, encore plus tard, par un ami à lui, un trappiste belge de l'abbaye du Mont-des-Cats, en Flandre :

À quiconque pourra s'estimer intéressé

J'écris ces lignes au soir de l'Assomption, en l'an de grâce 1914, pour témoigner de l'infinie bonté et de l'infinie miséricorde de Notre-Seigneur.

Le Tout-Puissant a voulu faire de moi l'instrument de Sa bienveillance incommensurable par l'intermédiaire de mon demi-frère, Milan Ciganovic, anarchiste notoire dont je crains, hélas ! qu'il n'ait perpétré bien des méfaits à l'encontre de ses prochains, car, dès ses jeunes années, il manifestait d'inquiétants penchants pour la violence et la destruction. Étant sa demi-sœur, c'est avec douleur que je reconnais la malignité de son cœur, et bien des fois, à Londres, après ma conversion, je me suis interrogée sur la Volonté céleste qui m'avait fait venir au monde au sein d'une famille aussi oublieuse de la Foi en Dieu. Je savais, cependant, que ma naissance parmi cette mécréante parentèle devait, comme toutes choses ici-bas, avoir sa place dans le plan du Grand Architecte de l'Univers.

En recevant il y a huit jours une lettre de mon demi-frère Ciganovic, j'ai vu tout à coup le miséricordieux plan divin se déployer devant mes yeux, avec la merveilleuse et limpide clarté d'un miracle. Sans savoir que j'avais reçu la Révélation grâce au pieux compagnonnage des sœurs du dispensaire St. Mary, Milan me racontait une rencontre avec le tristement célèbre colonel Dragutin, qui l'heure venue rôtira certainement en enfer, et l'un de ses jeunes disciples. Dans le long récit qu'il me faisait de cette entrevue, il mentionnait par une providentielle inadvertance le code d'accès d'un certain compte clandestin où étaient déposés les fonds considérables destinés à financer les activités assassines et sanguinaires de l'infâme organisation dont il était membre. C'est de cette façon que j'ai pu aussitôt prendre possession de la totalité de ces fonds, que j'ai consacrés à la fondation d'une pieuse institution de charité d'où s'élèveront très haut des hymnes de louange au Créateur : le Foyer confraternel Olga-Krupa des mères célibataires et abandonnées. J'ose espérer que Notre-Seigneur, dans Son indulgence et Sa mansuétude, ne verra point de vanité dans le fait que j'aie lié mon humble nom à cette œuvre d'inspiration sacrée.

Hosanna au plus haut des Cieux ! Mystérieuses sont les voies du Seigneur, car Il écrit assurément en lignes tordues.

Je sais que l'enfant de Dieu qui en ce moment même lit ces lignes et que je considère déjà comme un protecteur et bienfaiteur de notre fondation s'unira à moi pour chanter à tue-tête vers le Ciel :

Loué soit Dieu ! Loué soit Dieu ! Loué soit Dieu !

Sœur Olga Krupa
Directrice présidente
du Foyer confraternel Olga-Krupa
des mères célibataires
et abandonnées
Londres, le 15 août 1914

Dimitri replie le feuillet et le glisse dans la poche de son veston. Il appelle le garçon et commande un autre pastis. Il est décidé à ne pas se laisser abattre par ce fâcheux coup du sort. Après tout, il lui reste encore la ceinture remplie de pièces d'or. Il décide toutefois de la garder intacte pour des urgences plus pressantes. Mais il ira au Brésil : Patrocínio a raison, plus rien ne le retient sur le Vieux Continent. Il accueille ce nouveau revers de fortune comme un défi. Jetant un coup d'œil à la carte que lui a remise le Brésilien, il décide de partir le soir même pour Marseille.

Le garçon revient, lui apportant son verre. Ses pensées l'ont emmené si loin que, sans s'en rendre compte, il le remercie en portugais :

« Obrigado. »

Dimo avale le breuvage jaunâtre d'un seul trait.

***

Brésil, État du Rio Grande do Sul, São Borja, octobre 1917

L'homme en culotte de gaucho pose sa coupe de *maté* et s'installe dans le hamac sur la terrasse. Il n'est pas bien grand, mais son apparence tranquille dégage un air d'assurance hors du commun. On sent en lui la force et le charisme d'un meneur d'hommes-né.

Sa petite fille le suit de près et s'assied sur le sol près de lui. Elle ne détache pas son regard de son père, auquel elle voue une véritable adoration. Tous deux gardent le silence, contemplant le crépuscule. Vénus s'élève dans le ciel et le soleil commence de disparaître à l'horizon, teintant les toits des maisons d'une chaude couleur orangée. L'homme est fatigué. Député de l'État sous la bannière du Parti républicain depuis 1909, il vient d'entamer sa campagne pour une deuxième réélection. Il est toujours ému lorsqu'il revient dans la vieille ferme où il a grandi au milieu des humbles. Il sent monter en lui la nostalgie des longues cavalcades à travers les plaines désertes et des viandes cuites sur la braise du foyer improvisé. Il a toujours gardé son premier couteau de chasse, cadeau d'un vieux régisseur du domaine.

L'homme est intrigué par une lettre qui l'attendait à son arrivée à São Borja. Elle vient de loin, cette missive. De Sarajevo, berceau du conflit qui depuis trois ans secoue l'Europe. Une fois de plus, il tire de sa poche l'enveloppe fatiguée à force d'avoir été manipulée, et parcourt ces lignes tracées d'une main tremblante, la main d'une personne qui n'a presque plus la force de tenir sa plume. La femme qui les a écrites lui raconte qu'elle est atteinte du typhus, à l'agonie, qu'elle n'a plus que quelques jours à vivre. Dans son égarement, elle prétend être sa sœur naturelle, née au temps où son père, le vieux général, était encore célibataire. Elle parle d'un fils venu au monde en Bosnie – un fils, qui serait donc son neveu et le petit-fils de son père.

Elle a, dit-elle, fui jadis le Brésil avec un cirque italien et s'est mariée par la suite avec un anarchiste serbe. Elle craint pour la vie de son fils, car le garçon semble avoir choisi de suivre le chemin hasardeux du terrorisme. Toute l'histoire est beaucoup trop rocambolesque pour être vraie. Ce qu'elle décrit se passe dans des pays très lointains, qu'il ne connaît que par les journaux. L'homme attribue ce récit presque sans queue ni tête au délire causé par la fièvre, et décide de ne plus se préoccuper de cette affaire. « C'est probablement quelque malheureuse à qui la guerre a fait perdre la raison », pense-t-il. Qui plus est, il a devant lui une campagne électorale à laquelle il doit consacrer toute son énergie. Sa réélection est donnée pour certaine, mais en politique la certitude d'aujourd'hui peut être la déroute de demain.

L'homme frotte une allumette et l'approche de la lettre, qui prend feu aussitôt. Puis il allume un long cigare – un Santa Damiana. Sa fillette, qui suit, fascinée, chacun de ses gestes, lui demande :

« C'est quoi, ce papier ?

– Rien, Alzirinha. Rien du tout », répond l'homme, Getúlio Vargas, en lui caressant la tête et en tirant une longue bouffée de son cigare.

4

Marseille, octobre 1917

Après s'être installé dans un vieil hôtel près de la gare, Dimitri se met en route et descend la Canebière, la large avenue qui conduit au Vieux Port. Les bureaux de la Lloyd Brasileiro se trouvent à peu de distance des quais. C'est là qu'il se dirige, pour essayer de prendre contact avec l'homme que lui a indiqué Patrocínio.

Habituellement, l'automne est une saison pluvieuse à Marseille ; mais la journée est chaude et ensoleillée, et ce beau temps rend presque incongrue la présence des feuilles mortes qui parsèment les trottoirs et la chaussée.

Il remonte le quai des Belges et le quai du Port jusqu'à la rue de la Coutellerie, puis, après avoir marché encore un peu, aperçoit, faisant l'angle d'une autre rue, le petit immeuble de la compagnie maritime. Sur la façade, en lettres à demi effacées, est inscrit le nom de l'entreprise : Lloyd Brasileiro. La porte est fermée, mais par la fenêtre il voit un homme d'une soixantaine d'années appuyé à un comptoir. Le vieil employé mange une bouillabaisse dans une assiette posée au fond d'un tiroir vide, tout en lisant un vieux numéro du *Jornal do Commercio.* Dimitri frappe au carreau et l'appelle, en portugais :

« S'il vous plaît, pourriez-vous m'accorder un moment ? »

L'homme lève les yeux et crie :

« C'est fermé. Aujourd'hui, c'est le pont facultatif. »

Dimitri maîtrise parfaitement la langue portugaise, mais il n'a jamais entendu cette expression.

« Le pont quoi ?

– Le pont facultatif. C'est une espèce de jour férié.

– Ici ?

– Non. Au Brésil. C'est la Journée nationale du comptable.

– S'il vous plaît, monsieur ! J'ai seulement besoin d'un petit renseignement. »

Très à contrecœur, le vieil employé s'approche de la porte et laisse entrer Dimitri. Puis il retourne derrière son comptoir, et, visiblement contrarié par cette interruption, ferme le tiroir contenant l'assiette de bouillabaisse. Il prend un bout de crayon derrière son oreille et s'en sert pour se curer les dents. Après quoi, il bâille longuement et demande :

« Alors, qu'est-ce qu'il y a de si urgent ?

– Je suis à la recherche d'un capitaine au long cours du nom de Saturnino Furtado de Mendonça. Pouvez-vous me dire s'il est à Marseille ? »

Le vieux écarte son journal :

« Peut-on savoir qui vous êtes ?

– Le capitaine ne me connaît pas. Mon nom est Dimitri Borja Korozec, et je viens de la part d'un ami commun », explique Dimo, en tendant la carte de Patrocínio.

Le vieux se gratte la tête avec le même crayon-cure-dents et rend la carte, qui porte maintenant l'empreinte de son pouce graisseux.

« Il est arrivé hier, et il repart ce soir pour Rio de Janeiro. Il commande le cargo *SS Macau*.

– Et comment puis-je faire pour le trouver ?

– Ça ! Cherchez-le sur les quais. »

L'employé fatigué considère à l'évidence la conversation comme terminée. Il se remet à lire son journal et, rouvrant le tiroir, pêche avec sa fourchette noircie une tête de poisson dans la bouillabaisse et commence à la sucer bruyamment, tout en grommelant entre les quelques dents qui lui restent :

« Les gens ne respectent même plus le pont facultatif. C'est un comble ! »

💣💣💣

Document trouvé dans les archives de la Marine impériale allemande en annexe du journal de bord du *SS Macau.*

SS Macau, *le 17 octobre 1917*

Nous avons quitté Marseille mardi à vingt heures, à la marée haute, à destination du port de Leixões, au Portugal, première escale de notre traversée vers Rio de Janeiro. Pour exaucer le vœu de mon excellent et très digne ami José do Patrocínio fils, attaché consulaire du Brésil à Amsterdam, j'ai accueilli à bord un passager : le jeune Dimitri Borja Korozec, lequel apparaît être un citoyen réfugié de Bosnie mais né de mère brésilienne. Ayant pris connaissance de la lettre de recommandation que celui-ci m'a présentée, je n'ai vu aucun inconvénient à répondre à la demande de ce respectable fonctionnaire – eu égard, notamment, à la situation de belligérance généralisée où se trouve plongé le continent européen.

Le jeune homme en question paraît supérieurement instruit et parle couramment plusieurs langues, parmi lesquelles le portugais, dont il m'a expliqué qu'il l'avait appris de sa mère.

Il est en parfaite santé, mais je nourris toutefois quelques doutes quant à ses facultés d'adaptation à la vie à bord d'un bâtiment naval. Je présume que son sens de l'équilibre a été quelque peu ébranlé par les secousses de l'appareillage, car, en peu de temps, il a réussi à casser dans ma cabine un magnifique sextant dont m'avait fait présent mon père au temps où je suivais les cours de l'École de la marine marchande ; il s'agissait pourtant d'un instrument très solide qui avait résisté à plusieurs tempêtes.

Il a également cassé trois assiettes et renversé un grand plat de pommes de terre au réfectoire, où il a de surcroît blessé involontairement avec sa fourchette le premier timonier Magalhães ; puis il a brisé en deux la rambarde du tillac et manqué de tomber la tête la première dans l'océan ; après quoi, en visitant la cabine de pilotage, il aurait fracassé avec son coude la glace qui protège l'aiguille magnétique sans l'intervention précipitée de mon second Rodrigues. Sans doute n'a-t-il pas ce que les Français appellent en jargon nautique le « pied marin ». On ne saurait imaginer qu'il pût être aussi maladroit quand il se trouve sur la terre ferme.

Nous avons passé le détroit de Gibraltar assez tranquillement, et la traversée se poursuit sur une mer calme et sous un ciel étoilé, à une vitesse de neuf nœuds.

Je constate une certaine appréhension chez certains membres d'équipage en raison du torpillage par la Marine allemande de certains navires – le Tijuca, *le* Paraná *et le* Lapa *– en dépit de la neutralité déclarée de notre pays, ce qui a conduit à la rupture de nos relations diplomatiques avec l'empire du Kaiser. Une nouvelle agression contre notre flotte provoquerait sans aucun doute l'entrée en guerre du Brésil aux côtés des Alliés.*

L'officier de quart Souza et l'intendant Dias dos Santos m'ont confié les inquiétudes que leur inspire le fait que ce cargo est l'ancien SS Palatia, qui appartenait jadis à la marine marchande allemande et fut ensuite saisi par les autorités brésiliennes lorsqu'il a jeté l'ancre dans nos eaux territoriales. Tous deux m'ont en outre rapporté des informations recueillies à Marseille, selon lesquelles la région serait infestée de sous-marins allemands. Je ne sais si je dois accorder foi à ces rumeurs, ou s'il ne s'agit que de superstition, comme les légendes qui parlent de sirènes aperçues par les vieux marins.

Pour ma part, je pense que nous atteindrons le port de Leixões demain soir sans contretemps particuliers.

Saturnino Furtado de Mendonça
Capitaine au long cours

Le lendemain, à deux cents milles du cap Finisterre, en Espagne, le capitaine Wilhelm Kurtz, qui commande le sous-marin U-932 de la flotte impériale, sent son cœur bondir dans sa poitrine lorsqu'il aperçoit une proie de trois mille cinq cent cinquante-sept tonneaux de jauge brute se dessiner nettement dans son périscope. Né à Brême, fils de constructeur naval et fasciné depuis l'enfance par la marine, il se trouvait sur le port lors du lancement de ce bâtiment, en 1914. Sa tristesse de le savoir confisqué a été d'autant plus grande que son père avait participé à sa construction. Peu lui importait que les Brésiliens l'eussent baptisé d'un autre nom : pour lui, il serait toujours le *SS Palatia*. Wilhelm repousse ces souvenirs par trop sentimentaux et se concentre sur son point de mire : au vrai, de telles pensées nostalgiques ne siéent guère à l'un des officiers les plus décorés de la Marine impériale. À vingt-trois ans seulement, le capitaine Kurtz a déjà envoyé par le fond douze cargos et cinq croiseurs.

Fatigué et pâli par les longues périodes de confinement à l'intérieur des sous-marins, il paraît plus que son âge. Les submersibles, il est vrai, sont exclusivement conçus pour une efficacité maximale au combat, sans prendre en compte le confort de l'équipage. Les hommes dorment à côté des torpilles, sans pouvoir changer de linge du début à la fin de leurs missions, et les couchettes sont plus étroites que dans les cellules d'un couvent. Ils passent des semaines sans prendre le moindre bain, car l'eau est réservée à la boisson. Ils utilisent de l'essence pour se débarrasser du cambouis qui couvre perpétuellement chaque fragment du sous-marin, ne gardant qu'un peu d'eau pour se laver le visage et les mains.

Dans les zones de combat, il n'est pas possible d'utiliser les toilettes, car le bruit de l'évacuation pourrait être détecté par les sonars ennemis. Après douze heures, l'air devient presque irrespirable, et, pour économiser l'oxygène, même les fumeurs les plus invétérés s'interdisent d'allumer une seule cigarette.

Tout cela contribue à renforcer la solidarité entre les membres d'équipage. Plus que les grades, c'est la valeur personnelle qui définit les liens qui se créent. Parfois, l'exiguïté de l'espace vital dans ce tube de métal imprègne les relations d'une tension aux limites de l'humainement supportable. Et pourtant, ni Wilhelm Kurtz ni ses hommes ne voudraient d'un autre genre d'existence. S'approcher sournoisement d'une proie en restant caché sous les eaux et la surprendre en plein océan est la plus grande passion du jeune capitaine. De temps à autre, il songe, non sans un peu de honte, que le plaisir d'envoyer par le fond un navire ennemi est plus grand que celui qu'il prend entre les bras d'une femme.

C'est cette ivresse qui le saisit en cet instant, lorsqu'il ordonne à l'officier Berminghaus de lancer les torpilles. Les deux engins fusent de leurs tubes et filent à toute allure vers leur cible.

Accoudé au pavois du pont supérieur, Dimitri regarde la mer. Obéissant aux ordres du commandant, qui redoute un nouvel accident, un officier le surveille de loin, appuyé au second mât. Soudain, Dimitri se retourne vers lui et lui désigne les vagues :

« Venez voir comme c'est joli ! Deux dauphins nagent sous l'eau dans notre direction. C'est incroyable comme ils sont rapides. Ils arrivent à maintenir toujours la même distance entre eux ! On croirait une chorégraphie. »

L'officier s'approche, se penchant près de lui.

« Est-ce que ce n'est pas une merveilleuse démonstration des beautés de la nature ? s'écrie Dimitri, enchanté.

– Non. Ce sont deux torpilles allemandes », répond l'officier, avant de courir vers la cabine du commandant.

Avant même qu'il ait descendu les marches, les deux ogives explosent en heurtant la coque métallique.

Même les sirènes d'alarme ne sont pas assez puissantes pour couvrir le tumulte qui suit. Des hommes revêtant en toute hâte des gilets de sauvetage courent vers les canots. De la tour de commandement, Saturnino Furtado de Mendonça crie des ordres que plus personne n'écoute, cependant que le premier timonier fait son possible pour maintenir le navire à flot. Mais ses efforts sont inutiles : l'une des torpilles a atteint les chaudières du cargo.

Le solide bâtiment de cent onze mètres de long commence à gîter à bâbord, soudain aussi fragile qu'un canoë. Quelques-uns des vingt-six membres d'équipage, affolés, sautent par-dessus le bastingage. Les autres descendent les canots et récupèrent ceux qui ont sauté. Conformément aux traditions de la Marine, Saturnino de Mendonça est le dernier à monter à bord d'une des petites embarcations, en même temps que son intendant Arlindo Dias dos Santos. Saturnino emporte avec lui son journal de bord et tous les papiers officiels du cargo. Une immense nuée commence à couvrir la surface de la mer, se mêlant à l'épaisse fumée qui s'échappe des chaudières en feu.

Tout à coup, le commandant se rappelle son unique passager et cherche à le repérer dans l'un ou l'autre des canots qui s'éloignent déjà des lieux du naufrage. En vain. Il ne le voit nulle part. La fumée lui obscurcit bientôt la vision, et il renonce à chercher.

Il ne faut que seize minutes au *Macau* pour se perdre dans les profondeurs de l'Atlantique. Aussitôt, à quelques mètres des canots, le sous-marin U-932 surgit des eaux et de la brume telle une baleine d'acier. Le capitaine Wilhelm Kurtz est le premier à apparaître. Sitôt après lui, un membre d'équipage sort sur l'étroit pont du sous-marin et se dirige prestement vers la mitrailleuse de poupe, qu'il pointe vers les canots.

« *Kommandant, schnell hier gekommen ! Schnell !* » crie Wilhelm, faisant de grands signes au capitaine Saturnino pour qu'il monte à bord.

Le canot transportant le capitaine brésilien s'approche du sous-marin. Saturnino tente de confier le journal de bord et les autres documents au premier des rameurs.

« *Nein ! Mit den Papieren ! Sie müssen die Papiere bringen !* » gesticule à nouveau l'Allemand, lui ordonnant d'apporter les papiers avec lui.

Saturnino s'apprête à monter quand l'intendant Arlindo le saisit par le bras :

« Vous ne partirez pas seul, capitaine. Où qu'on vous emmène, je vous suis ! »

Ignorant les protestations des Allemands, ils se hissent sur le pont du submersible. Le capitaine Kurtz ordonne à l'un de ses hommes armés de les conduire à l'intérieur.

Aussi rapidement qu'il est apparu, le U-932 plonge sous la surface de l'océan, emportant dans son ventre de métal les deux Brésiliens. On ne saura plus rien du capitaine au long cours Saturnino Furtado de Mendonça et de son fidèle et courageux intendant Arlindo Dias dos Santos.

Quelques heures plus tard, un contre-torpilleur espagnol recueille les vingt-quatre naufragés perdus sur les flots de l'Atlantique. Plus personne alors ne songe à se mettre en quête du jeune étourdi embarqué à Marseille.

En raison des défaillances notoires de son sens de l'orientation, Dimitri, au moment du sauve-qui-peut, a sauté du mauvais côté du bateau : alors que tout l'équipage se précipitait à bâbord, lui, exécutant un saut de l'ange impeccable, a plongé dans l'océan à tribord, se dérobant ainsi à la vue des Brésiliens comme des Allemands. Craignant d'être emmené à bord du sous-marin, il a attendu, protégé par l'épaisse fumée et s'accrochant à une large planche de bois tombée du tillac, que le bateau s'enfonçât complètement.

Quand il s'est décidé à appeler à l'aide, ses appels ont été couverts par les cris d'encouragement des autres rescapés à leurs compagnons rameurs. De son radeau improvisé, Dimo a regardé, impuissant, les canots s'éloigner des lieux du naufrage. Épuisé et engourdi d'avoir séjourné dans l'eau glacée, il s'est endormi, flottant à la dérive et invisible dans la brume.

Deux heures après le torpillage du *SS Macau*, Dimitri Borja Korozec est réveillé par des voix sonores, qui parlent portugais avec une prononciation qu'il n'a jamais entendue. Ce sont des pêcheurs de sardines de Porto qui viennent de remonter leurs filets. Il voit leur petit chalutier s'approcher rapidement.

« Holà ! Holà ! appelle l'un d'eux, un pêcheur nommé Joaquim mais que tout le monde appelle Quim.

– Eh, Quim, tu es idiot ou quoi ? Tu ne vois pas qu'il est mort ? dit un deuxième.

– Ne raconte pas n'importe quoi, Nicolau. Je l'ai vu bouger », affirme Quim.

Dans un effort presque surhumain, Dimitri lève le bras pour faire signe qu'il est bien vivant. Les Portugais attirent avec des harpons ce qui reste du débris flottant et parviennent à hisser à bord le rescapé évanoui.

Le jeune homme frigorifié est visiblement très affaibli, ce qui inquiète beaucoup le petit groupe de pêcheurs. Ils lui arrachent son complet trempé, sans prêter plus d'attention que cela au large ceinturon de cuir qu'il porte à même la peau, non plus qu'au cordon autour de son cou où est suspendue une clef – que Dimo, quoique à demi inconscient, serre fermement dans sa main. Ils l'habillent de vêtements chauds, chacun apportant sa contribution : Quim lui enfile un large pantalon en toile écrue, Nicolau un gros chandail à col roulé et un troisième, nommé Raul, un caban de marinier. Ils le recouvrent d'une épaisse couverture en laine et d'une cape en ciré comme en possèdent tous les pêcheurs. L'accoutrement est complété par un bonnet qu'ils lui enfoncent jusqu'aux oreilles. Quelqu'un lui fait avaler un bouillon très chaud, qui lui ébouillante presque la gorge. Pourtant, le nouveau Moïse sauvé des eaux continue à trembler de tous ses membres. Nicolau se rend compte qu'il est brûlant de fièvre, et l'oblige à boire un gobelet d'eau-de-vie. Après quoi, il lui demande :

« Ça va mieux ? »

Dimitri fait oui de la tête, mais la couleur bleutée de sa peau dément son affirmation.

« Comment t'appelles-tu ?

– Jacques Dupont, répond Dimitri, craignant de révéler sa véritable identité.

– En voilà, un nom ! Tu n'es pas portugais, pas vrai ? Tu parles avec un drôle d'accent. »

Dimitri continue d'inventer :

« Je suis français, dit-il. J'ai appris à parler portugais avec un ami brésilien. »

Les pêcheurs acceptent cette explication sans en

demander davantage. Nicolau voudrait savoir ce qui lui est arrivé :

« Peux-tu nous expliquer comment tu as fini à moitié noyé sur ce bout de bois ? »

Dimo avale une autre gorgée d'eau-de-vie et fait le récit du naufrage. Après l'avoir écouté, Nicolau, qui semble être le chef du petit équipage, observe :

« Tout ça ne nous explique pas pourquoi tu n'es pas monté dans un des canots de sauvetage. »

Dimitri, honteux, avoue :

« C'est parce que j'ai sauté du mauvais côté du bateau. »

Le petit groupe de pêcheurs éclate de rire, mais Dimo ne les entend pas : il s'est de nouveau évanoui.

Pour ses sauveteurs, il est clair que le pauvre garçon a besoin non seulement de repos, mais de soins plus efficaces, et le plus vite possible. Ils décident de l'emmener jusqu'à Viana do Castelo, le port le plus proche.

« Mais où allons-nous le mettre ? interroge l'un d'eux. Il ne peut pas rester sur le pont avec cette humidité, et les couchettes sont trop étroites. S'il y a un peu de tangage, il risque de dégringoler par terre. »

Nicolau trouve la solution. Il fait un paquet des vêtements mouillés de Dimitri, pour qu'aucun ne se perde, puis soulève le garçon dans ses bras en ordonnant :

« Quim et Raul ! Aidez-moi à porter ce jeune vaurien dans la cale. Le plus simple est de l'allonger sur les sardines. »

Raul reste un instant perplexe ; puis il demande :

« Mais, Nico, et l'odeur ?

– Ne dis pas de bêtises, Raul ! Les sardines mortes ne sentent pas les odeurs. »

Il fait nuit. Dimitri est réveillé au milieu des poissons par le bruit de la sirène, au moment où le chalutier entre dans le port. Par l'écoutille ouverte, il aperçoit les hommes en uniforme de la capitainerie. Il n'a aucune envie d'être arrêté ou expulsé par les autorités. Il extrait de ses vêtements mouillés ses divers papiers, les sèche comme il peut et, déchirant un morceau du ciré, les y enroule avant de les fourrer dans son bonnet. Il emploie le peu de forces qui lui reste à s'échapper par la petite ouverture et se laisse glisser silencieusement dans la mer, en contournant le bateau.

Quand les pêcheurs descendent le chercher, ils ne trouvent plus que son vieux complet trempé. Au fond d'une des poches, il y a la lettre d'Olga Krupa, qu'il a oubliée dans sa hâte. La lettre est en anglais, et ils la remettent à la police du port. Tandis qu'ils se demandent, très intrigués, si leur mystérieux passager est vraiment un naufragé maladroit ou un espion à la solde des Allemands, Dimo regagne la terre ferme par un débarcadère à l'écart et disparaît par les rues tortueuses du port, laissant derrière lui, comme une trace invisible flottant dans l'air du soir, un capiteux parfum de sardines.

5

D'octobre 1917 à septembre de l'année suivante, on perd pratiquement la trace de Dimitri. On sait qu'en mars 1918, à Coïmbre, sous le faux nom d'Amadeu Ferreira, il remporte le premier prix d'un concours de dactylographie lancé par la firme Remington. Mais si l'on a connaissance de cette prouesse, c'est seulement grâce à une note des archives de la compagnie indiquant que les organisateurs de la compétition l'ont ensuite disqualifié, « attendu que le vainqueur était pourvu de six doigts à chaque main, ce qui lui donnait un avantage injuste sur les autres concurrents ».

Autres indications d'origine apocryphe sur les activités et voyages à travers le monde de Dimitri Borja Korozec au cours de cette période.

> • *Une photographie de ses mains apparaît dans la rubrique « Croyez-le si vous voulez » de Robert Ripley dans le* New York Globe, *avec en légende :*
>
> *« l'incroyable être humain dodécadigital ».*
>
> • *Un anarchiste anglais assure qu'au printemps 1918, à Londres, Dimitri a entretenu une relation de nature passionnelle avec l'activiste Sylvia Pankhust, et participé avec elle à plusieurs manifestations pour le vote des femmes de plus de trente ans déguisé en suffragette.*

• Un informateur espagnol jure que le 10 juin 1918, alors que Dimitri venait de fêter ses vingt et un ans, un nommé Korozec fut rejeté d'une clinique de Barcelone où il s'était offert comme cobaye volontaire pour les tests d'une nouvelle substance pharmaceutique, l'ergonovine, qui, administrée à faibles doses, provoque l'avortement.

• D'aucuns affirment l'avoir vu à la même époque à Coïmbre, prenant part à une réunion des « Catalans fous », groupe anarcho-terroriste portugais qui ourdissait l'assassinat du président Sidônio Pais.

• En août de la même année, le militant bolchevique Gregori Popov pense reconnaître Dimitri dans l'homme qui bouscule involontairement l'anarchiste Fania Kaplan au moment où elle tire deux fois sur Lénine dans l'attentat qui manque de lui coûter la vie après un meeting dans une usine de Moscou.

• Il apparaît qu'une édition italienne du Kâma-sûtra, immédiatement interdite à la vente, consacre un chapitre aux plaisirs particuliers prodigués par un homme pourvu de deux index supplémentaires et connu sous le surnom d'« Il Manusturbatore ».

• Un médecin allemand nommé Kurt Schlezinger assure qu'il a traité un homme pourvu de douze doigts et atteint d'ergotisme, intoxication responsable de la mort de milliers de personnes dans la vallée du Rhin, transmise par le champignon Claviceps purpura, *qui a pour effet de transformer le pain ordinaire en hallucinogène.*

Sa présence est enfin signalée – cette fois de manière indéniable – dans les premiers jours de septembre 1918 à Lisbonne, à l'occasion d'une séance de pratiques ésotériques au domicile du poète Fernando Pessoa, rua Santo Antônio dos Capuchos. Parmi les participants à cette réunion, le célèbre occultiste anglais Aleister Crowley[7], dont Pessoa devait traduire ultérieurement le poème *Hymn to Pan*, lequel Crowley affirme cette nuit-là que Dimitri est la réincarnation du grand prêtre égyptien Ankh-f-n-khonsu, qui vécut au temps de la XXVIe dynastie. On sait qu'Ankh-f-n-khonsu tomba en disgrâce lorsque le pharaon Psamtik II prit conscience que l'état de constant déséquilibre de son grand prêtre était dû au fait qu'il avait douze orteils.

Aleister Crowley se préparant à un rituel de magie égyptienne.

En septembre 1918 fait escale à Lisbonne le vapeur anglais *SS Demerara*, en provenance de Liverpool, avec à son bord quatre cents passagers. Construit par les chantiers navals Harland & Wolff, à Belfast, le bateau est à destination de Rio de Janeiro, mais doit d'abord faire escale à Tenerife, aux îles Canaries, pour se réapprovisionner en eau et en charbon et troquer une partie de son équipage contre des marins espagnols. C'est sur ce navire que Dimitri Borja Korozec réussit à s'embarquer pour le Brésil comme manutentionnaire.

Il a été présenté au commandant par Manoela Craveiro, obscure chanteuse de fado dans un cabaret du port, avec laquelle les deux hommes entretiennent des relations amoureuses épisodiques. C'est seulement grâce à l'insistance de Manoela que le commandant a accepté d'enrôler Dimitri, car le jeune homme est atteint – semble-t-il – d'un refroidissement, avec une forte fièvre qui ne veut pas lâcher prise. Son mauvais état de santé est du reste attesté par ce fragment quelque peu délirant extrait de son cahier :

> *[…] Il m'est pénible de constater la constante méfiance de l'ignoble marinier qui commande ce bateau. Il m'évite soigneusement, comme si la toux qui me brûle les bronches était annonciatrice d'hémoptysie. Connard de marinier. Je pisse dans la mer pisseuse. Sur la vague vire le navire qui vogue et navigue. J'ai soif, grand-soif, mais on ne veut me donner que de l'eau salée. Chiourme impudente ! Un vautour vole vers la vergue. C'est le pélican. Il faut que je suce la poche humide sous son bec pour éteindre ce feu qui m'offusque les yeux. Éloigne-toi de moi, Vieille Faucheuse, mon heure n'a pas encore sonné ! Maman m'appelait Malidimo. Petit Dimo. Malidimo, Mal et Dimo, Dimo-Maudit. En quelque lieu du navire, quelqu'un murmure mon nom. Le complot s'épaissit comme un brouillard. Mais auparavant, je couperai les griffes de l'oppresseur. Est-ce qu'il fait nuit ? Bien sûr qu'il fait nuit. À moins que le jour ne se soit revêtu de ténèbres. Je sens dans mon estomac la chaleur suffocante des chaudières. L'escalier de bord ! Pourquoi laisse-t-on barré l'escalier de bord ? Je n'ai jamais eu de bilboquet. Si j'étais une petite fille, on*

m'aurait sûrement donné une poupée. Mais de bilboquet, jamais. À mon côté, un vieil agonisant murmure une prière. Quelle heure est-il ? [...]

Quelques jours plus tard, alors que le vapeur s'éloigne du port de Tenerife, tous les passagers les moins favorisés du *Demerara* partis pour le Nouveau Monde dans l'espoir d'une vie meilleure sont déjà contaminés par l'étrange forme de rhume dont est affecté Dimitri.

Le voyage du *Demerara* à travers l'Atlantique se transforme bientôt en aventure dantesque. Le commandant a l'impression tenace d'être le nautonier Charon traversant le Styx en direction des Enfers. La seule différence avec le sombre mythe est l'absence de pièce de monnaie dans la bouche des malades pour acquitter le prix de la traversée. La toux constante des émigrants qui s'entassent en troisième classe se distingue à peine du fracas caverneux des machines. En vérité, le pernicieux microbe a été contracté par Dimitri lorsqu'il a fraternisé avec un bataillon de marins américains, venus de Kansas City et rencontrés à Bologne. Toutefois, en raison de la période d'incubation, tous les passagers attribuent par erreur la propagation de la maladie à l'arrivée des marins espagnols récemment embarqués. De leurs couchettes, les moins atteints lancent des cris que la fièvre rend rauques :

« Ce sont les Espagnols ! Nous avons attrapé cette maudite grippe des Espagnols ! »

Voilà comment Dimitri Borja Korozec apporta à Rio de Janeiro la grippe espagnole.

Les conditions hygiéniques et sanitaires fort précaires du Rio de Janeiro de 1918 facilitent la propagation rapide de l'épidémie. Dans une tentative pour arrêter l'expansion du fléau, on ferme les écoles. Puis ce sont les commerces qui ferment leurs portes. Les remèdes connus sont de peu d'effet, voire d'aucun. Certains marchands sans scrupule se mettent à proposer des élixirs exotiques comme cure miraculeuse. Les gens ne sortent plus de chez eux, craignant la contamination, mais rien ne semble pouvoir diminuer la force du virus qui s'attaque à toute la ville, et, bientôt, au reste du pays.

Les morts sont si nombreux qu'on n'a même plus le temps de les mettre en bière. Les corps sont jetés dans des fosses communes et hâtivement recouverts de chaux vive et de terre. Tôt le matin, des charrettes mortuaires parcourent les rues pour emporter les défunts. Le cimetière São João Batista trouve moyen d'effectuer plus de cent quarante inhumations en une seule journée. Si dramatique est le manque de caveaux disponibles que, faute de place, les fossoyeurs se bornent souvent à remplacer leur funèbre contenu par des cadavres plus frais.

La pestilence se répand de tous côtés, propagée par les immigrants contaminés, et en peu de temps le nombre des décès s'élève à trois cent mille. La panique s'empare de la population, et l'on parle du péril imminent d'un réveil du choléra.

Sans le savoir, Dimitri fait – enfin – sa première victime politique en perpétrant un involontaire attentat biologique : le président Rodrigues Alves meurt en janvier, assassiné par le germe fatal que le jeune terroriste au chômage a introduit au Brésil.

Dimo, pour sa part, réchappe de cette hécatombe indemne. La longue présence du virus dans son organisme a donné naissance à un anticorps qui le rend porteur du germe sans que sa santé en soit affectée.

Ce n'est cependant pas cette fois qu'il connaîtra la terre natale de sa mère. Quand il tente de débarquer à Rio, les médecins de la douane détectent en lui une éruption de rougeole tardive. Mis en quarantaine, il se voit donc contraint de poursuivre son voyage jusqu'à San Francisco, l'étape suivante du *SS Demerara.*

6

Hollywood, Culver City, studios de la MGM,
3 octobre 1925

« Plus de figurants ! Il me faut plus de figurants ! » crie Irving Thalberg, le tout-puissant producteur de la Metro-Goldwyn-Mayer.

À vingt-six ans seulement, Thalberg est considéré par tous comme l'enfant prodige de l'industrie cinématographique, l'homme de confiance du studio créé par Louis Mayer.

Son assistant, J. J. Cohn, s'approche d'un air affairé :

« Ça ne va pas être facile de trouver d'autres figurants à huit heures du matin…

– Combien en avons-nous pour le moment ?

– Environ quatre mille.

– J'en veux le double, exige Thalberg.

– Le double ? Comment voulez-vous que je fasse ?

– Envoyez chercher des gens dans la rue ! »

Sous le chaud soleil de Californie, on doit tourner ce samedi la grande scène de la course de quadriges de *Ben-Hur*. Le projet a déjà coûté quatre millions de dollars, et on n'a pratiquement rien utilisé de ce qui avait été filmé en Italie.

Thalberg, depuis, a pris les rênes de la production. Il a ramené l'équipe à Hollywood et changé l'ordre du tournage, le réalisateur et la star, confiant le rôle principal à la nouvelle vedette Ramon Novarro. D'autres séquences difficiles, comme celle de la vallée des lépreux et la bataille navale entre les Romains et les pirates, ont été filmées sans contretemps majeurs. Reste, maintenant, le grand finale.

Logés aux places d'honneur de l'immense réplique du Cirque Maxime se trouvent les invités venus spécialement assister à l'événement. Assis là comme de simples spectateurs et vêtus de tuniques romaines, on remarque, entre autres célébrités, Douglas Fairbanks, Mary Pickford, Lillian Gish et Marion Davies. Tout autour de l'arène, les caméras sont ingénieusement cachées derrière d'énormes statues, dans des niches réparties tout au long du parcours, dans des allées ou encore au milieu de la foule. Toutes sont censées obéir au même commandement. Biges et quadriges s'alignent pour le départ. La collision entre les deux rivaux a été minutieusement préparée par le département des effets spéciaux. Plusieurs chars et chevaux seront impliqués dans le désastre, qui culminera lorsque la roue du quadrige de Ben-Hur arrachera celle du char de Messala. Dans la version précédente de la scène, tournée en extérieur à Rome, plusieurs chevaux ont péri dans l'accident simulé et Ramon Novarro en est sorti indemne par miracle.

Le réalisateur Fred Niblo, un professionnel expérimenté, donne maintenant ses dernières instructions à ses assistants par mégaphone. Le coût de cette scène est exorbitant, aussi est-il impératif qu'elle soit tournée en une seule prise.

À côté d'un figurant en costume de gladiateur, derrière la première courbe de la piste, on trouve, vêtu en centurion, Dimitri Borja Korozec.

Depuis son arrivée aux États-Unis, il a réussi à se lier avec plusieurs groupes anarchistes, et un bruit absurde a même couru selon lequel il aurait été le véritable tireur dans l'affaire Sacco et Vanzetti. Absurde, car lorsqu'on sait avec quelle passion sacrificielle il se consacre à sa cause, il est invraisemblable qu'il n'eût pas assumé son acte s'il avait vraiment été l'assassin.

On sait qu'il a participé à divers mouvements de revendication ouvriers, et en particulier qu'il a presque fait avorter la fameuse grève des employés des mines de charbon en 1922 en confondant les mineurs couverts de suie avec les militants noirs de l'organisation ultra-radicale *Back to Africa*[8].

En 1924, ses aventures le conduisent à New York, où il fréquente assidûment les dancings mal famés du Hell's Kitchen, le quartier louche au sud de Central Park. Bientôt, il gagne sa vie comme danseur professionnel dans les night-clubs. C'est dans un de ces établissements interlopes que Dimo a fait la connaissance d'un certain George Raft, danseur lui aussi et lié à de dangereux éléments de la pègre. Raft, qui a jadis été boxeur et s'est acquis récemment le titre assez douteux de « danseur de charleston le plus rapide du monde », est le prototype du *latin lover,* avec sa peau mate et ses cheveux lisses toujours impeccablement gominés. Il a l'habitude curieuse de lancer en l'air une petite pièce et de la rattraper sans la regarder. Dimitri, qui l'admire, en arrive bientôt à l'imiter, jusque dans sa façon de s'habiller et de se gominer les cheveux. Une solide amitié est née immédiatement entre les deux hommes, et Dimo ne tarde pas à faire de Raft son confident, au point de lui révéler sa véritable identité et ses projets politiques non encore réalisés. Il lui raconte même sa participation malencontreuse à l'attentat contre l'archiduc François-Ferdinand à Sarajevo, ce qui fait hurler de rire George Raft. Dimitri en est tout étonné : au vrai, si grande est sa candeur qu'il est incapable de voir ce qu'il y a de cocasse dans sa mésaventure.

Tous les deux ont beaucoup de succès auprès des femmes, et, dès lors qu'à force de mimétisme Dimo finit par ressembler au danseur, George prend l'habitude de le présenter comme son frère cadet.

Ils ont, du reste, fini par partager un humble logement ; mais après un an de cette cohabitation, George Raft, ne voyant plus grand-chose d'intéressant à faire à New York, convainc Dimitri de l'accompagner à Hollywood, où ils pourront essayer de se lancer dans le cinéma. Dimitri accepte la proposition, certain que ce faisant il ne trahit en rien ses objectifs politiques : il est persuadé que l'industrie cinématographique est créatrice de mythes pernicieux qui n'ont pour but que de servir la bourgeoisie ; aussi, la meilleure manière de la détruire est-elle de l'infiltrer.

Or, en ce moment précis, c'est justement George Raft qui se trouve à son côté, vêtu en gladiateur. Dimo a conservé son air romantique de jeune poète sans défense, et l'acteur, qui n'a pourtant que trente ans, paraît sensiblement plus âgé que lui, qui en a seulement deux de moins.

George Raft ajuste nerveusement son casque. À la différence de son ami, il a bien l'intention de faire carrière et ne veut pas qu'une erreur vienne compromettre son avenir :

« Es-tu certain d'avoir bien compris les instructions de l'assistant réalisateur ?

– Évidemment, affirme Dimitri, sûr de lui, qui serre dans sa main le bout d'une grosse corde à demi cachée par le sable.

– Alors, répète-les-moi. »

Dimitri, impatienté, lève les yeux au ciel. Au vrai, ce qui l'intéresse sur ce tournage est bien moins son rôle infime dans le déroulement de la scène que la copieuse collation promise à la fin.

« J'attends le passage des deux quadriges principaux, puis je tire sur cette corde cachée sous le sable. Les chevaux des biges qui galopent derrière se prendront les pattes dans la corde. C'est simple ! »

Sa désinvolture est loin de tranquilliser complètement George Raft. Toute personne ayant vécu dans l'intimité de Dimitri ne connaît que trop bien sa propension à causer des catastrophes…

« Il vaut mieux que je le fasse moi-même. Passe-moi la corde. »

Dimitri se vexe :

« George, je ne suis pas un enfant !

– Passe-moi la corde, je te dis ! »

Pour Dimitri, cette petite affaire devient une question d'honneur :

« C'est moi qu'on a choisi pour tirer sur cette corde, et c'est moi qui le ferai. »

Furieux, George Raft se jette sur lui. Tous deux roulent sur le sol de l'arène, se disputant le douteux privilège de provoquer le désastre. Dimitri lui lance au visage une poignée de sable et tire son épée de centurion. George se redresse, saisit son trident et s'efforce de prendre Dimitri au piège du filet qui fait partie de son équipement. Désormais, les deux hommes ne sont plus deux figurants : ils se sont transformés en gladiateurs authentiques, luttant férocement avec leurs armes de bois.

Du haut d'une grue, Fred Niblo, qui n'a pas remarqué l'incident, crie dans son mégaphone :

« Moteur ! »

Mais Raft et Dimitri n'entendent même pas les hurlements affolés de l'assistant réalisateur qui les supplie de tirer sur cette fichue corde. Les chevaux des biges les plus légers – ceux qui devaient tomber – s'élancent dans la plus parfaite pagaille contre les deux quadriges de tête, aussitôt après la première courbe, et tout le monde se précipite dans le mur. Avec le choc, la paroi latérale interne de la piste se renverse, entraînant avec elle une gigantesque statue de Neptune. En quelques instants, c'est tout le décor qui s'écroule en cascade.

Le silence s'abat sur le stade détruit. Debout au milieu des ruines, George Raft et Dimitri Borja Korozec continuent de se battre comme si leur vie dépendait de l'issue de leur querelle. Connaissant la santé fragile d'Irving Thalberg, Mary Pickford et Douglas Fairbanks craignent que son cœur ne tienne pas le coup : l'incident vient de coûter un bon million de dollars au producteur de *Ben-Hur*.

Heureusement pour George Raft, le casque qui lui couvrait le visage n'a pas permis qu'on le reconnût ; aussi l'ex-danseur et ex-boxeur pourra-t-il continuer à tenir de petits rôles jusqu'au jour où un film, enfin, le consacrera : ce sera *Scarface,* de Howard Hawks, en 1932, où Raft jouera le gangster Guido Rinaldi aux côtés de Paul Muni.

Photo de George Raft et de Dimitri à l'arrière-plan, prise par un photographe débutant d'une agence de figurants.

Très vite, son petit tour d'adresse accoutumé – jeter une pièce de monnaie en l'air et la rattraper sans regarder – qu'il a appris au temps des dancings louches du Hell's Kitchen deviendra en quelque sorte sa marque déposée.

Toutefois, nous n'en sommes pas au temps de cette notoriété, mais à celui où l'amitié entre les deux hommes commence à se trouver sérieusement écornée. Lorsque Dimitri et lui circulent dans Hollywood, Raft redoute désormais qu'on les voie ensemble et qu'on associe son nom à la fameuse hécatombe de la course de chars.

Trois ans s'écoulent, et il devient de plus en plus évident que les liens qui les unissaient à New York sont en passe de se défaire complètement. Hormis la chambre qu'ils partagent dans une modeste pension, tous deux n'ont en réalité que peu de chose en commun. Tandis que Raft parvient à décrocher des rôles de plus en plus consistants, Dimo, lui, se lasse de la Mecque du cinéma. À part quelques aventures passagères avec d'obscures starlettes – qui, plus tard, deviendront des stars de première grandeur, mais dont peu nous importe de révéler ici les noms –, il ne voit plus aucune utilité à prolonger son séjour en Californie. Raft, pour sa part, trouve absurdes et ridicules les aspirations politiques du jeune anarchiste.

En décembre 1928, lorsque l'hiver commence, on en est arrivé au point où George Raft ne supporte plus

Dimitri Borja Korozec. Désireux de se débarrasser une fois pour toutes de son encombrante compagnie, il entame avec lui une conversation et note ensuite les propos qu'ils échangent, dans le but de les inclure éventuellement dans un livre sur Hollywood. Ces notes ont été trouvées à La Havane par des hommes de Fidel Castro en 1959, lorsqu'ils fermèrent l'*Hôtel Capri* que, semble-t-il, George Raft, alors en fin de carrière, gérait en simple prête-nom pour le compte de la Mafia.

L'*Hôtel Capri* comprenait comme attraction particulière une piscine sur le toit à fond transparent, et les clients qui se trouvaient dans le bar de l'étage en dessous pouvaient se régaler du spectacle de jeunes sirènes nageant dans le plus simple appareil.

La traduction de l'anglais du compte-rendu qui suit, fort mauvaise car trop littérale et par moments incompréhensible, a été effectuée par un écrivaillon français anonyme et alcoolique, spécialisé dans les romans policiers de quatre sous :

> *[...] Réellement, je ne savais plus que faire de ce type. Après la catastrophe de* Ben-Hur, *être vu ensemble avec lui était une pollution, et je savais qu'il risquait de faire de vraies couilles en l'air de ma carrière. Son seul sujet de conversation était la « révolution », et comment le véritable but de l'anarchisme était d'éliminer tous les tyrans. Comme nous étions encore sur des termes amicaux, il avait confiance en moi et me racontait toutes sortes de choses. Apparemment, il pensait le monde de lui-même.*
>
> *Il voulait me faire croire qu'il était un terroriste entraîné en Europe et d'autres trucs du même tissu. Pour être franc, c'était mort ennuyeux d'entendre toujours les mêmes détritus, et depuis quelque temps déjà je ne supportais plus sa présence dans la chambre de location que nous partagions dans un petit hôtel près*

de La Cienega. J'eus alors une idée brillante sur comment faire pour voir le dos de lui.

Nous dînions au Cheval fou, *une gargote fréquentée par les figurants et les assistants de production. Comme toujours, il racontait la même bouse de taureau sur la politique. Je l'interrompis :*

« Dimo, tout ça, c'est de la bouse de taureau. Laissez-moi vous dire quelque chose, vieil homme. Les vrais révolutionnaires, ce sont les gens de la pègre. Regardez comme ils attaquent les banques ! Y a-t-il un meilleur symbole du capitalisme que les banques ?

– Pouvez-vous dire ça de nouveau ? » répéta-t-il.

Je sentis que ce nigaud était pris en arrière par la rapidité de mon discours, et je continuai :

« Vous voyez, aussi loin que l'anarchie est concernée, il n'y a rien au-dessus de Cosa Nostra.

– Cosa Nostra ? répéta-t-il en me fixant des yeux.

– Les sages types.

– Les sages types ? répéta-t-il encore.

– C'est comme ça qu'on appelle les gens de la Mafia.

– Est-ce que vous tirez ma jambe ? Je serai pendu si j'y comprends quelque chose », dit Dimitri.

De toute évidence, ce benêt n'avait jamais entendu parler de la Mafia. Aussi, je commençai à expliquer :

« Ce sont des hommes qui vivent du crime organisé. Ils détruisent beaucoup plus les institutions que n'importe quel anarchiste avec une bombe. Ils sont la vraie menace pour le système. Ils ne respectent pas l'ordre social, ils ne paient pas d'impôts et ils fabriquent leurs propres lois avec un calibre 45 ou un pistolet-mitrailleur Thompson. Voyez seulement comment

ils ont tourné la loi Sèche à leur profit. À Chicago, ils ont profité de la Prohibition pour monter tout un commerce clandestin qui leur rapporte des fortunes. Ils fabriquent plus de soixante millions de dollars par an et éliminent d'un coup de feu n'importe quel idiot qui ne reste pas hors de leurs cheveux. Ils ont de l'argent plein les poches, et les flics et les juges sont tous sous leur pouce !

– Et vous connaissez ces gens-là ? » me demanda-t-il.

Je tirai une longue bouffée de ma Lucky Strike pour créer un climat de mystère :

« Peut-être…

– Vous semblez battre autour du buisson, George. Vous les connaissez ou vous ne les connaissez pas ? questionna-t-il avec impatience.

– Eh bien, je pense pouvoir dire que oui. Maintenant que Johnny Torrio a pris sa retraite, le type qui s'occupe des trafics est justement un ami avec qui j'ai autrefois habité à Hell's Kitchen. Si vous êtes intéressé de connaître le véritable anarchisme, des gens qui agissent au lieu de parler, qui contrôlent la contrebande du whisky, le jeu, la prostitution, les parle-facile et toutes les boîtes où on boit illégalement, je peux vous écrire une lettre de recommandation pour lui. Si vous êtes tout ce que vous prétendez, je suis sûr qu'il saura apprécier vos dons mieux que n'importe qui à Hollywood. »

Je vis ses yeux briller d'excitation. Je compris que ma proposition avait frappé à la maison. Tout agité, il me supplia d'écrire cette lettre de recommandation immédiatement. Je demandai à la serveuse du papier et un stylographe et commençai à écrire sans attendre, sur la table du Cheval fou. *Sachant que Dimitri parlait plusieurs langues et pouvait parfaitement passer pour un Italien, j'écrivis à peu près ce qui suit : « Cher*

Alphonse, le porteur de cette lettre est un homme dont les talents vous seront certainement d'une grande utilité... »

Je ne me souviens pas bien du reste, mais c'est ainsi que je finis par me délivrer de ce garçon qui devenait pour moi une vraie douleur dans le cul.

Je mis donc Dimitri en contact avec une de mes vieilles connaissances, Al Capone. [...]

Le train de nuit pour Chicago doit partir dans quelques heures. Avant de quitter la Californie pour toujours, Dimitri Borja Korozec a décidé de faire ses adieux à la Mecque du cinéma, et, tandis que le soir commence à tomber, il vague à l'aventure d'une rue à l'autre, bercé par la rumeur du vent froid de décembre qui nettoie les chaussées comme une petite troupe d'éboueurs invisibles.

Il traverse une avenue presque déserte, puis s'engage dans Hollywood Boulevard. Il s'arrête un instant, son attention attirée par une large tache d'huile laissée, sans doute, par la limousine de quelque star. Les ultimes rayons de soleil qui se glissent entre les toits font briller la surface de la tache d'une multitude de couleurs. « Tiens ! Un arc-en-ciel mort », songe-t-il, poète tout à coup.

Dimo se laisse envahir par une soudaine bouffée de nostalgie. Il se souvient de la lointaine Banja Luka, où il est né, de ses parents, de Dragutin, de Bouchedefeu... Comment va-t-il, que fait-il en ce moment, son fidèle ami parisien ? Dans la dernière lettre qu'il a reçue de lui, voilà plus de deux ans, le vieil anarchiste lui racontait qu'il s'était marié avec la grosse concierge de l'immeuble et qu'ils étaient très heureux. Ils avaient quitté Paris pour la Normandie, où, à la demande de sa nouvelle épousée, Gérard s'était enfin décidé à abandonner la taxidermie et était devenu l'heureux propriétaire de

L'Excrément agile, une petite entreprise prospère spécialisée dans la vidange des fosses d'aisances.

Avec son enthousiasme de toujours, le vieil homme avait écrit de longues pages sur sa nouvelle profession, regorgeant de détails sur les systèmes d'égouts dans la Grèce antique, les pots de chambre en or découverts dans le tombeau de Ramsès Ier, mort quelque trois mille ans avant Jésus-Christ, et l'étonnante forteresse féodale de Marcoussy, où les latrines étaient construites en plan incliné de manière que les chevaleresques déjections des occupants chussent directement dans des fosses creusées à l'extérieur des murailles. Ainsi pouvaient-ils résister des mois durant aux assiégeants sans que les pièces d'habitation du château fort se trouvassent infectées et empuanties par la présence de montagnes de matières fécales. Bouchedefeu était ainsi fait : quelque métier qu'il exerçât, il s'y consacrait avec passion.

Dimitri se rappelle aussi, avec tendresse, Mira Kosanovic, son premier et unique amour, la belle et volcanique spécialiste des poisons qui, au temps déjà lointain de ses chères études à la Skola Atentora, l'a initié aux délices du sexe. Depuis lors, il lui est certes arrivé à maintes reprises de faire l'amour avec d'autres femmes, il a connu des aventures passagères, mais ses pérégrinations à travers le monde ne lui ont pas laissé de temps pour une liaison plus sérieuse. Du reste, il ne s'en plaint pas. Il a toujours su combien la vie d'un assassin anarchiste était irrémédiablement solitaire. « Mais un assassin sans victimes », pense-t-il avec mélancolie.

Soudain, il prend conscience qu'il se trouve juste devant un des plus grands symboles de Hollywood, le Chinese Theater. Le gigantesque cinéma a été construit un an plus tôt, et à ses pieds s'étend le vaste trottoir où les astres majeurs du grand écran impriment dans le ciment la paume de leurs mains. Dimitri trouve cette idée ridicule ; mais comme personne ne passe dans les parages, il s'approche malgré tout, curieux.

Quelques heures plus tôt, une star a laissé ses empreintes, sans doute au cours de quelque grotesque cérémonie. Dimo remarque que le ciment est encore frais. Il regarde à droite, puis à gauche, et se baisse comme pour renouer ses lacets. Avant qu'on puisse l'en empêcher, il presse avec force ses deux mains sur la double marque laissée dans le ciment.

Seuls ceux qui observeront attentivement s'apercevront que, désormais, Pola Negri est pourvue de douze doigts.

Dimo s'éloigne, satisfait et réconforté par ce qu'il considère comme une action terroriste d'une grande bravoure. Il ne remarque pas la petite silhouette habillée en Père Noël qui l'épie d'un œil aigu de l'angle d'une rue voisine, à peine visible dans la pénombre du soir qui tombe. Au moment où il traverse Hollywood Boulevard, la silhouette sort de sa cachette et, silencieusement, lui emboîte le pas.

Chicago, janvier 1929

Avec l'allumette qu'il vient d'utiliser pour allumer son luxueux cigare cubain, le gros homme aux lèvres épaisses et au visage marqué par une longue cicatrice met le feu à la lettre qu'il a fini de lire :

« Ce cher George te tient en haute estime, à ce qu'on dirait. Comment va-t-il ?

– Bien. Il décroche des rôles de plus en plus intéressants, répond Dimitri.

– Sa lettre est datée de décembre. Pourquoi n'es-tu pas venu me trouver plus tôt ?

– J'ai bien essayé. Je me suis présenté plusieurs fois au *Lexington Hotel* pour vous prier de me recevoir, mais vos hommes ne m'ont même pas laissé vous approcher. »

Cette conversation entre Dimitri Borja Korozec et Al Capone se déroule tard dans la soirée au *Four*

Deuces, dans Wabash Avenue. L'établissement est tout à la fois un cabaret, un bordel et un casino clandestin. On dit aussi que dans les sous-sols de cet ancien immeuble de bureaux, jadis propriété de Johnny Torrio, bon nombre de membres de gangs rivaux ont passé les dernières heures de leur existence. L'apparence d'Al Capone ne laisse pas d'impressionner : il porte des vêtements luxueux coupés sur mesure, et une bague avec un diamant de onze carats et demi étincelle à son petit doigt. À une table du fond de la salle, Frank Nitti, John Scalise, Albert Anselmi et Jack « Machine-Gun » McGurn jouent aux cartes, sans quitter leur chef des yeux.

La raison pour laquelle Dimitri n'a pas encore pu rencontrer Scarface (surnom d'Al depuis qu'un jeune voyou lui a balafré le côté gauche du visage avec un couteau au cours d'une rixe dans un bar new-yorkais) est en réalité tout autre. Avant l'entrevue, il a passé un mois entier retranché dans une chambre d'un hôtel borgne du côté de Union Station, se rendant chaque jour à la bibliothèque pour y dévorer avidement tout ce qu'il a pu trouver sur les gangsters en se plongeant dans les archives du *Chicago Tribune.*

Il s'est d'autre part lié d'amitié avec un vieux cireur de chaussures sicilien travaillant à la porte de son hôtel, et, grâce à son don inné pour les langues, a perfectionné le dialecte qu'il a jadis appris auprès d'un avaleur de feu du cirque de son enfance. Le vieux cireur de chaussures l'a aussi familiarisé avec les us et coutumes de cette île lointaine.

Grâce aux articles du reporter James O'Donnell Berinett, spécialiste du crime organisé, il sait maintenant tout des rivalités entre gangs qui transforment Chicago en un vrai champ de bataille. Il connaît l'existence de la Cadillac blindée qui stationne à la porte du *Four Deuces* : le véhicule, a-t-il pu lire, a été construit sur commande pour un prix de vingt mille dollars, somme astronomique pour l'époque, et est équipé d'une carrosserie en acier trempé et de vitres à l'épreuve des balles de quatre centimètres d'épaisseur. Portières et capots sont munis de serrures à combinaison, comme des coffres-forts, afin d'empêcher quiconque de placer une bombe à l'intérieur.

En fait, les violences ont commencé avec l'assassinat de Dion O'Banion, un gangster d'origine irlandaise qui prétendait étendre son territoire. L'héritier d'O'Banion, un autre Irlandais connu sous le nom de George « Bugs » Moran, a juré vengeance, et la guerre a pris toute son ampleur après l'attentat contre Johnny Torrio, l'ex-maître de Chicago. Torrio avait passé la main, et tous ses trafics avaient été repris par Al Capone ; aussi pensait-il que sa retraite était la garantie d'une complète immunité, et circulait-il sans armes ni gardes du corps.

Mais un jour qu'il revient de faire des achats, Torrio se fait surprendre en pleine rue par « Bugs » Moran et ses acolytes. Deux balles l'atteignent, et il tombe. Alors qu'il gît déjà sur le sol, Moran s'approche et, voulant l'anéantir dans sa virilité, lui tire encore une balle dans l'entrejambe. Puis il appuie le canon de son automatique sur la tempe de Torrio pour le coup de grâce et presse la détente. Mais il n'entend qu'un déclic : son pistolet est vide. Soudain, un bruit de pas : des gens accourent, alertés par les coups de feu. Moran et ses hommes quittent rapidement les lieux, laissant Johnny Torrio, gangster partisan de la non-violence, agonisant sur le trottoir. En quelques minutes, une ambulance l'emmène au Jackson Park Hospital, où il survit miraculeusement à ses blessures.

C'est seulement quand il s'est estimé dûment informé que Dimo est allé trouver Al « Scarface » Capone pour lui remettre la lettre de recommandation écrite par George Raft.

Capone rallume son cigare, qui s'obstine à s'éteindre dès qu'il cesse de le fumer. Il examine Dimitri des pieds à la tête et lui demande :

« Quel est ton nom ?

– Dim. Dim Corozecco, invente Dimitri.

– Sicilien ?

– Oui. Mais je suis arrivé aux États-Unis quand j'étais encore enfant. Je suis originaire d'un village de la province de Palerme.

– Quel village ?

– Corleone. »

Capone observe attentivement le visage et les cheveux noirs frisés de Dimitri. Il a l'air plus sicilien que lui. Il lui rappelle Little Albert, son frère cadet.

« Et pourquoi as-tu émigré ?

– On m'a envoyé aux États-Unis quand mon père a été abattu. »

Pour l'éprouver, Capone continue la conversation en sicilien :

« *Tuu patri ?* »

Dimitri répond sans se démonter :

« *Sì. I miu patri è mortu ammazzatu cu'n sparo di lupara.*

– *Cussì sei veramente sicilianu ?*

– *Sangu du nostru sangu.*

– *E comm'è Corleone ?*

– *Eru picciriddu, non mi ricordu cchiù.* »

Après ces mots pour expliquer qu'il a quitté son village trop jeune pour s'en souvenir, Dimitri change de sujet :

« *Sonu un uomo di rispettu, un uomo d'onuri. Fammi truvari un travagghio nella sua famigghia.* »

Capone se résout à l'accueillir :

« *Bene. Stai attentu, però, ch'i testi di mafiusi non ci rrumpunu mai.*

– *Grazie, don Alfonso, bacciu le manni* », remercie Dimitri, s'inclinant pour baiser la main replète d'Al Capone.

Avant d'accorder toute sa confiance à Dimo, Scarface tient cependant à vérifier ses aptitudes. Il lui demande, en anglais :

« Tu es bon tireur ?

– Je suis entraîné à tous les types d'assassinat, avec toutes les armes possibles et imaginables », se vante Dimitri.

Capone prend cette fanfaronnade avec indulgence :

« On dit que le mot *mafia* vient de l'arabe et remonte au temps où les Maures occupaient la Sicile. Le mot arabe d'origine est *mouaffa,* qui veut dire "bouche fermée". Nous allons voir si tu ne parles pas trop. »

Il fait signe à Nitti, Scalise, Anselmi et « Machine-Gun » McGurn :

« Ce garçon veut travailler pour moi. Il dit qu'il est un excellent tireur et connaît tout sur les armes. »

Albert Anselmi, qui, avec Scalise, passe pour un des virtuoses du pistolet les plus efficaces du gang, suggère :

« Pourquoi ne pas aller faire un tour au sous-sol, histoire de voir comment il se débrouille avec un Tommy ? »

C'est ainsi que les gangsters avaient coutume d'appeler le pistolet-mitrailleur conçu par le général de brigade John Tagliaferro Thompson.

Pistolet-mitrailleur Thompson.

Le Thompson était capable de tirer huit cents balles de calibre 45 à une distance de quatre ou cinq cents mètres.

Le chargeur était rond, ce qui lui donnait un aspect assez particulier. Le seul problème était qu'on ne pouvait l'utiliser avec précision. Les balles fusaient en rafales, balayant toute la zone visée. Le recul était si fort qu'il laissait toujours une marque rouge sur le corps du tireur.

Une réclame publiée dans le *New York Herald* quand l'arme avait été lancée sur le marché garantissait qu'elle constituait « une défense sûre contre les criminels et bandits organisés ». Ironie du sort, c'étaient justement eux qui l'utilisaient le plus.

Arrivés dans une salle insonorisée du sous-sol où le gang a coutume de s'exercer au tir sur des cibles, les sbires d'Al Capone confient un Thompson à Dimitri. Celui-ci examine la petite machine d'un œil fasciné :

« Je n'ai jamais vu une arme comme celle-ci. En fait, je préfère tirer au pistolet. »

Les hommes de Capone échangent des regards et des sourires ironiques. Dim doit avoir peur, pensent-ils. Frank Nitti propose :

« Si tu veux, je peux emprunter le pistolet à eau de mon gamin. »

Ils éclatent de rire et lancent quelques autres quolibets du même genre. Scarface met fin aux plaisanteries et lance à Dimitri un regard glacial :

« L'heure est venue de montrer si tu as menti ou non. Mais sache-le : aucun homme qui a tenté de me tromper n'est sorti d'ici vivant ! »

Dimo n'hésite pas un instant. Il se retourne rapidement, et, sans même se donner la peine de viser, tire quatre courtes rafales et fait sauter la cervelle des cibles clouées au mur du fond. Le fracas du pistolet-mitrailleur est suivi d'un silence respectueux. Dimitri baisse son arme encore fumante. Jack « Machine-Gun » McGurn, un authentique spécialiste, s'approche et déclare avec déférence :

« Mon garçon, je n'ai jamais rencontré personne qui maîtrise un Tommy avec autant d'assurance. Comment es-tu arrivé à dompter ce fauve avec une telle autorité ? »

Dimitri, le seul à n'avoir pas protégé ses oreilles avec des tampons lorsque a éclaté le fracas assourdissant du Thompson, n'entend pas très bien :

« Qu'est-ce que vous dites ? »

Machine-Gun rit et répète, en criant presque :

« Comment as-tu si bien contrôlé ton tir ?

– Je ne sais pas, répond Dimitri, faussement modeste. Peut-être grâce à mes douze doigts. »

Ce disant, il montre ses mains. Scarface observe, étonné, cette curieuse anomalie.

« Qu'est-ce que c'est ? »

Dimitri, dont les oreilles bourdonnent encore, répond promptement :

« Je suis né comme ça. C'est un signe du destin. *Ì fatu, don Alfonso.* »

Impressionné et conquis, Al Capone décide aussitôt d'enrôler Dimitri dans son organisation.

Ainsi, à partir de cette froide nuit d'hiver dans les sous-sols du *Four Deuces,* Dimitri Borja Korozec est-il devenu membre du gang de Scarface. On raconte d'ailleurs une légende selon laquelle personne n'a jamais surpassé dans le maniement du tristement célèbre pistolet-mitrailleur Thompson un gangster inconnu qu'Al Capone avait baptisé « Fingers » Corozecco.

Au début du mois de février, Capone décide de mettre un terme définitif aux constantes attaques de « Bugs » Moran et de son gang des Irlandais. Au cours d'une réunion dans une suite du *Lexington Hotel,* dont il occupe plusieurs étages, il charge McGurn, son maître en organisation, de planifier une opération qui permettra de liquider en une seule fois Moran et toute sa bande. McGurn se résout à engager des hommes de main venus d'autres villes, afin d'éviter qu'ils ne soient reconnus. Pour la même raison, il compte aussi utiliser Dimitri, visage nouveau à Chicago. Il est, de surcroît, toujours sous le coup de la forte impression que lui a faite le nouveau membre du gang avec son étonnant talent de tireur.

Le plan de Machine-Gun est tout simplement génial. Quatre tueurs – les frères Keywell, de Detroit, Fred « Killer » Burke, de Saint Louis, et Joseph Lolordo, de New York – se présenteront au garage d'où Moran dirige ses trafics, déguisés en policiers. Deux porteront des uniformes, Dimo et les autres seront en civil.

Après la fusillade, les faux détectives en civil sortiront les mains en l'air, comme si les deux flics en uniforme venaient de les arrêter. Pour parfaire la manœuvre, McGurn charge Claude Maddox, un des sbires de Capone, de voler une voiture de police. Et, voulant être certain que toutes les victimes désignées seront sur les lieux, il s'arrange avec un contrebandier inconnu dans la région pour qu'il prenne rendez-vous avec Moran en lui proposant à un prix très avantageux une cargaison de whisky venant du Canada.

En romantique incorrigible, McGurn choisit le 14 février, jour de la Saint-Valentin et fête des amoureux, pour l'exécution des Irlandais. Il est décidé que tout le monde se retrouvera à dix heures et demie du matin.

Le seul problème est que les tueurs ne sont pas de Chicago et ne connaissent donc « Bugs » Moran que par des photographies. Dimitri – qui lui aussi ne le connaît que grâce à ses recherches dans les archives des journaux – risque un petit mensonge pour se grandir aux yeux d'Al Capone :

« Moi, je sais très bien à quoi il ressemble, "Bugs" Moran. Je l'ai déjà croisé plusieurs fois dans les bars de North Clark Street, là où il a son garage.

– Parfait ! dit Scarface, en lui donnant une tape amicale sur l'épaule.

– Malgré tout, j'aimerais bien que les frères Keywell aient quelques photos, au cas où quelque chose clocherait, insiste Jack McGurn, toujours méticuleux.

– Tu peux te fier à moi, Jack ! Tout marchera comme sur des roulettes », affirme Dimitri avec un aplomb assez peu justifié par ses prouesses passées.

Le respect de la vérité nous oblige à reconnaître que, parfois, le destin s'acharne contre Dimitri Borja Korozec.

Car il a voulu, ce destin cruel, que Gerardo Machado y Morales, le général qui avait mené Cuba à l'indépendance lors de la révolution de 1898, eût été réélu président de la République quelques mois plus tôt, et que, en ce mois de février, il affrontât le glacial hiver de Chicago en quête d'investissements étrangers qui lui permettraient de mettre en œuvre les réformes économiques promises à la population durant sa campagne. Son voyage n'a rien d'officiel – au contraire. Il importe que ses entrevues avec les magnats de l'industrie américaine se déroulent secrètement, afin de ne pas contrarier les nationalistes cubains. C'est pourquoi le général président et ses quelques conseillers sont descendus incognito dans un hôtel quelconque – lequel hôtel, par une autre méchante ruse du destin, abrite un hôte moins illustre : George « Bugs » Moran.

Comme Dimitri n'a jamais vu Moran en chair et en os et ne sait pas davantage où se trouve son fameux garage, il ne veut pas compromettre la mission de reconnaissance qui lui a été confiée et se poste à l'entrée de l'hôtel dès neuf heures du matin. Ses longues recherches dans les archives de la presse lui ont appris que Moran a coutume de parcourir à pied la brève distance qui sépare son hôtel du garage. Pour l'identifier, il ne peut se fier qu'à une photographie découpée dans un journal. Aussitôt que l'Irlandais sortira, Dimo compte le suivre jusqu'à l'endroit où les tueurs déguisés en policiers attendent, cachés dans la voiture de police volée. Il est prévu que le véhicule stationnera à proximité. Au moment où le gangster passera devant, Dimitri le désignera du doigt aux quatre assassins, montera avec eux et le groupe partira aussitôt en direction du garage.

À dix heures et quinze minutes exactement, Son Excellence le général Machado y Morales, président de la République cubaine, sort de l'hôtel. Il a rendez-vous avec le puissant industriel Samuel Insull, ancien secrétaire particulier de Thomas Edison et désormais président de la très prospère entreprise d'investissements Middle West Utilities. D'ici quelques mois, un certain jeudi noir d'octobre, Insull perdra tout dans le fameux krach de la bourse de New York ; mais pour le moment, il représente une des plus grosses fortunes des États-Unis. Quand Morales franchit le seuil accompagné de deux de ses conseillers, le destin – encore lui ! – veut qu'il soit reconnu par un jeune couple de Cubains en voyage de noces, qui entre dans l'hôtel juste à ce moment. D'une voix forte, le jeune homme et la jeune femme saluent le général président en scandant son nom : « Morales ! Morales ! »

Le général les salue en retour, puis se met en route dans la direction opposée au trajet parcouru quotidiennement par « Bugs » Moran.

Comme l'ouïe de Dimitri est encore un peu affaiblie par les rafales de pistolet-mitrailleur dans les sous-sols du *Four Deuces,* au lieu de « Morales ! Morales ! », il entend « Moran ! Moran ! », et se hâte de tirer de sa poche la photographie de « Bugs » qu'il a apportée avec lui. La ressemblance entre le général et le gangster est quasi nulle. Toutefois, comme les deux ont le visage à demi caché par un chapeau, Dimitri attribue ce qui semble les différencier à la très mauvaise qualité de la photo pâlie par le temps, et emboîte le pas à Machado y Morales. Le cœur du jeune anarchiste commence à battre plus fort, et la montée de l'adrénaline lui échauffe tout le corps. Il sent que cette fois, enfin, rien ne saurait contrecarrer ses plans.

Deux rues plus loin, une voiture de police qui patrouille dans le quartier s'est garée devant un snack-bar. Les policiers se sont autorisé une halte pour acheter du café et des beignets. Dimo, tout naturellement, pense qu'il s'agit de la voiture volée et des tueurs engagés par Jack McGurn. Il ouvre brusquement la portière arrière et se jette sur la banquette, où est déjà assis un flic irlandais à la stature de colosse. Frappant sur l'épaule du chauffeur et montrant du doigt le général cubain, il crie aussitôt :

« Allons-y, les gars ! C'est lui ! »

En entrant précipitamment dans la voiture, Dimitri a renversé sur le géant irlandais tout le café qu'il s'apprêtait à boire. Quant au policier au volant, la vigoureuse tape sur l'épaule l'a fait s'étouffer avec son beignet.

« Qui, lui ? demande le troisième, assis à son côté.

– Lui ! Lui ! »

Le flic irlandais, que le bain de café brûlant a rendu fou furieux, empoigne Dimitri, le fait tomber de la banquette et lui passe les menottes.

C'est seulement alors que Dimo comprend qu'il n'est pas monté dans la bonne voiture. Il essaie malgré tout de donner le change et montre à nouveau du doigt le président de Cuba :

« Ne me dites pas que ce type, là-bas, n'est pas Bing Crosby ! Je suis son fan numéro un. Vous ne pourriez pas m'avoir un autographe ? »

L'énorme Irlandais répond en posant lourdement ses bottes sur le dos de Dimitri :

« Non. C'est plutôt vous qui allez nous donner le vôtre, quand nous vous aurons interrogé. (Il se tourne vers le chauffeur.) Allez ! ordonne-t-il. Emmenons ce cinglé faire un tour au commissariat. »

Après une nuit dans une cellule en compagnie de cinq ivrognes, Dimo lit dans les journaux du matin le récit du fameux « massacre de la Saint-Valentin », au cours duquel sept hommes du gang de « Bugs » Moran ont été trucidés.

Mais non leur chef. Sans l'aide de Dimitri, les frères Keywell ont pris pour Moran un autre membre de la bande, un nommé Al Weinshank, qui est entré dans le garage à dix heures et demie précises. Il existe une vraie ressemblance entre les deux hommes, et ce n'était pas la première fois qu'on les confondait. Moran, qui a dormi tard ce matin-là et est arrivé au rendez-vous bien après l'heure fixée, a échappé à l'attentat.

Quant au président Machado y Morales, il est reparti pour Cuba sain et sauf, quoique déçu de n'avoir pas obtenu le prêt qu'il convoitait.

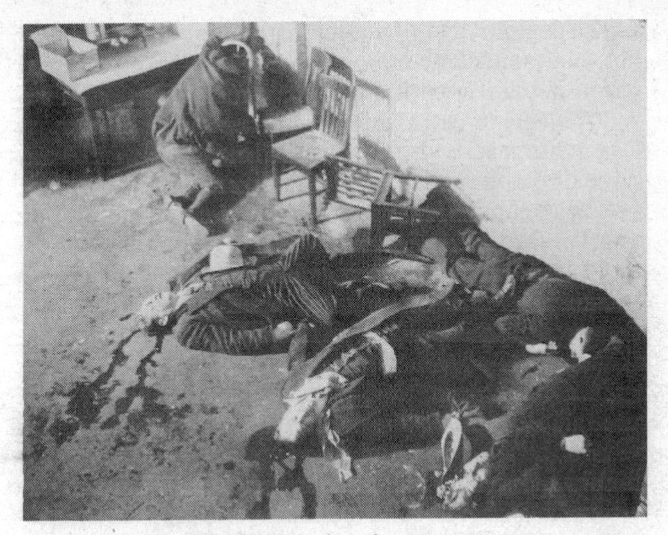

Le massacre de la Saint-Valentin, jour des amoureux. Archives de la « Chicago Historical Society ».

Contre toute attente, Scarface voulut bien pardonner à Dimitri sa bourde involontaire. Il avait pour cela deux raisons. La première était que désormais, voyant son gang décimé et craignant de mourir dans un autre attentat, « Bugs » Moran cessait d'être une menace – d'autant qu'il savait parfaitement d'où venait le coup. Quand un journaliste lui avait demandé qui, selon lui, pouvait avoir éliminé sept de ses lieutenants, il avait répondu sans hésiter : « Seul Al Capone est capable de tuer de cette façon. »

La seconde raison, plus indirecte, était que Dimo, connaissant la passion de Scarface pour l'opéra, s'était inventé un amour similaire pour l'art lyrique, apprenant des airs célèbres et devenant incollable sur la vie et la carrière de Caruso, idole suprême du gangster de Chicago. Les deux hommes passaient des soirées à boire et à entonner des passages de *Rigoletto,* l'ouvrage favori de Capone. C'est ainsi que, peu à peu, ils devinrent inséparables. Désormais, c'était Dimo qui conduisait sa voiture – fort heureusement blindée, ce qui évitait que les légères mais fréquentes collisions causées par la notoire impéritie du chauffeur n'endommageassent l'élégante carrosserie. Au bout de quelques mois, l'anarchiste serbo-brésilien était devenu l'ombre discrète de l'homme le plus redouté d'Amérique.

Malheureusement, à part une photographie où l'on voit Dimitri escortant Capone et son jeune fils Sonny à un match de base-ball, il n'existe presque aucune preuve matérielle de cette familiarité. À la vérité, Scarface préférait garder Dimitri en réserve comme une arme secrète. Toutefois, leur amitié finit par susciter la jalousie de certains membres plus anciens du gang, tels Frank Nitti et Frankie Rio ; mais aucun ne se permit jamais le moindre commentaire désobligeant en présence du *cappo*.

Après le sanglant attentat de la Saint-Valentin, la situation d'Al Capone commença de se détériorer. L'opinion publique, qui jusqu'ici le considérait (ainsi qu'il le disait lui-même) comme « rien de plus qu'un

Al Capone et son fils à un match de base-ball. Plus à droite, la flèche indique Dimitri, partiellement dissimulé par son journal.

sympathique négociant en boissons prohibées », avait été révoltée par la violence du carnage.

À la vérité, l'aspect des victimes mises en pièces par les tirs de mitraillettes et de fusils à canon scié était tellement effroyable que, lorsqu'il les avait découvertes gisant sur le sol du garage, le médecin légiste n'avait pas eu le courage de les examiner sur place pour vérifier, d'après le calibre des balles, si celles-ci avaient été tirées par des armes appartenant aux forces de police. C'était un jeune reporter du *City News,* spécialiste des articles à sensation et prêt à tout pour sa carrière, qui avait utilisé la scie du docteur pour ouvrir lui-même le crâne des cadavres et tâcher d'en extraire les projectiles.

Le gouvernement sentait que le moment était venu d'une action immédiate. Aussi créa-t-il un organisme spécial au sein du ministère de la Justice, le Bureau de la Prohibition. Ses membres réunirent les pièces d'un dossier destiné à traîner Al Capone devant les tribunaux pour fraude fiscale. Parmi eux se trouvait un obscur agent du nom d'Elliot Ness – alcoolique invétéré, soit dit en passant.

Cette nouvelle méthode de lutte contre le gangstérisme par le biais de poursuites fiscales fut considérée comme véritablement révolutionnaire. Cette révolution commença dans les premiers jours de novembre 1930, à Chicago.

C'est à la même époque qu'à presque dix mille kilomètres de là, au Brésil, une révolution d'un autre genre venait d'amener au pouvoir Getúlio Dornelles Vargas. L'oncle inconnu de Dimitri Borja Korozec.

Chicago, 17 octobre 1931

Installé à une table d'un *coffee shop* d'Adams Street, à côté du Federal Building où se trouve la cour de justice, Dimitri lit pour la énième fois le gros titre du *Chicago Tribune.* Un ample manteau noir dissimule la lourde sacoche de toile qu'il porte en bandoulière. Il froisse le journal porteur de la funeste nouvelle et prie la serveuse de lui apporter un verre de lait sans sucre. Les excès de mets siciliens fortement épicés, combinés aux derniers événements, lui ont donné un ulcère à l'estomac qui le fait souffrir furieusement dans les moments de grande tension.

Après dix jours de procès, le jury doit se retirer pour discuter du sort de Scarface. Dans l'opinion, rares sont ceux qui doutent de sa condamnation, et si l'on s'interroge, c'est seulement sur la sévérité de la sentence. Divers coups de théâtre ont agité les débats. Ainsi, dès le premier jour, le juge Wilkerson a interpellé l'huissier : « Mon collègue le juge Edwards préside un procès qui s'ouvre également aujourd'hui. Priez-le d'échanger avec moi tout son jury. » Par cette décision peu banale, le magistrat voulait parer à l'éventualité que les douze hommes choisis eussent été achetés par les complices d'Al Capone.

Un autre incident dramatique s'est produit quand le juge a remarqué que Philip d'Andrea, un des gardes du corps de l'accusé, était armé et lançait des coups d'œil menaçants vers les membres du jury, laissant apercevoir l'automatique 38 qu'il portait sous son veston. Quoique en possession d'un permis de port d'armes émis par les services compétents, D'Andrea a été arrêté et immédiatement placé en garde à vue. « Pénétrer dans ce tribunal avec une arme constitue un outrage à magistrat », a décrété le juge.

Le samedi, finalement, le ministère public a conclu son exposé des faits après avoir produit des dizaines de témoignages et de documents à charge prouvant avec évidence qu'Al Capone, bien qu'ayant accumulé une fortune illicite de plus de cent millions de dollars, a cessé de payer des impôts depuis 1925.

Impeccablement habillé, Scarface a écouté les dépositions avec une expression ennuyée, mais aussi un calme qui n'a pas laissé de surprendre les spectateurs et les journalistes présents aux audiences.

À peine les jurés se sont-ils retirés pour décider de son destin qu'Al fait un signe imperceptible en direction de Frankie Rio, un autre de ses gardes du corps qui attend debout près de la porte. Frankie acquiesce d'un hochement de tête tout aussi discret et s'éclipse aussitôt. Capone et ses avocats retournent au *Lexington Hotel* pour y attendre le résultat des délibérations. Sur le visage du gangster flotte un sourire énigmatique que les reporters prennent pour de la morgue. Ils ignorent que le roi de la pègre s'apprête à jouer une ultime carte.

L'idée d'une opération audacieuse pour sauver Scarface vient de Dimitri. Se rappelant avec quelle facilité il grimpait à toutes les cordes du chapiteau dans le cirque de son enfance, il a suggéré à Capone que Frankie Rio monte au dernier étage du Federal Building et lui lance une longue corde tombant jusqu'à terre. Ensuite, Dimo se hissera jusqu'à l'étage où les douze hommes délibèrent dans un huis clos impénétrable. Il forcera la fenêtre, s'introduira dans la salle et pourra ainsi soudoyer le jury.

Dans la lourde sacoche cachée sous son manteau, il transporte en effet un argument irréfutable : six millions de dollars. Cinq cent mille par juré. Après l'acquittement, Al en promet encore cinq cent mille pour chacun, et, à Chicago, sa parole est loi. En cas de trahison, on sait parfaitement quel sera le châtiment, mais en réalité ce risque n'existe pas. Personne ne trahit Al Capone.

À deux heures et demie de l'après-midi, Frankie Rio, du haut de l'édifice, repère Dimitri dans l'étroit passage qui réunit Deaborn Street et Adams Street et lui lance la corde laissée la veille par un gardien du tribunal à la solde de Capone. Dimitri commence son escalade par la face sud de l'immeuble, et, en tractions rapides, atteint bientôt l'étage où se décide en ce moment l'avenir de Scarface.

Il pose les pieds sur une corniche, s'accroche à la balustrade, et, à travers les vitres de la fenêtre fermée, observe les douze honnêtes citoyens américains assis autour d'une table. Il n'entend pas ce qu'ils se disent, mais la discussion est visiblement animée. Prenant son élan et utilisant la corde comme balancier, il s'élance par la fenêtre en faisant sauter le loquet avec ses pieds. Les douze hommes se lèvent d'un bond, effrayés par cette intrusion soudaine. Mais sans leur laisser le temps d'ouvrir la bouche, Dimitri fait un geste pour exiger le silence. Puis il leur parle à voix basse, presque en murmurant :

« Dans votre intérêt, restez assis et écoutez-moi. »

Il ouvre la grosse sacoche de toile et répand sur la table les liasses de billets soigneusement attachées.

« Tout ça est pour vous. Il y a là cinq cent mille dollars pour chacun. Demain, quand le jugement aura été rendu, vous en recevrez chez vous cinq cent mille de plus. Il suffit que vous retourniez dans la salle d'audience en déclarant à l'unanimité la personne que vous savez non coupable. »

Tout en parlant, Dimo divise les liasses en douze piles égales qu'il pousse vers chacun des jurés stupéfaits. Aucun d'eux n'a jamais vu une telle somme d'argent. Les yeux fixes, ils saisissent la petite fortune dont le sort leur fait présent et la glissent dans leurs vestons, dans leurs pantalons et sous leurs chemises. Quelques-uns fourrent dans leurs chaussettes ce qui ne rentre pas dans leurs poches. Deux ou trois hésitent un peu, mais un pasteur adventiste se charge de les encourager du geste. Un autre, plus âgé, va coller son oreille à la porte pour s'assurer que les policiers postés de l'autre côté n'écoutent pas ce qui se passe. Le plus proche de Dimitri, un courtier en assurances, essaie de dire quelque chose :

« En somme…

– Il n'y a pas de temps à perdre, coupe Dimitri. Faites exactement ce que je vous demande. Et dites-vous bien que ce n'est pas tous les jours qu'on gagne un million de dollars en échange d'un simple verdict d'acquittement. Il me semble que nous nous montrons plus que généreux. »

Saisissant sa sacoche vide, il ressort comme il est entré, en s'accrochant à la balustrade. Avant de refermer la fenêtre, il répète encore une fois :

« Rappelez-vous : il faut que la décision soit unanime ! »

Tous se réjouissent de cette richesse tombée du ciel et se préparent à regagner le tribunal.

Avec l'élégance d'un trapéziste, Dimitri se laisse glisser le long de la corde jusqu'au trottoir en contrebas, puis disparaît rapidement par les rues du quartier, ravi d'avoir aussi parfaitement exécuté la tâche délicate qu'on lui avait confiée.

Au vrai, seul un infime détail empêche que l'audacieuse manœuvre pour innocenter le prince de la Mafia fonctionne comme prévu.

En raison de son absence congénitale de sens de l'orientation, Dimitri est monté un étage trop haut et a fait irruption dans la pièce où l'on discutait le cas d'une vieille dame myope coupable d'avoir conduit sans lunettes et écrasé le pékinois d'un colonel à la retraite ; en sorte que ce sont les jurés qui devaient rendre leur verdict dans cette affaire qu'il a soudoyés avec l'argent de Scarface.

Quelques minutes plus tard, alors que la grand-mère canicide s'en retourne chez elle toute contente, dans une salle voisine, la Cour condamne Al Capone à onze ans de prison.

7

On imaginera aisément que, après la malheureuse erreur survenue lors du procès d'Al Capone, le climat de Chicago n'est pas des plus salubres pour Dimitri Borja Korozec. Aussi renonce-t-il à fréquenter les lieux où il a ses habitudes, change-t-il d'adresse et n'ose-t-il plus sortir que la nuit, en rasant les murs. Il passe ses journées dans sa chambre, à lire des revues et des journaux.

Un article à la troisième page du *Daily News* attire son attention. Au Brésil, le président Vargas, arrivé au pouvoir il y a un an à la suite d'une révolution, a donné l'ordre de brûler des millions de sacs de café. En détruisant les stocks, il compte empêcher la baisse des cours sur le marché international. Vargas… C'est aussi le nom de son grand-père. « Se peut-il que j'aie un lien de parenté quelconque avec cet homme ? » se demande-t-il, intrigué. De nouveau, l'envie le prend de découvrir ce lointain pays, et d'accomplir ainsi la vieille promesse faite à sa mère.

Le vendredi 22 octobre, profitant d'un épais brouillard qui enveloppe la ville, il fait ses malles et, sans attendre davantage, se rend à Union Station. Son intention est de partir pour Miami, très loin d'ici, la ville des États-Unis la plus proche de l'Amérique du Sud, au cas où il se déciderait pour de bon à s'embarquer pour le Brésil.

Il achète son billet et va s'asseoir sur un banc près du portail qui donne sur les quais, cachant son visage derrière un journal. Il sait qu'à Chicago sa vie est en danger. Frank Nitti, le bras droit de Scarface, a mis sa tête à prix.

De surcroît, Dimo a l'étrange sensation d'être suivi par une petite silhouette qu'il voit surgir de la manière la plus inattendue partout où il va. Mais à peine l'a-t-il repéré que le petit bonhomme disparaît mystérieusement par les rues sombres. Sûrement un tueur engagé pour l'éliminer, pense-t-il. Mais il se trompe.

L'étrange silhouette qui l'observe dans l'ombre est la même qui, trois ans plus tôt, déguisée en Père Noël, le suivait de loin dans Hollywood Boulevard. Qui est-ce ? Un spectre menaçant surgi du passé. Car l'insolite personnage qui ne cesse de l'épier sournoisement n'est autre que Motilah Bakash, le nain meurtrier.

Contre toute attente, l'homoncule indien qui, voilà bien des années, est tombé par la fenêtre de l'Orient-Express, est sorti sain et sauf de sa mésaventure. Il a perdu connaissance lorsqu'il a roulé et rebondi sur les pierres longeant la voie ferrée ; mais son corps est si petit, si léger que la violence de la chute s'en est trouvée miraculeusement amortie.

Motilah était encore évanoui quand, le lendemain matin, il a été recueilli par une petite tribu de gitans dans leurs roulottes. Il n'a complètement retrouvé ses esprits que trois jours plus tard, grâce aux décoctions préparées par Zulima, une vieille sorcière qui régnait sur le groupe de nomades. Mais il avait perdu tout souvenir du passé. À peine se rappelait-il que son nom était Motilah et qu'il était nain.

Les gitans l'ont accueilli comme s'il était un talisman tombé du ciel. Ils l'ont entouré de soins, lui ont donné des vêtements typiques empruntés aux enfants et lui ont enseigné le dialecte tzigane, la chiromancie et le tarot. Comme l'Inde est également l'antique terre originelle de leur peuple, Motilah Bakash s'est bientôt senti aussi gitan qu'eux.

Trois ans durant, alors que la guerre ravageait le Vieux Continent, ils ont vagabondé à travers les pays à feu et à sang, en évitant les champs de bataille.

Puis, au milieu d'octobre 1917, la caravane est passée par Paris ; c'est là que Motilah a vu dans un journal la photo de Mata Hari et, en légende, la nouvelle de son exécution. Le choc a été si brutal qu'il lui a fait recouvrer instantanément la mémoire. Il a arraché la page et plié soigneusement la photo, qui n'a plus quitté sa poche. Et dans son esprit a surgi, parfaitement nette, l'image haïe de Dimitri Borja Korozec. Il a juré vengeance. Si, par malheur pour lui, Dimitri croisait de nouveau son chemin, il trouverait la mort entre les petites mains assassines du dernier des Thugs.

Au début des années vingt, les gitans ont émigré en Amérique, abandonnant une Europe dévastée. Après avoir débarqué au Canada en plein cœur de l'hiver, ils sont descendus vers le sud par les routes gelées, et, passant la frontière dans leurs roulottes, ils ont traversé les États-Unis en quête du soleil doré de la Californie.

Son obsession avait radicalement transformé Motilah Bakash. Cela ne l'amusait plus de se promener dans les rues avec les enfants à la recherche de clients pour les diseuses de bonne aventure. Ce qu'il cherchait dans le visage de chaque homme qu'il croisait, c'était celui de Dimitri.

En 1928, la caravane est arrivée à Los Angeles, où elle comptait s'établir pour quelque temps, car les gitans connaissaient l'intérêt des artistes pour les sciences occultes. C'est alors qu'en vaguant dans les rues de Hollywood, Motilah a été abordé par un assistant de production qui cherchait des personnages insolites pour le prochain film de Charlie Chaplin, *Le Cirque*. L'homme était ravi d'être tombé sur Motilah : jamais il n'avait vu un nain aussi parfaitement proportionné – et gitan, de surcroît ! Il lui a donné rendez-vous pour le lendemain, au siège de la United Artists.

Lorsque Motilah est arrivé devant les studios à l'heure convenue, il a craint l'espace d'un instant que son idée fixe et sa fureur vengeresse n'eussent fini par lui brouiller l'esprit : au coin de la rue, marchant à sa rencontre au côté d'un homme dont il devait apprendre plus tard que son nom était George Raft, venait d'apparaître Dimitri Borja Korozec.

Motilah a aussitôt renoncé au rendez-vous et s'est mis à suivre Dimo comme un chien de chasse. Il lui suffirait maintenant de saisir le moment opportun, et Kali, la déesse dévoreuse d'hommes, pourrait s'enivrer du sang de Dimitri.

Mais l'occasion tant espérée ne s'était pas présentée en Californie. Peu importait : Motilah n'était pas pressé. Il s'était confectionné un nouveau *roomal* en soie. Il lui fallait l'avoir à sa disposition en cas d'urgence – par exemple si sa traque l'obligeait à partir en voyage à l'improviste.

Au mois de décembre, Dimitri avait quitté Hollywood pour Chicago. Motilah, qui le suivait en secret dans son habit de Père Noël, était aussitôt monté dans le train avec lui, sans même dire adieu à sa famille gitane.

À Chicago, Dimo était bientôt devenu le compagnon inséparable d'Al Capone et de ses hommes, ce qui avait empêché Bakash d'accomplir sa mission exterminatrice aussi vite qu'il l'eût voulu. Encore une fois, peu importait : le nain avait une patience gigantesque. Faire périr son ennemi était devenu le but sacré de toute sa vie.

La nuit, il rêvait de Mata Hari, son grand amour inavouable. Un cauchemar le tourmentait sans fin : il y voyait Mata Hari qu'on menait à la mort, et tous les soldats du peloton d'exécution avaient le visage de Dimitri.

Après la condamnation d'Al Capone, Motilah Bakash a senti que, enfin, l'heure de la vengeance était venue. Il a remarqué que Dimitri se cachait des membres du gang et l'a surveillé d'encore plus près, sous différents déguisements pour n'être pas reconnu. Et tout à l'heure, quand Dimo a pris le chemin de Union Station, Motilah était sur ses pas, à quelques mètres de distance.

Tandis qu'il attend nerveusement l'heure de monter dans le train, Dimitri jette de fréquents coups d'œil vers l'entrée de la gare. Il ne tient pas à être surpris par un des tueurs à la solde de Frank Nitti. Heureusement, le haut-parleur annonce le départ de l'express pour Miami. Soulagé, Dimo saisit ses bagages, s'avance le long du quai et monte rapidement en voiture. Il ne s'aperçoit même pas qu'un petit garçon en costume marin, portant un cartable et le visage en partie dissimulé par un énorme cache-nez, est monté dans le même wagon. Le petit garçon en costume marin est Motilah Bakash.

Sans avoir conscience du péril, Dimitri prend place dans l'un des confortables compartiments. Le voyage jusqu'à Miami est long, et il souhaite récupérer un peu du sommeil qu'il a perdu la semaine précédente. Au vrai, si grande était son angoisse d'être retrouvé par les hommes d'Al Capone qu'il a passé plusieurs nuits quasi blanches. Mais à présent, plus le long convoi s'éloigne de la ville, plus il se sent en sécurité. Il ne pousse le loquet du compartiment que par acquit de conscience et parce qu'il ne veut pas être dérangé.

Il lui reste de l'argent, car Scarface avait coutume de se montrer généreux avec ceux qui le servaient. Il a emporté dans ses bagages une biographie récemment publiée d'Emma Goldman, une anarchiste russe expulsée des États-Unis aussitôt après la guerre. Il tire le volume de sa malle et se plonge dans sa lecture. Mais il n'a pas encore terminé le premier chapitre qu'il s'endort profondément.

Motilah Bakash s'enferme dans les toilettes au bout du wagon, juste à côté du compartiment de Dimitri. Il se débarrasse de son gros cache-nez et de son costume marin, et prend dans son cartable une longue bande de tissu noir et une tunique indienne dorée achetée au marché aux Puces, à Paris. Sur lui, la courte tunique se transforme en robe sacerdotale. Avec l'habileté acquise au long des années, il enroule l'étoffe noire autour de sa tête pour en faire un turban. De la poche de la tunique, il sort un portefeuille et la photo jaunie de Mata Hari découpée dans un journal français il y a presque quinze ans déjà. Enfin, il extrait du fond du cartable le *roomal*. Puis il fourre dans le cartable son déguisement de petit garçon et son cache-nez, et, ouvrant la fenêtre, jette le tout dans les champs que traversent les voies. Pour finir, il passe l'écharpe autour de son cou et se concentre dans la courte prière que les assassins prêts à frapper adressent à la déesse Kali.

Alors qu'il se dispose à accomplir sa mission vengeresse, Motilah est tout à coup saisi d'un bref accès de coquetterie. Voulant vérifier que sa parure rituelle est impeccable, il se hisse sur la cuvette en faïence et se penche en équilibre instable sur le lavabo pour parvenir à voir son reflet dans le miroir.

C'est à ce moment exact qu'un corpulent commis voyageur du Texas, qui a déjà bu plus de trois litres de bière, pousse violemment la porte des toilettes et fait sauter le loquet. Le battant, arraché de ses gonds par le poids de son énorme corps, est projeté à l'intérieur du petit réduit – ce qui a pour effet de propulser Motilah Bakash par la fenêtre.

Décidément, les forces cosmiques des chemins de fer exercent une influence néfaste sur le karma du nain adorateur de Kali. Le gros homme ne se rend même pas compte de ce qui vient de se passer. Il ouvre sa braguette et, avec un soupir de volupté, épanche longuement sa vessie dilatée.

Le cri strident de Motilah Bakash se confond avec le sifflement de la locomotive.

On sait peu de chose des activités de Dimitri Borja Korozec au cours des deux premières années qu'il passe à Miami. On peut, néanmoins, se faire une idée de son instabilité émotionnelle si l'on considère le nombre de professions qu'il exerce pendant cette brève période. Pour commencer, il se fait engager comme préparateur dans une pharmacie, mais il ne tarde pas à être remercié pour avoir prescrit par inadvertance de l'huile de ricin à une dame qui souffrait de flatulences.

Puis, pendant quelques mois, il fait sans succès du porte-à-porte pour vendre des aspirateurs. Pour montrer le fonctionnement de l'appareil, il ne trouve pas d'argument plus convaincant que de faire gratuitement le ménage aux domiciles de centaines de maîtresses de maison reconnaissantes.

Au milieu de l'année 1932, Adrian Marley, un batteur jamaïcain, persuade Dimitri de s'associer à lui pour la fabrication d'une pommade à défriser les cheveux. Mais l'entreprise est abandonnée quand leurs vies sont gravement menacées par deux Noirs que l'onguent miracle a rendus complètement chauves.

Dimitri travaille ensuite comme chauffeur de camion. Il participe assidûment aux assemblées de la Teamsters Union, le syndicat des camionneurs, avant de se faire rouer de coups par ses collègues pour avoir fait capoter par erreur une grève qu'il avait lui-même organisée.

Il trouve, finalement, un emploi de veilleur de nuit dans une manufacture de chaussures. C'est, pense-t-on, à cette époque qu'il s'affilie à une société secrète formée par des maçons anarchistes, la Ligue de la Brique noire. Et c'est lors d'une des réunions de la Ligue, en janvier 1933, que Dimo fait la connaissance d'un Italien au chômage du nom de Giuseppe Zangara.

Zangara a immédiatement attiré l'attention de Dimitri, qui a cru reconnaître dans l'expression d'enfant perdu, la peau pâle, les cheveux noirs très bouclés et le regard vague accompagné de gestes désordonnés du jeune Italien celui qu'il était quelques années plus tôt. Autre point commun : tous deux sont atteints d'un ulcère à l'estomac, et celui de Giuseppe le fait souffrir constamment.

Dans la soirée du lundi 13 février 1933 se tient une réunion de la Brique noire où l'on discute de la terrible dépression économique qui s'est abattue sur le pays depuis le krach boursier de 1929. La rencontre terminée, les deux nouveaux amis vont manger une soupe dans un petit restaurant de Biscayne Boulevard. La conversation s'engage, et Dimo a tôt fait de remarquer que Zangara divague encore plus que d'habitude :

« L'Oppresseur... Après-demain, murmure-t-il entre ses dents.

– Qu'est-ce que tu dis ?

– Lui... Il sera ici... Ici, après-demain...

– Qui ça, lui ?

– L'Oppresseur, je te dis ! Il arrive des Bahamas... sur un yacht... »

Dimitri comprend aussitôt à qui Giuseppe fait allusion. Il a lu dans les journaux que mercredi, après un séjour aux Bahamas, doit arriver à Miami le président nouvellement élu, Franklin Delano Roosevelt.

« C'est de Roosevelt que tu parles ? » demande-t-il.

Zangara acquiesce de la tête.

« Le président Roosevelt est l'Oppresseur ?

– Tous les présidents sont des oppresseurs... Je hais tous les présidents, tous les gouvernants et tous les riches... », marmonne l'Italien.

Puis il tire de sa poche un pistolet bon marché, calibre 32, acheté dans un mont-de-piété.

« Mercredi, il y aura un oppresseur de moins... »

Dimitri l'oblige à cacher son arme :

« Range ça, Giuseppe. Nous sommes lundi. »

Au fond, l'opinion de Dimitri sur les puissants de ce monde est peu ou prou la même. Et il a été préparé à délivrer le monde des tyrans. Seulement, il ne lui est jamais venu à l'esprit que Roosevelt pût être l'un d'eux. Il suffit pourtant de quelques minutes pour que la logique désarticulée de l'anarchiste italien contamine les pensées point toujours très claires de Dimo. Quelle importance si Roosevelt a été élu par le peuple ? Ne peut-on en dire autant de Mussolini en Italie, de Hitler en Allemagne ? Hitler, Mussolini, Roosevelt : tous des oppresseurs, tous des tyrans.

Le hasard lui a fait découvrir que Zangara est décidé à assassiner le président. Mais lui aussi pourrait le faire ! Il a apporté de Chicago son calibre 45, qui est soigneusement caché dans sa chambre, en haut de l'armoire. Alors, tandis que les deux hommes terminent leur soupe en silence, commence à germer dans son esprit l'idée de prendre à son compte l'assassinat de Franklin Delano Roosevelt.

Miami, mercredi 15 février 1933, 21 h 30

L'élégante limousine décapotable ralentit et se gare sur une place du centre-ville. Assis sur la banquette arrière, le nouveau président, souriant et bronzé après sa traversée en yacht, adresse un petit discours aux vingt mille personnes qui se sont rassemblées pour l'applaudir. Il leur parle surtout du New Deal, l'extraordinaire plan de sauvetage économique qui doit mettre un terme à la dépression.

Indifférent à l'événement, un mendiant affamé du nom de Tobias O'Leary est occupé à voler discrètement une banane à l'étal d'une marchande des quatre-saisons.

À trois mètres de distance, Giuseppe Zangara, son arme chargée, s'apprête à monter sur un banc de la place pour voir plus nettement sa cible.

Entre Zangara et le mendiant surgit tout à coup une femme en robe imprimée et aux cheveux coiffés à la diable. Elle avance sur ses talons hauts d'une démarche mal assurée. Elle ouvre son sac à main déformé par quelque chose d'anormalement lourd et volumineux, et en vérifie le contenu. Dans le sac : un automatique calibre 45 comme en utilisent les gangsters de Chicago. La femme qui a du mal à garder l'équilibre sur ses talons est Dimitri Borja Korozec portant une perruque.

Ayant réussi à dérober la banane convoitée, le mendiant Tobias O'Leary s'éloigne de l'étal et va se cacher derrière un arbre pour être hors de vue de la marchande. L'arbre qu'il choisit se trouve entre Dimitri, qui s'avance dans sa direction, et le banc sur lequel Zangara vient de monter, son pistolet à la main.

Tout ce qui suit se produit simultanément, dans une synchronie artistement architecturée par le hasard.

Le mendiant mange sa banane avec avidité, puis jette la peau par terre. Zangara, de son banc, crie : « Le peuple crève de faim ! » Dimo, à un pas de lui et déjà à demi déséquilibré à cause de ses talons, marche sur la peau de banane, glisse et s'en va heurter Zangara, levant les bras pour se raccrocher à lui. Son lourd sac à main heurte violemment le poignet de l'Italien à l'instant où cinq tirs consécutifs partent de son pistolet, ce qui a pour effet de dévier la trajectoire des balles. En conséquence, plusieurs personnes sont blessées et le maire de Miami, Anton Cermak, qui se tenait debout à côté de la limousine, s'effondre, mortellement atteint.

Grâce à la glissade de Dimitri, Franklin Delano Roosevelt échappe à l'attentat sans une égratignure.

Le lendemain, jeudi 16 février, toute la presse fait ses gros titres de la même nouvelle :

UNE FEMME MYSTÉRIEUSE DÉVIE LE TIR DE L'ASSASSIN

Mayor Anton J. Cermak of Chicago

MYSTERIOUS WOMAN DIVERTED AIM OF ASSASSIN

HELD ON DURING SHOOTING

Gun Had Been Pointed Right at Mr. Roosevelt 15 Feet Away.

MIAMI, Fla., Feb. 15.—She probably saved the life of the President tonight when she forced the would-be assassin's shooting arm upward and caused the bullets to go high.

Fac-similé de la manchette d'un journal de Floride.

On peut donc affirmer sans crainte d'exagérer que Dimitri Borja Korozec est indirectement à l'origine du succès du New Deal.

Miami, vendredi 7 juin 1935

Passage extrait du manuscrit incomplet *Souvenirs et trous de mémoire : notes pour une autobiographie* :

Je fête aujourd'hui mes trente-huit ans, mais je ne vois pas grand-chose à célébrer. Jusqu'ici, le sort a systématiquement voulu que je manquasse mes rendez-vous avec le destin. Rien n'a réussi. Seule mon incommensurable opiniâtreté m'oblige à demeurer fidèle aux idéaux de ma jeunesse.

Le sourire de Roosevelt, son fume-cigarette

entre les dents, continue de troubler mes rêves. Les dieux des assassins ne doivent plus avoir pour moi que mépris depuis que j'ai sauvé ma propre victime.

Parfois, je me demande si je n'aurais pas mieux fait de ne jamais quitter l'Europe. L'an dernier, à Marseille, un groupe de terroristes croates est parvenu à abattre le roi Alexandre de Yougoslavie. Deux d'entre eux avaient étudié avec moi à la Skola Atentora.

Je me sens seul. Bien sûr, j'ai eu plusieurs aventures amoureuses – et du reste, j'ai renoncé à comprendre l'étrange attirance que j'exerce sur les femmes –, mais je m'efforce de ne jamais m'investir sentimentalement. La vie errante que je continue de mener ne me permet pas de liaisons autres que superficielles.

Il y a six mois, j'ai cru avoir rencontré la compagne idéale en la personne de Helen Murray, une dresseuse de chevaux dissidente du Parti communiste américain. J'ai été séduit par ses cheveux blonds, ses seins dodus, ses cuisses fermes et, par-dessus tout, son intérêt pour les idées anarchistes.

Helen était venue de New York pour oublier une passion tumultueuse qu'elle avait vécue jusqu'en décembre avec Victor Allen Barron, un militant de l'Internationale syndicale rouge. Par elle, j'ai su qu'il était parti pour Rio de Janeiro, où les communistes préparent une révolution avec à leur tête un certain Luís Carlos Prestes. Barron a étudié l'électronique et la radiotélégraphie à Moscou et il est donc prévu qu'il deviendra le responsable des communications, chargé de mettre sur pied une station de radio clandestine.

Quant à Helen, il y avait malheureusement en elle quelque chose qui me gênait terriblement et a fini par mettre un terme à nos relations. Chaque fois qu'elle atteignait la jouissance, elle criait de toute la force de ses poumons : « Prolétaires de tous les pays, unissez-vous ! »

Toutefois, depuis que j'ai appris le soulèvement qui se prépare, il m'arrive souvent de sentir renaître en moi le désir enthousiaste de connaître le Brésil. Qui sait ? Peut-être les vraies occasions d'accomplir enfin ma mission meurtrière se présenteront-elles sur la terre natale de ma mère bien-aimée.

Cette fois, c'est avec toute la minutie dont il est capable que Dimitri Borja Korozec se prépare au voyage dont il espère ardemment qu'il transformera sa vie. Il s'est toujours obstinément refusé à dépenser une seule des livres sterling en or jadis offertes par Dragutin, et il est décidé à les conserver encore comme ultime recours, car il n'a pas la moindre idée de ce que l'avenir lui réserve.

En ces années, un nouveau moyen de transport commence à raccourcir les distances : l'avion. Des entreprises de transport étendent désormais sur le monde un ret de lignes aériennes et diminuent la taille de la planète. Parmi elles, la Pan American World Airways ; et parmi ses filiales, la Panair do Brasil. Une de ses lignes relie en huit escales Miami à Rio de Janeiro. Dimitri se fait engager comme porteur au service du tri des bagages. Cinq mois durant, il étudie le remplissage des soutes à bagages et le fonctionnement interne de la Panair.

Il apprend aussi tout ce qu'il peut mémoriser sur le Brésil en fréquentant quotidiennement la bibliothèque municipale. Félix Ortega, un camarade de la Ligue de la Brique noire natif du Mexique, lui fournit de surcroît une lettre pour deux anarchistes d'origine basque, les jumeaux Samariego, qui travaillent comme confiseurs à la Confeitaria Colombo, dans le vieux centre de Rio.

Dimo prépare sa valise, mais décide de n'emporter que le strict nécessaire ; il y glisse son automatique 45, avec les dollars qui lui restent, et va la cacher – enveloppée d'une épaisse couverture – dans le hangar de la compagnie. Il ne lui restera plus, le jour du voyage, qu'à remplir un sac d'aliments en conserve et de bouteilles d'eau, et il sera prêt à partir.

Le parcours Miami-Rio est effectué par un Sikorsky S-42, un hydravion de trente-deux places surnommé le « Brazilian Clipper », qui décolle de l'embarcadère de Dinner Key et se pose quelques jours plus tard à la pointe du Calabouço, à Rio, presque en face de l'ilha Fiscal.

Grâce à son emploi de porteur et à sa combinaison aux couleurs de la Pan American, Dimitri compte bien tromper la surveillance des vigiles et réussir à se cacher dans le compartiment destiné aux bagages à l'arrière du puissant quadrimoteur. Il attend, impatient, le premier vol assez peu chargé pour que malles et valises lui laissent assez d'espace dans l'étroit local.

L'occasion tant espérée se présente enfin, le 24 novembre 1935. Ce jour-là, le Sikorsky S-42 s'élève au-dessus des flots en emportant vers le Brésil vingt-trois voyageurs dûment munis de billets et un passager clandestin : Dimitri Borja Korozec.

8

Brésil, Rio de Janeiro, 28 novembre 1935

Ville merveilleuse
Emplie de mille enchantements...
Ville merveilleuse
Cœur de mon Brésil !

À bord de l'avion, les Brésiliens qui rentrent au pays chantent avec allégresse la petite marche d'André Filho devenue l'hymne de Rio de Janeiro. Le « Brazilian Clipper » contourne le Christ rédempteur et, tel un grand albatros, se pose sur les eaux tièdes et nonchalantes de la baie de Guanabara. L'aéroplane s'amarre au pont mobile de la pointe du Cabelouço, et les passagers commencent à débarquer après l'épuisant voyage.

Dans le compartiment aux bagages, Dimitri repousse la couverture qui l'a protégé du froid, étire ses jambes et ses bras engourdis et se prépare à quitter sa cachette. Il se recroqueville dans le fond, empilant malles et valises devant lui ; puis, lorsque le personnel au sol sort avec les premiers bagages, il saisit quelques valises, dont la sienne, et se mêle discrètement aux autres porteurs.

Dès le moment où il pose le pied sur la terre brésilienne, Dimo tombe amoureux de la ville qu'il découvre. Le Pain de Sucre l'enchante. Il lui fait songer à un sphinx naturel qui serait né dans un resplendissant berceau. Des hauteurs du Corcovado, les bras étendus du *Christ* paraissent bénir sa venue.

Il observe, fasciné, tout ce qui l'entoure et, les yeux éblouis par le paysage, rejoint presque sans penser la praça Marechal Âncora. Les hommes et les femmes qui marchent à son côté se meuvent comme si tout leur corps vibrait d'un rythme sensuel, on sent comme une ondulation voluptueuse dans chacun de leurs pas. Sans même s'en rendre compte, Dimo se met aussitôt à imiter leur démarche chaloupée. Le soleil de l'après-midi brûle encore son visage, une sueur chaude inonde lentement son corps, mais il trouve plaisir à cette sensation de moiteur tropicale, et, déjà, il sent en lui la pulsation plus forte du sang mulâtre qui court dans ses veines. Caché derrière un arbuste, il ôte rapidement la combinaison de toile de la Pan American qui couvre ses vêtements et la jette sous un banc de la place. Puis il demande à un jeune homme qui passe, en l'attrapant par le bras, où se trouve la Confeitaria Colombo. Le jeune homme sursaute et regarde anxieusement de droite et de gauche.

« Rua Gonçalves Dias, entre la rua Sete de Setembro et la rua do Ouvidor », répond-il, avec un accent mélodieux que Dimo n'a jamais entendu. Puis il s'éloigne en toute hâte.

Son air inquiet lorsqu'il a répondu intrigue Dimitri. Comment une question aussi banale a-t-elle pu lui causer tant d'alarme ? Il ignore que la révolution communiste qui l'a amené au Brésil a été déclenchée dans la nuit, et qu'en moins de douze heures elle a fait long feu.

Il ignore également que le jeune homme étrangement nerveux auquel il a demandé l'adresse de la Confeitaria est un jeune écrivain de gauche natif de Bahia qui vient d'entrer dans la clandestinité, et que son nom est Jorge Amado.

C'est en traversant la rua Primeiro de Março que Dimitri perçoit le climat de guerre qui alourdit l'air de Rio. Des troupes armées parcourent les rues dans des véhicules militaires ou des autocars civils. Après avoir de nouveau demandé son chemin, il aperçoit enfin la Confeitaria Colombo.

Fondé en 1894, l'établissement, un des plus raffinés de la capitale, est vite devenu un des rendez-vous favoris du monde élégant, ainsi que des personnalités politiques et intellectuelles de Rio de Janeiro. Sa décoration rappelle celle des meilleures maisons françaises, et ses gâteaux, ses tartes et ses petits-fours n'ont rien à envier aux délicates productions des grands pâtissiers européens. Dès qu'il a franchi le seuil, Dimitri se dirige vers un des garçons de salle et demande les frères Samariego.

Julio et Carlos Samariego ont émigré au Brésil en 1928, fuyant le Mexique où ils ont été impliqués dans l'assassinat du président Obregón. Ils se sont d'abord fixés à Porto Alegre, dans l'État du Rio Grande do Sul, où ils ont travaillé dans une fabrique de biscuits. Ils se sont adaptés avec enthousiasme aux us et coutumes de leur terre d'accueil, et n'ont pas tardé à prendre une part active aux mouvements politiques.

En 1930, l'élan de la révolution les a poussés à venir s'établir à Rio. Bien qu'ils soient d'origine basque, on les reconnaît dans deux des gauchos qui attachèrent leurs chevaux à l'obélisque de l'avenida Rio Branco pour célébrer la victoire.

En déçus du messianisme des leaders révolutionnaires, ils se sont ensuite éloignés de leurs compagnons pour retourner à leurs activités pâtissières. Leurs dons en ce domaine leur

Les deux flèches désignent les frères Samariego devant l'obélisque, arborant encore des sombreros mexicains.

ont valu d'obtenir la situation convoitée de confiseurs dans la prestigieuse Confeitaria Colombo.

Les jumeaux Samariego se ressemblent comme deux gouttes d'eau. Trapus et noirauds, ils portent la même épaisse moustache, qu'ils ont laissée pousser du temps où ils vivaient au Mexique. Dans leur jeunesse à Galdácano, ils avaient coutume de faire tourner en bourrique les coiffeurs de la ville. Julio s'asseyait dans un fauteuil pour se faire couper les cheveux et prévenait :

« Comme je suis musulman, vous devez tourner ce fauteuil dans la direction de La Mecque. Sinon, mes cheveux repoussent en dix minutes. »

Le coiffeur ne prêtait aucune attention à cette absurdité. Quand il avait fini d'activer ses ciseaux, Julio l'avertissait une seconde fois :

« Si mes cheveux repoussent, tant pis pour vous. Vous n'aurez plus qu'à les couper de nouveau gratuitement ! »

Il quittait la boutique et, dix minutes plus tard, Carlos entrait avec ses cheveux qui n'avaient pas vu le coiffeur depuis des semaines :

« Qu'est-ce que je vous avais dit ? »

Ahuri et confus, le malheureux coiffeur recommençait son travail sans réclamer un sou.

Les deux hommes reçoivent Dimitri dans l'entresol qui sert de vestiaire aux employés. Ils portent la traditionnelle tenue blanche des pâtissiers.

Julio et Carlos ont la fâcheuse habitude de se contredire sans cesse. Le premier lit la lettre remise à Dimitri par son ami de la Brique noire, puis déclare :

« Je me souviens très bien de cet Ortega. C'est un petit gros.

– Mais non, rétorque aussitôt Carlos. Ortega est grand et maigre. »

Commence alors une prise de bec dans un curieux charabia – probablement du basque, suppose Dimitri. Finalement, ils se retournent vers lui et lui demandent :

« Dis-nous : Ortega est-il petit et gros…

– … ou bien grand et maigre ?

– Tout ça à la fois », répond Dimitri, qui n'a pas envie de mécontenter l'un ou l'autre.

Considérant l'affaire comme réglée, Julio lui rend la lettre :

« Peu importe. Ce qui est sûr, c'est que tu es arrivé trop tard. Le soulèvement a échoué. Il a commencé à trois heures du matin et, à une heure et demie, tout était fini. On a arrêté le capitaine Agildo Barata, qui était chargé de déclencher l'insurrection à la caserne de la plage Vermelha, et la chasse est ouverte pour retrouver Prestes et les autres chefs révolutionnaires. L'état de siège a immédiatement été déclaré et le pays entier est sur le pied de guerre !

– Le pire, ajoute sombrement Carlos, c'est que Getúlio a donné carte blanche au chef de la police Filinto Müller. Et les sbires de Filinto emploient des méthodes qui auraient de quoi faire envie aux hommes de la Gestapo. Pour un type comme toi, ce n'est pas le moment idéal pour découvrir la *Cidade Maravilhosa*[9]. »

Un profond abattement s'empare de Dimitri. Décidément, le destin s'obstine à l'envoyer au bon endroit au mauvais moment. Les jumeaux tentent de le réconforter :

« Du calme, mon garçon. L'important, maintenant, c'est de ne pas se décourager.

– Il a raison. Comme disait Bakounine, le désespoir frappe seulement ceux qui ne comprennent pas les causes du mal, ne voient aucune issue et ne savent pas lutter, déclare Julio.

– Très juste. Sauf que c'est Kropotkine qui l'a dit, corrige Carlos.

– Non. Bakounine, s'entête Julio.

– Non. Kropotkine !

– Bakounine !

– Kropotkine ! !

– Bakounine ! ! »

Devant Dimitri accablé, les deux frères s'engagent dans une autre véhémente discussion en basque.

« C'est Lénine. Le véritable auteur de la citation est Lénine », prononce Dimitri, interrompant l'algarade.

Rassérénés, les jumeaux tentent d'analyser la situation et concluent que, pour le moment, il n'y a rien à faire sinon attendre.

Ils trouvent pour Dimitri un logement dans une petite pension de la rua do Catete, et, une semaine plus tard, faisant jouer leurs relations dans les mouvements révolutionnaires clandestins, lui décrochent un emploi d'ambulancier à l'Assistance publique municipale. Pour ce faire, ils lui font aussi fabriquer de faux papiers. Outre son passeport français portant le nom de Jacques Dupont, Dimo en possède maintenant un autre. Dès lors, il ne s'appelle plus Dimitri Borja Korozec, mais Demétrio Borja, citoyen brésilien, célibataire et natif de Vassouras, une petite ville côtière au nord de Rio.

Rio de Janeiro, Jornal do Commercio,
14 décembre 1935

Salut à toi ! ô vaillant fils de São Borja,
Pour ta fière et héroïque décision
De prendre les communistes à la gorge
Dans ta forte main prompte et inexorable.

L'homme au cœur forgé dans le civisme
Qui tient si fermement la barre et le timon
Ne pouvait trembler devant cette canaille
Ni se soumettre aux misérables, non !

Stipendiés des Russes cupides,
Ils voulaient nous réduire à une colonie
D'un pays slave, cruel et glacé.

Ils ont assassiné frénétiquement,
Mais la main du président a sauvé
L'inviolable gloire nationale !

Ce sonnet de Geraldo Rochas en hommage à Getúlio Vargas donne une idée du climat qui règne dans la capitale brésilienne après la tentative d'insurrection. L'état de guerre a été déclaré, ce qui a encore aggravé la répression. Dimitri, quant à lui, s'efforce à la discrétion la plus absolue. Il ne sort que rarement de la pension de la rua do Catete – dont la propriétaire, une jeune veuve charmante qu'on appelle dona Pequetita, est aussitôt tombée amoureuse de lui. Il se rend chaque jour à l'hôpital, où tous le tiennent pour un employé modèle.

Redoutant d'être arrêté et fouillé, il a caché son ceinturon rempli de pièces d'or dans une cavité creusée dans le marbre d'une des lourdes tables d'autopsie de la morgue, cavité qu'il a ensuite rebouchée avec du plâtre subtilisé à l'infirmerie des urgences. Il travaille depuis moins d'un mois au poste de premiers secours de la praça da República, où il s'est facilement fait des amis. Son air candide et sans défense le rend sympathique aux infirmières et aux médecins, et ses collègues ambulanciers l'ont tout de suite accueilli d'autant plus chaleureusement qu'il n'a pas de famille et, pour cette raison, se déclare toujours volontaire pour assurer les gardes dont personne ne veut – comme à Noël, la veille du jour où nous le retrouvons. « On peut toujours compter sur "o Borja" », dit-on dans les couloirs, en désignant Dimitri par son nouveau nom usuel.

Ce jeudi 26 décembre, après sa permanence, Dimitri, qui ne sait guère où aller, s'attarde à l'hôpital. Avide de nouvelles fraîches, il pose à tous ceux qu'il croise des questions apparemment distraites. Les rumeurs sont nombreuses : Luís Carlos Prestes aurait fui le pays, du nord au sud plusieurs bataillons de l'armée se seraient mutinés, Moscou financerait les insurgés à coups de millions de dollars et aurait des centaines d'agents infiltrés au Brésil… Les plus lucides font observer que, si le soutien de l'Internationale communiste était aussi puissant qu'on le prétend, on voit mal comment la révolution aurait pu échouer.

Vers deux heures du matin, le chef des ambulanciers interpelle Dimitri :

« Borja, tu es encore là ? Alors, prends une voiture et va chercher le docteur Otelo Neves à Ipanema. »

Dimo s'exécute et, à trois heures et demie, revient vers l'hôpital avec à son côté un jeune médecin originaire du Minas Gerais installé depuis peu à Rio. Au moment où la voiture s'engage dans la rua Prudente de Morais, le docteur Neves désigne une jeune femme blonde qui marche sur le trottoir :

« Borja, regarde quelle belle fille. Elle a l'air d'une étrangère. »

Dimitri ralentit pour que tous deux puissent mieux admirer la jolie blonde. Aussitôt, ils remarquent quelque chose de bizarre dans sa manière d'aller et venir.

« C'est curieux, dit Neves. Elle est arrivée au coin de la rue, elle s'est arrêtée, elle a fait demi-tour et elle est repartie en courant… »

Poussé par la curiosité, Dimitri gare son ambulance :

« Si vous permettez, docteur, je vais voir si quelque chose ne va pas. »

Avant que Neves puisse le retenir, Dimitri saute de voiture et tourne au coin de la rua Paul Redfern pour voir ce qui a tant effrayé la jeune femme. Le spectacle qui se présente à ses yeux le remplit d'horreur. Trois limousines sont arrêtées devant le numéro 33. Du premier étage de la maison, des individus jettent par la fenêtre des livres et des paquets, cependant que d'autres, armés, poussent un couple à l'intérieur d'un des véhicules à coups de pied et de poing. L'homme est corpulent, très blond et couvert de sang. La femme est maigre, elle a la peau claire et les cheveux châtains. Dimitri juge rapidement la situation : « Ils se sont fait agresser, et maintenant on les enlève », imagine-t-il. Sans y réfléchir à deux fois, il court, se jette sur les assaillants, en frappe un violemment au visage. Mais les autres ont tôt fait de se saisir de lui. Immobilisé, il appelle au secours :

« Police ! Police ! »

Un des hommes daigne répondre :

« Eh oui, c'est la police. Qui croyais-tu que c'était, hein ? Ordure de communiste ! »

Deux autres policiers poussent Dimo dans une des voitures. Les trois véhicules démarrent en même temps et s'éloignent à toute allure, faisant crisser leurs pneus.

Assis dans l'ambulance, le docteur Neves ne peut qu'observer la scène, impuissant devant cette brutalité. Sans le savoir, Dimitri a tenté d'empêcher l'arrestation d'Arthur Ewert et de son épouse Elise Saborovsky, deux agents importants du Komintern envoyés par Moscou pour aider les forces d'insurrection. La police fasciste de Filinto Müller a toutefois laissé échapper une proie de toute première importance : la belle jeune femme blonde qui est parvenue à s'enfuir en courant vers la rua Leblon n'est autre qu'Olga Benario, communiste juive d'origine allemande et femme du chef révolutionnaire Luís Carlos Prestes.

***

L'ami, pourquoi es-tu si saoul ?
Tu bois, tu bois depuis des heures !
Si c'est pour une femme que tu pleures,
Leur amour ne vaut pas deux sous !

Au petit matin du 26 février, mercredi des Cendres, les prisonniers de la maison d'arrêt de la rua Frei Caneca écoutent au loin quelques fêtards retardataires et avinés qui passent en chantant le grand succès de Rubens Soares, sur toutes les lèvres en ce carnaval de 1936. Le règne du roi Momo s'est achevé aussi tristement qu'il avait commencé : bals surveillés, masques interdits, banquets et répétitions des troupes dansantes soumis à des horaires contrôlés. Seules les festivités de rues ont conservé quelque chose de l'allégresse contagieuse si typique du carnaval à Rio. Pour étouffante que soit la tyrannie, l'âme du peuple, au moins, reste libre.

Depuis novembre, des centaines de civils communistes ou anarchistes, innocents ou simplement ennemis de Getúlio, ont été arrêtés et rassemblés dans le pavillon des Primários. Réservé à l'origine aux délinquants primaires – d'où son nom – le pavillon a été évacué pour recevoir les prisonniers politiques. Parmi eux, Dimitri Borja Korozec, « o Borja », incarcéré avec des personnages plus illustres, tel Aparício Torelli, baron de Itararé, humoriste plus connu sous le nom d'Aporelly. Ses critiques à l'encontre du gouvernement dans le journal *A Manha* ont été jugées hautement subversives par le chef de la police, dont le sens de l'humour n'a rien à envier à celui de Himmler. Le fait est que le baron satiriste s'est rendu coupable d'une provocation caractérisée : après que les sbires de Filinto Müller eurent envahi la rédaction du journal et lâchement passé à tabac ses collègues, il a osé accrocher à la porte un écriteau avec l'inscription : « Entrez sans frapper. »

Entre eux, les détenus parlent souvent des terribles tortures pratiquées par les argousins du pouvoir dans les sous-sols de la prison. Ainsi a-t-on appris qu'ils avaient enfoncé un fil de fer dans l'urètre d'Arthur Ewert, puis chauffé au rouge la partie qui dépassait avec un chalumeau. Sa femme, Elise, a eu les pointes des seins complètement brûlées avec des cigares avant d'être violée par des dizaines de soldats sous les yeux de son mari.

Dimo a eu la chance d'échapper à ces supplices, car il a pu se débarrasser de sa carte d'ambulancier et s'est présenté sous le nom de Jacques Dupont, citoyen français. Son histoire – il ne s'est mêlé à l'échauffourée que parce qu'il croyait assister à un enlèvement, attendu que les policiers étaient en civil et circulaient en véhicules banalisés – n'a guère convaincu, mais comme ils n'avaient sur son compte aucune trace d'activités subversives antérieures, les nervis du terrible Filinto, craignant de surcroît un incident diplomatique, ont préféré remettre son affaire à plus tard. Il y avait des gens plus intéressants à torturer.

Au pavillon des Primários, Dimitri a tout appris sur la vie de Vargas de la bouche de ses compagnons d'infortune. Il a découvert avec ébahissement les liens du sang qui les unissent. Ainsi donc, Getúlio est le fils du vieux général gaucho Manuel Vargas, dont sa mère lui a tant parlé – et, partant, son oncle naturel. Il a gardé le secret sur cette révélation, de crainte que ses compagnons ne crussent que la prison lui avait fait perdre la raison, comme c'était arrivé à Ewert.

Mais, à partir de cet instant, il a voué au dictateur une haine mortelle. Désormais, il n'a plus le moindre doute sur la vraie mission qui justifie sa vie. Lui, Dimitri Borja Korozec, est né dans la lointaine Bosnie pour tuer Getúlio Vargas.

***

Dans les premiers jours de mars, une nouvelle se répand comme une traînée de poudre à l'intérieur de la prison : Luís Carlos Prestes et sa femme Olga Benario ont été arrêtés dans le quartier de Méier et incarcérés[10], mais sans qu'on sache où. De fait, Dimitri ne les a jamais rencontrés ici, dans la prison de la rua Frei Caneca.

On apprend aussi que certains détenus seront prochainement transférés sur le *Pedro I,* navire transformé en prison militaire. La plupart se réjouissent à l'idée de quitter les sordides et sombres cellules où ils s'entassent pour la clarté du soleil et le ciel ouvert. D'autres s'inquiètent d'être séparés de leurs femmes ou compagnes, séquestrées au second étage du pavillon.

Le *Pedro I,* qu'on pouvait naguère apercevoir au large de la plage du Flamengo, mouille désormais à un kilomètre de l'ilha do Governador. Tout cela, les prisonniers en sont informés grâce à un ingénieux système de communication inventé par Dimitri. Celui-ci a constaté que, si l'eau des cabinets restait à son niveau minimal, le son se propageait de cellule en cellule par la tuyauterie. Le secret résidait dans le maniement des cordons de chasse d'eau, qui devait être exécuté avec une précision d'orfèvre.

C'est ainsi que, dans la nuit du 11, on pouvait entendre la conversation suivante par l'intermédiaire du téléphone coprologique :

« Le premier groupe de détenus sera transféré demain sur le *Pedro I*. À vous.

– Connaît-on les noms de ceux qui partent ? À vous.

– J'ai ici une liste que j'ai obtenue en achetant le gardien Saraiva. À vous.

– Lisez, je vous écoute. À vous.

– Les premiers à partir sont Borja... »

À cet instant, un étourdi a la mauvaise idée de tirer la chasse dans une des cellules et le reste des noms est noyé dans les gargouillements de l'eau. Dimo est le seul à savoir que cette nuit sera la dernière qu'il passera dans la prison de la rua Frei Caneca.

***

Comparé aux fétides cachots du pavillon des Primários, le navire-prison *Pedro I* est presque une colonie de vacances. Les détenus, civils et militaires, peuvent bavarder entre eux, circuler sur le pont et respirer l'air marin. Ce qui ne diffère aucunement d'une prison à l'autre est la nourriture, infecte ici comme là-bas. Les repas sont servis dans l'immense salle à manger, où les nappes d'une saleté immonde inspirent à Aporelly, le baron de Itararé, ce commentaire narquois :

« Ces nappes sont encore plus sales que la conscience de Getúlio. »

C'est lui aussi qui fait applaudir son sens de la repartie dans ce qui restera connu comme « l'affaire de la queue de morue ».

Un jour, on apporte à table une queue de morue aux trois quarts décomposée et puant la pourriture. Une délégation de prisonniers exaspérés va se plaindre au capitaine, qui envoie un lieutenant s'occuper de cette affaire. Le lieutenant entre dans le réfectoire et jette un coup d'œil dans la marmite fumante, où la chair du poisson flotte dans son bouillon :

« Je ne vois rien à lui reprocher, à cette queue de morue. »

Et Aporelly de rétorquer du tac au tac :

« On ne vous demande pas de voir, on vous demande de manger. »

Le lieutenant quitte la salle, indigné, tandis que les détenus jettent leurs assiettes en l'air.

Maintenant que l'idée de tuer Vargas s'est enracinée dans son esprit, Dimitri Korozec, « o Borja », ne pense qu'à s'évader pour mettre son projet à exécution. Depuis le début, il a du mal à s'unir à l'une ou l'autre des factions qui divisent les prisonniers du *Pedro I*. Personne ne le connaît puisqu'il n'a jamais participé à aucun mouvement révolutionnaire au Brésil. Il s'ensuit que les communistes le croient trotskiste, les trotskistes s'imaginent qu'il est anarchiste et les anarchistes sont simplement convaincus qu'il est fou.

Toutefois, la sympathie naturelle qu'il inspire et le fait que ses compagnons de la rua Frei Caneca l'ont présenté comme l'inventeur du latrinophone finissent par vaincre toutes les résistances.

Dans les premiers jours d'avril, d'accord avec un officier de marine, le commandant Roberto Sisson, il commence à manigancer un plan d'évasion. Beaucoup des détenus se joignent avec enthousiasme à l'entreprise. Sisson dessine un plan de l'ilha do Governador, et, à la tombée de la nuit, le petit groupe de comploteurs se réunit en cachette pour discuter de la meilleure manière de rejoindre les rivages de l'île.

« Le mieux serait de mettre les canots à l'eau, déclare Roberto Sisson.

– Tu es fou ? Le bruit alertera tout de suite les gardiens, lui rétorque Tourinho, un jeune lieutenant peu soucieux de la hiérarchie.

– Oui, mais si nous commencions par ligoter les gardiens ? s'entête Sisson.

– Impossible, réplique Tourinho. Il suffirait qu'un seul donne l'alarme, et nous serions immédiatement découverts. »

C'est alors que Dimitri suggère la solution la plus évidente :

« À la nage. Nous n'avons qu'à fuir à la nage.

– À la nage ? L'île est à plus d'un mille, et nous sommes au large ! » s'inquiète Sisson.

Un autre participant intervient :

« Borja a raison. À la nage, c'est le seul moyen. »

Sisson n'est décidément pas d'accord :

« Personnellement, je trouve qu'à la nage…

– Ce sera à la nage, et vite, encore ! » coupe Tourinho.

Dimo précise son idée :

« Nous n'aurons qu'à lancer des cordes jusqu'à l'eau et descendre sans faire de bruit. Nous le ferons de nuit. La nuit, la surveillance est moins stricte.

– D'accord. Quand partons-nous ? interroge un officier.

– Le plus tôt sera le mieux. Demain, nous nous arrangerons pour voler des cordes et nous filerons la nuit suivante.

– Et vers quelle plage nagerons-nous ? questionne un autre détenu.

– Laissez-moi en décider. Je vais étudier la carte avec soin et, le moment venu, vous n'aurez qu'à me suivre. »

Le groupe se disperse, laissant Dimitri seul avec ses pensées assassines. Il se penche sur la carte et examine attentivement les différentes plages de l'île. Mais cette évasion n'est qu'un premier pas. Pour lui, les jours du dictateur sont désormais comptés.

Au petit matin du jour fixé, les fugitifs se laissent glisser silencieusement le long de la coque du *Pedro I* et s'éloignent en fendant les eaux sombres de l'océan.

Après avoir nagé pendant trois heures, non sans de multiples haltes où ils ont fait la planche pour se reposer, le groupe d'hommes guidé par Dimitri met enfin pied sur l'ilha do Governador. Épuisés, mais fous de joie d'avoir réussi leur prouesse, ils s'embrassent avec effusion et se roulent dans le sable fin, en acclamant avec enthousiasme l'instigateur de leur fuite : « Vive Borja ! », « O Borjinha est le plus grand ! »

Subitement, les manifestations d'allégresse sont interrompues par une sirène et par des faisceaux de projecteurs qui balaient l'étendue de la plage. Une des lumières se braque sur le visage de Dimo. Tous s'immobilisent, raides comme des statues. Par une cruelle coïncidence, Dimitri et ses compagnons ont abordé très exactement sur la partie de l'île où se trouve une base de fusiliers marins. Le plan soigneusement élaboré est un échec sur toute la ligne. Seuls deux des évadés échapperont aux recherches des fusiliers : le lieutenant Tourinho, excellent nageur, qui a préféré se diriger vers la plage de Maria Angu, à trois kilomètres de là, et le commandant Roberto Sisson. À peine celui-ci avait-il touché l'eau qu'il est remonté en hâte à bord du bateau – décision somme toute assez sage, car, bien qu'il fût officier de marine, Sisson ne savait pas nager.

9

Dans la pension du [illegible] la jeune veuve María Eugenia Pequeña — plus [illegible]

[illegible]

Pequeña se [illegible] devant le grand miroir de la salle de bains. Avec une sorte de [illegible] elle [illegible] d'une main caressante ses seins [illegible] aux tétons rosés, ses [illegible] et ses [illegible]. Tous se demandent pourquoi une femme aussi jolie reste depuis si longtemps sans compagnon.

La vérité est que María Eugenia, veuve depuis quatre ans, demeure fidèle au souvenir de son mari

9

Rio de Janeiro, mardi 2 juin 1936

Dans la pension du 25, rua do Catete, la jeune veuve Maria Eugênia Pequeno – plus connue sous le surnom de Pequetita – rentre se protéger de l'averse. Clairvoyante et ingénieuse, Maria Eugênia a fait construire sur le toit de la maison un grand réservoir d'eau de pluie d'une contenance de deux mille litres, excellente solution au problème de pénurie d'eau qui accable en permanence la ville de Rio.

Pequetita paraît moins que ses trente ans. Les bains de mer sur la plage de Botafogo, la gymnastique danoise mise à la mode par le professeur Müller qu'elle pratique tous les jours entretiennent la fermeté et le hâle de son corps juvénile. Ses yeux en amande, ses pommettes hautes et saillantes et ses cheveux noirs serrés en chignon trahissent le sang arabe de ses ancêtres portugais natifs de l'Algarve. Sur son visage coloré à la peau douce comme une pêche se détachent des lèvres pulpeuses et gracieusement dessinées. Il émane de la jeune veuve une aura de sensualité qu'elle s'efforce de dissimuler, bien en vain.

Pequetita se sèche lentement devant le grand miroir de la salle de bains. Avec une serviette en lin, elle frictionne d'une main caressante ses seins lourds et fermes, aux tétons rosés, ses cuisses charnues et ses fesses rondes. Tous se demandent pourquoi une femme aussi jolie reste depuis si longtemps sans compagnon.

La vérité est que Maria Eugênia, veuve depuis quatre ans, demeure fidèle au souvenir de son mari défunt. Túlio Pequeno est mort de la tuberculose en 1932. Il exerçait le métier de courtier en assurances et sa vie était dominée par deux passions : Pequetita et l'opéra. Au reste, il chantait régulièrement dans les chœurs du Teatro Municipal, et c'est au cours d'une représentation d'*Aida* qu'il avait été pris en scène de crachements de sang, avant de succomber quelques jours plus tard. Ses habitudes professionnelles l'avaient conduit à souscrire une assurance vie grâce à laquelle Pequetita avait pu acheter un entresol rua do Catete et le transformer en pension. Maria Eugênia administrait son petit établissement avec grande compétence et se montrait toujours efficace et pleine de sens pratique. Sans enfants ni proches parents, elle se réfugiait dans la lecture des romans de Rafael Sabatini et d'Alexandre Dumas. Toute seule, elle s'imaginait volontiers des aventures amoureuses avec les héros de ses livres, mais n'en repoussait pas moins l'idée de se lier à un autre homme. Elle se rappelait une phrase entendue de la bouche du père Rodrigues, dans le quartier du Grajaú, quand elle était petite fille. Le sévère curé parlait d'une voisine qui venait de se remarier. « Le pire adultère est celui de la veuve qui prend un nouveau mari. Trahir un mort est une faute qui ne connaît pas de pardon, ni sur terre ni au ciel ! » Cet anathème était resté gravé au fer rouge dans sa mémoire d'enfant.

Pourtant, dès le moment où Dimitri est venu s'installer dans sa pension, occupant la chambre à côté de la sienne, Pequetita a ressenti pour lui une forte attirance. Elle a aussitôt remarqué l'index supplémentaire à chacune des mains de son nouvel hôte ; mais cette anomalie parfaite, loin de lui répugner, n'a fait qu'accroître le trouble de ses sens. Ses nuits ont dès lors été traversées de rêves érotiques où le bel homme aux yeux verts et à la chevelure noire et frisée suçait les pointes durcies de ses seins, explorait avec ses douze doigts les replis les plus intimes de son corps, baisait son pubis avec des lèvres brûlantes et la pénétrait avec l'ardeur virile du capitaine Blood, le héros de Sabatini. Elle gémissait langoureusement dans son lit de veuve et se réveillait au petit matin, baignée de sueur et épuisée par ses jouissances solitaires. Pendant la journée, elle prenait son passe-partout et entrait dans la chambre de Dimo pour se rouler dans ses draps en désordre, respirait longuement la taie d'oreiller et serrait le traversin entre ses cuisses humides, s'y frottant jusqu'au paroxysme du plaisir.

Pour cette raison, plus les jours passaient, plus elle s'inquiétait de l'absence de Dimitri. Habituellement, un hôte qui ne donnait pas signe de vie pendant plus d'une semaine voyait ses valises confisquées à titre de paiement et sa chambre était libérée pour un autre locataire. Mais, bien qu'il y eût six mois que Maria Eugênia était sans nouvelles de son client, elle gardait sa chambre prête à le recevoir. Son intuition de femme amoureuse lui disait qu'il y avait quelque chose d'anormal dans la disparition du séduisant « senhor Borja ».

Ce fut en cette fin d'après-midi pluvieuse d'automne que Pequetita prit un parti qui allait à l'encontre de toutes les règles qu'elle s'imposait dans sa profession d'aubergiste : elle se résolut à fouiller les affaires de Dimitri à la recherche d'indices qui, peut-être, lui révéleraient où il pouvait se trouver.

Cette fois, elle entra dans la chambre qui avait été témoin de tant de pollutions secrètes avec un regard de lynx. Elle fourgonna longuement dans les tiroirs de la commode, se coucha sur le sol pour regarder sous le lit, et, finalement, remarqua la petite valise cachée en haut de l'armoire. La vidant des quelques vêtements qu'elle contenait, elle eut tôt fait de constater la présence d'un double-fond, fabriqué à la va-vite avec une épaisse feuille de carton. Arrachant celle-ci, Pequetita vit s'offrir à ses yeux une découverte digne des romans d'aventures qu'elle prisait tant : parmi divers faux documents portant la photo de celui qu'elle aimait en secret, il y avait un pistolet de gros calibre enveloppé dans un morceau de toile cirée, ainsi qu'une petite liasse de dollars attachée par un élastique et un gros cahier en piteux état aux feuilles couvertes de notes de la main de Dimitri. Pequetita parcourut ces pages avec une avidité croissante, sentant monter en elle une ivresse que même les plus palpitants de ses romans d'aventures ne lui avaient jamais fait ressentir.

Elle eut bien vite conscience à cette lecture que l'objet de sa passion n'était pas un homme ordinaire, et qu'il était en danger. Bien sûr, les journaux étaient censurés et ne publiaient rien que d'anodin, mais tout le monde était au courant des innombrables arrestations auxquelles on avait procédé depuis la tentative d'insurrection communiste. Aussi était-il probable que Dimitri fût tombé dans les mailles de la police ou de l'armée. Décidée à le retrouver coûte que coûte, Pequetita se souvint d'un cousin éloigné de son mari, un fusilier marin. Certes, ce n'était pas un haut gradé, mais c'était le seul militaire qu'elle connût. Peut-être avait-il des relations grâce auxquelles elle pourrait apprendre ce qu'il était advenu de Dimitri…

Pequetita regagna sa chambre et se mit en quête du vieux carnet d'adresses du défunt. Là, elle put lire, tracée par la petite écriture de Túlio Pequeno (sur laquelle elle posa les yeux sans l'ombre d'un remords) l'adresse de l'homme en question : sergent Olegário Ferreira, caserne des Fusiliers marins de l'ilha do Governador.

« Après toutes ces années ! Comment allez-vous, ma tante ? l'accueille d'un air obséquieux le sergent Olegário, lui conférant un lien de parenté inexistant et qu'elle déteste.

– Je vais bien, merci », répond Maria Eugênia Pequeno, en le suivant pour une promenade dans la cour de la caserne déjà ensoleillée à dix heures du matin.

Elle aimerait bien en finir le plus vite possible avec cette visite. L'atmosphère plutôt lugubre de la caserne lui déplaît : l'endroit lui rappelle le collège de sœurs où elle a jadis été pensionnaire, à Teresópolis. Et puis, elle n'a jamais eu de sympathie pour son cousin par alliance. Très maigre, avec de petits yeux ternes et trop écartés et un nez rouge et crochu, le sergent Olegário Ferreira ressemble à une dinde de Noël sur le point d'être égorgée.

Les rares fois où ils se sont rencontrés, du vivant de son mari, Olegário ne s'est de surcroît pas gêné pour lui lancer à tout instant des œillades lascives, presque obscènes ; et bien qu'il l'ait toujours appelée « ma tante », cette appellation ostensiblement respectueuse était en réalité visqueuse d'arrière-pensées.

Pourtant, c'est en lui que réside son dernier espoir de retrouver Dimitri. Le sergent n'est pas seulement laid : il ne brille pas non plus par l'intelligence. Il use et abuse des lieux communs et son ignorance a la réputation d'être d'une exceptionnelle épaisseur.

« Alors, ma tante, en quoi puis-je vous rendre service ? Après tout, la famille, c'est fait pour ça. C'est-y vrai ou c'est-y pas vrai ? demande Olegário, prononçant un aphorisme qu'il considère comme une haute expression de sagesse. Et puis, ma petite tante est plus jolie que jamais. Mmm ! Un vrai morceau de roi ! »

Pequetita fait mine de n'avoir pas entendu l'inutile compliment :

« Je ne veux pas abuser de votre temps. Je suis à la recherche d'un client de ma pension qui est parti sans plus donner de nouvelles.

– Ne vous inquiétez pas, ma tante. S'il est vivant, il se montrera. C'est-y vrai ou c'est-y pas vrai ? déclare sentencieusement le sergent, sans reculer devant un deuxième cliché mal venu et provoquant chez Pequetita un frisson d'horreur à l'idée que Dimitri puisse être mort.

– Oui. Mais, voyez-vous, je crains qu'on ne l'ait arrêté par erreur.

– Ça, c'est difficile à croire, ma tante. La police du capitaine Filinto est très compétitive !

– Vous voulez dire "compétente", je suppose, corrige Maria Eugênia.

– C'est ça, compétente. Les seuls qu'ils arrêtent, ce

sont les communistes, parce que les communistes veulent renverser les trois piliers de la société : Dieu, la Patrie et la Famille. Les communistes sont un fléau. Pire que la vermine ! Ou le Brésil en finira avec la vermine, ou c'est la vermine qui en finira avec le Brésil. C'est-y vrai ou c'est-y pas vrai ?

– Je n'en sais rien, Olegário.

– Moi, je le sais ! Vous savez ce qu'on m'a dit ? Les communistes mangent les petits enfants !

– Ah ? J'ignorais ces penchants culinaires, répond Pequetita.

– Ils attaquent toujours au petit matin. C'est pour ça que je dors avec deux revolvers sous mon traversin. Deux valent toujours mieux qu'un, c'est-y vrai ou c'est-y pas vrai ?

– En tout cas, le monsieur qui m'occupe n'est pas communiste, coupe la jeune femme, agacée.

– Et comment s'appelle-t-il ?

– Je ne me souviens pas », ment Pequetita, qui ignore quel nom a donné Dimitri s'il s'est bel et bien fait arrêter. Elle ajoute :

« Mais il est facile à identifier grâce à un signe particulier. Il a quatre index. »

Cette précision dépasse de beaucoup la capacité d'entendement d'Olegário.

« Vous voulez dire qu'il se promène avec quatre index coupés à des gens ?

– Pas du tout. Il a un index en plus à chaque main.

– Un quoi ? »

Pequetita s'impatiente :

« Un index. Le doigt entre le pouce et le majeur, Olegário ! Celui avec lequel vous vous grattez le nez ! Il en a un deuxième à chaque main. Autrement dit, il a un auriculaire, un annulaire, un majeur, un pouce et deux index !

– Calmez-vous, ma tante. Il ne faut pas vous énerver comme ça. Pourquoi ne me l'avez-vous pas dit tout de suite ? Parler, ça sert à se faire comprendre. C'est-y vrai ou c'est-y pas vrai ?

– Excusez-moi, Olegário, s'excuse la jeune femme. Je suis un peu nerveuse, ces temps-ci.

– Bon, au moins, je peux vous aider, ma petite tante. Et sans rien demander à personne. Figurez-vous que, il y a environ six mois, quelques hommes prisonniers sur le *Pedro I* se sont enfuis à la nage et sont venus tout droit s'échouer sur notre plage, là, juste devant la caserne ! Ha, ha ! Et dire qu'il y a encore des gens pour s'imaginer que ces fumiers de communistes sont intelligents ! Alors, voilà : quand on les a arrêtés, j'ai remarqué qu'un de ces types avait... Ben, comme vous avez dit. Trop de doigts. Pour son nom, je crois qu'il était français. Ah, on peut dire que le monde est petit ! C'est-y vrai ou c'est-y pas vrai ? »

Pequetita remercie le ciel pour ce hasard et demande, tout animée et pleine d'espoir :

« Comment s'appelait-il ?

– Ça, je ne me rappelle pas. Eh ! Comment voulez-vous que je me rappelle un nom de gringo communiste au bout de six mois ?

– Mais il est détenu ici ?

– Ah, non, ma tante. On l'a envoyé à la prison de l'Ilha Grande. »

Pequetita se hâte de prendre congé :

« Merci mille fois, Olegário. Je vous suis très reconnaissante. Et j'ai été ravie de vous revoir. Maintenant, si vous voulez bien m'excuser, j'ai beaucoup à faire à la pension...

– Revenez quand vous voulez, ma tante. Vous me manquez beaucoup, vous savez ? » dit le sergent, la déshabillant d'un œil lubrique.

Au moment où Pequetita franchit le seuil de la caserne, Olegário lui crie encore, du milieu de la cour :

« Seulement, il est bel et bien communiste. Autrement, il n'aurait pas été arrêté. Mais le crime ne paie pas, c'est-y vrai ou c'est-y pas vrai ? Attention, hein, ma tante ! Est-ce que je sais, moi ? Puisque les communistes mangent les enfants, peut-être qu'ils aiment aussi se mettre une jolie veuve sous la dent ! »

Pequetita ne sut jamais s'il y avait ou non un sous-entendu graveleux dans les derniers mots du sergent.

Les cent soixante-quatorze kilomètres carrés de l'Ilha Grande, au large de la ville d'Angra dos Reis, à moins de quatre-vingt-dix milles marins de Rio, sont recouverts de la végétation luxuriante des forêts tropicales. Un bâtiment y a été élevé en 1884 sur ordre des autorités sanitaires pour isoler les voyageurs ou les esclaves amenés d'autres pays qui arrivaient porteurs de maladies contagieuses et devaient être placés en quarantaine. Cet hôpital, couramment appelé le « Lazareto », a été ultérieurement transformé en prison. C'est là qu'ont été incarcérés, entre autres, les lieutenants insurgés de 1922[11].

À douze kilomètres de l'embarcadère, de l'autre côté d'une chaîne montagneuse, se trouvait une autre prison : la colonie pénitentiaire des Dois Rios, bâtie sur l'ancien domaine agricole du même nom.

Ce tristement célèbre édifice se dressait sur les escarpements rocheux de l'île et comportait un ensemble de hangars convertis en pavillons aussi rudimentaires que sordides entourés d'une immense clôture de fils de fer barbelés, où s'entassaient quelque neuf cents condamnés.

Dans le pénitencier de l'ilha Grande, les prisonniers politiques se trouvaient mêlés sans distinction aux criminels de droit commun. L'alimentation et les conditions d'hygiène y étaient si lamentables que les détenus dépérissaient à vue d'œil.

C'est dans ce véritable camp de concentration que, depuis son évasion manquée, est incarcéré Dimitri Borja Korozec. Au moment où nous le retrouvons, il y a deux mois qu'il endure vaille que vaille d'être cloîtré dans un enfer construit par la main de l'homme au cœur du paradis créé par la nature.

Parmi les compagnons d'infortune de Dimitri se trouve le professeur Euclides de Alencar, entomologiste de renom. Le professeur n'a aucune affiliation partisane : s'il s'est retrouvé dans ces geôles immondes, c'est seulement parce que avec quelques collègues de l'Instituto Vital Brasil, un centre d'études scientifiques de Niterói, il a hasardé quelques critiques à l'endroit du gouvernement. À cinquante ans, ce petit homme court sur jambes aux oreilles en éventail et au visage en grande partie couvert par une grande barbe blanche fait irrésistiblement songer à un nain tout droit sorti d'un conte des frères Grimm. Quelques mois d'incarcération ont fait perdre au sympathique savant près de vingt kilos, mais rien de son enthousiasme pour l'observation des insectes. Il nourrit une authentique passion pour les invertébrés, et ses yeux s'illuminent sitôt qu'il se met à parler des moustiques, des puces et autres punaises.

Pour tuer le temps, Dimitri a pris le parti de se consacrer en compagnie du professeur Alencar à l'étude des cafards. Il passe des heures d'affilée à écouter le grand spécialiste discourir sur ces petits êtres obscurs qui infestent les cellules :

« Mon cher ami, le cafard, également appelé blatte – nom qui vient du latin *blatta* – est la créature la plus incomprise de l'univers. Pour ma part, ce que je ne comprends pas est plutôt l'aversion que ressentent les humains à l'égard de cette merveilleuse petite bête.

– Ah oui ? Qu'a-t-elle de si merveilleux ? » s'enquiert Dimitri.

Ravi de l'occasion, Euclides de Alencar se lance dans un véritable cours magistral sur le répugnant insecte :

« Tout d'abord, son étonnante capacité de survie. On a retrouvé des fossiles de cafards vieux de plus de trois cents millions d'années. Il en existe quelque trois mille cinq cents espèces différentes répandues à travers le monde. Au Costa Rica, on trouve un cafard ailé appelé le *Blaberus giganteus,* qui est si grand qu'il se nourrit de poissons et de grenouilles. Il enfonce son aiguillon dans le corps de sa proie et en aspire les liquides organiques. N'est-ce pas fantastique ?

– Et ceux-ci, de quelle variété sont-ils ? demande Dimitri, montrant du doigt trois bestioles noirâtres qui se promènent sur le mur devant eux.

– *Periplaneta americana.* Mes préférés ! Ce sont les cafards les plus communs, faciles à élever en laboratoire, et remarquablement intelligents.

– Intelligents ?

– Bien sûr. Tous les cafards sont intelligents. On pourrait dire sans exagérer qu'ils possèdent deux cerveaux.

– Comment ? »

Alencar sourit de l'ébahissement de son disciple :

« Mais oui. Ce sont deux grappes de ganglions nerveux à l'intérieur de la tête, lesquels sont reliés à un ganglion situé à la pointe de la queue. Ce système ganglionnaire permet au cafard de recevoir des impulsions sensorielles en une fraction de seconde.

– Moi, ce qui m'impressionne le plus, c'est la facilité avec laquelle ils mangent n'importe quoi, remarque Dimitri, en désignant un quatrième cafard fort occupé à ronger un morceau de papier.

– C'est parce qu'ils sont munis de dents minuscules à l'intérieur de l'estomac, avec lesquelles ils mâchent tous les aliments qu'ils ingèrent. »

À mesure que les jours passent, interminables et monotones, Dimitri commence à regarder avec d'autres yeux ces petites créatures. Il ne les trouve plus aussi repoussantes. Bientôt, il en vient à rapporter des miettes du réfectoire puant pour les nourrir.

En peu de temps, sa cellule devient la préférée des cafards. Avec patience, il entraîne les dociles insectes à pousser des boîtes d'allumettes vides, puis à transporter de petits messages collés à leurs ailes et destinés aux détenus des cachots les plus éloignés.

Surmontant sa répulsion naturelle, il réussit à obtenir que, sur son ordre, les cafards recouvrent tout son corps, comme font les apiculteurs avec les abeilles. Le professeur Alencar lui-même est surpris de cette prouesse. Tant et si bien que gardiens et prisonniers en arrivent à l'appeler, avec un respect mêlé de dégoût, « o Homem-Barata », l'Homme-Cafard de l'Ilha Grande.

Cette notoriété soudaine conduit des prisonniers enfermés dans d'autres pavillons à se rapprocher de Dimitri. Parmi eux, l'écrivain Graciliano Ramos. Graciliano a été arrêté dans l'État d'Alagoas au mois de mars, emmené à fond de cale à Rio de Janeiro et à la maison d'arrêt de la rua Frei Caneca, puis envoyé à la colonie pénitentiaire, sans qu'on ait seulement pris la peine de le faire passer en jugement. De la rencontre entre les deux hommes ne témoignent, fort brièvement, que quelques lignes notées plus tard par Dimitri sur une feuille volante de son cahier de souvenirs :

> *[...] Je fus très frappé par cet homme sensible, maigre et au visage creusé. Il n'avait que quelques années de plus que moi, et pourtant on aurait pu croire que c'était mon père. Je compris que son incarcération l'avait transformé en une ombre de lui-même. Il me confia que sa femme, dona Heloísa, était parvenue à entrer en contact avec un certain général et qu'il espérait donc être renvoyé au pavillon des Primários d'un jour à l'autre. Il montra de l'intérêt pour mon habileté à apprivoiser les insectes. Je lui expliquai qu'il ne s'agissait que d'un passe-temps, une manière de garder l'esprit lucide en attendant de découvrir un moyen d'échapper à cet enfer. Il me dit que s'il ne succombait pas aux épreuves de la prison, il comptait dès sa libération écrire un livre sur les horreurs de la condition carcérale. Il voulait, ajouta-t-il, me consacrer un chapitre où il décrirait mes expériences avec les cafards. Je le suppliai de n'en rien faire. Je craignais que les lecteurs du livre ne crussent que j'avais perdu la raison*[12]*. [...]*

Dans ces jours-là, Dimitri gagna aussi l'amitié d'un criminel de droit commun, un Français nommé Henri

Mathurin. Svelte, basané et peu causant, Mathurin s'était intéressé à Dimo parce qu'il le croyait français comme lui : de fait, Dimitri continuait à prétendre qu'il était de cette nationalité.

Henri était homosexuel et perceur de coffres-forts. Ceux qui s'aventuraient à se gausser de ses penchants étaient d'ailleurs surpris par la violence et la dextérité avec lesquelles il maniait le stylet qu'il s'était fabriqué avec un manche de cuiller et qui était son inséparable compagnon.

Légende ou non, on racontait que des années plus tôt, Mathurin s'était échappé du bagne de l'Île du Diable, au large de la Guyane française, où il avait été condamné à la réclusion à perpétuité pour le meurtre de son amant. C'est avec lui que Dimo commença d'organiser son évasion de la colonie pénitentiaire. Le Français avait l'expérience nécessaire pour cette périlleuse entreprise : pour un homme qui avait réussi à s'enfuir de l'Île du Diable, échapper aux geôliers de l'Ilha Grande était une promenade de santé. Seul leur manquait l'argent indispensable pour mettre leur projet de cavale à exécution. Ils ignoraient encore que cette munition essentielle leur serait providentiellement fournie lors d'une visite imminente : celle que Maria Eugênia Pequeno, la jolie veuve, après avoir remué ciel et terre, avait enfin obtenu la permission de rendre au nouveau grand amour de sa vie.

Le voyage du port de Mangaratiba jusqu'à l'Ilha Grande s'était passé sans contretemps, bien que la mer, fort houleuse ce jour-là, eût beaucoup secoué le bateau. Maria Eugênia avait obtenu une autorisation spéciale pour pénétrer dans la colonie pénitentiaire. Le général Góis Monteiro[13] en personne, qui se trouvait être le partenaire de poker du beau-frère du fils de la nièce du grand-père d'une voisine de Pequetita, avait bien voulu faire une entorse au règlement et lui accorder un laissez-passer. Au vrai, la beauté et la persévérance de la jeune veuve l'avaient charmé.

À l'entrée de la colonie pénitentiaire, le sergent de garde examine le document, puis ordonne à un soldat :

« Va donc chercher le "Barata".

– Le capitaine ? demande le soldat, croyant qu'il parle d'Agildo Barata, le chef des insurgés de la plage Vermelha, lui aussi détenu sur l'île.

– Mais non, idiot. L'Homme-Cafard ! Il y a une visite pour lui. »

Dans une petite pièce contiguë à l'infirmerie de la prison, sous la surveillance d'un gardien somnolent, Pequetita se retrouve enfin face à face avec Dimitri. Ils se parlent bas, presque dans un murmure :

« Vous, madame ? Comment m'avez-vous trouvé ?

– Peu importe. Et, s'il vous plaît, ne m'appelez pas madame. »

Dimo, de toute évidence, est intimidé par cette présence inattendue :

« Vous souciez-vous autant du sort de tous vos clients ?

– Oh, je vous le dis sans honte : pour moi, vous êtes beaucoup plus qu'un client », déclare Maria Eugênia, tout étonnée de sa propre impudeur.

À cette révélation, un soudain frisson parcourt l'échine de Dimitri. Lui aussi s'est dès le premier regard senti violemment attiré par l'accorte Pequetita. Il a pourtant dissimulé ses sentiments, car rien dans le comportement de la jeune veuve ne lui a donné à penser que cette attirance fût réciproque.

« En tout cas, merci d'avoir pris le risque de venir jusqu'ici. Qui vous a dit que j'étais prisonnier ?

– Personne. Je l'ai compris toute seule. Autant vous l'avouer : je suis entrée dans votre chambre et j'ai regardé dans vos affaires. »

Pequetita raconte, en détail, les jours de tourment qu'elle a vécus après la disparition de Dimo. Emportée par l'audace, elle lui confie que son cœur battait soudain plus fort chaque fois qu'elle entendait sonner à la porte, tant elle espérait le voir reparaître sur le seuil de la pension, lui parle de ses nuits sans sommeil au long de ces mois interminables où elle est restée sans nouvelles de lui. Enfin, elle lui confesse qu'elle a lu avec passion chaque ligne de son cahier de notes :

« Je sais tout, maintenant.

– Et malgré cela, vous m'avez cherché ? murmure Dimitri, stupéfait.

– Bien sûr. J'avais la certitude que vous aviez besoin d'aide. J'ai aussi pris la liberté de changer quelques-uns des dollars que j'ai trouvés dans votre valise. Cet argent vous sera plus utile ici que caché en haut d'une armoire. »

Joignant le geste à la parole, elle tire la petite liasse de billets soigneusement pliés qu'elle a glissée dans son corsage et la tend discrètement à Dimitri. À la seconde où leurs mains se touchent, une onde de chaleur parcourt leurs deux corps. Dimo ne veut plus lâcher cette main qui vient de lui apporter amour et salut.

« Merci. Je ne sais que dire…

– Alors, ne dites rien », le coupe Maria Eugênia, le visage illuminé d'un sourire radieux.

Ils restent là pour une minute d'éternité, leurs deux regards incapables de se désunir, leurs doigts entrelacés, mêlant la sueur tiède qui affleure à leurs paumes jointes. Ce seul contact, avec sa saveur si forte de temps suspendu, suffit à unir leurs deux corps, soudain transportés à l'unisson par une jouissance intense et silencieuse.

« C'est l'heure, ma p'tite dame. »

La voix rauque du gardien rompt l'enchantement du moment magique. Le visage en feu, Pequetita libère ses mains de celles de l'homme qu'elle aime. De la porte, elle lui lance un dernier regard plein de promesses :

« Votre chambre vous attend et vous attendra toujours. Au revoir !

– À bientôt », répond Dimitri.

Il sait qu'à présent aucune force humaine ne pourra plus le retenir dans les chaînes de la captivité.

❤❤❤

Le lendemain, en sortant du réfectoire, Dimitri s'approche de Mathurin :

« J'ai trouvé l'argent pour nous évader. Tout ce que je crains, c'est qu'on me fouille à nouveau.

– T'inquiète donc pas ! Sur l'Île du Diable, j'ai appris une manière de cacher les choses qui échappe à n'importe quelle fouille, garantit Mathurin.

– Laquelle ?

– Je vais te montrer. Viens avec moi. »

Henri entraîne Dimitri vers les latrines et lui demande de surveiller l'entrée. Puis, baissant son pantalon et s'accroupissant près du mur, il commence à se tortiller comme s'il voulait déféquer. Au bout d'un instant, un tube de bambou poli d'une quinzaine de centimètres de long sur trois de diamètre émerge de son anus. Le tube se divise en deux parties qui s'emboîtent l'une dans l'autre. Faisant tourner les extrémités, Mathurin ouvre cette cachette pour le moins inhabituelle et en extrait une fine chaîne d'or à laquelle sont accrochées une amulette et quatre photos roulées de sa mère.

« Voici mon petit coffre-fort », dit-il.

Dimitri contemple le cylindre avec alarme.

« J'en ai préparé un tout pareil pour toi, poursuit tranquillement Henri. L'important est de l'enfoncer le plus profondément possible, jusqu'au gros intestin. En fait, il suffit de respirer à fond, et il s'enfonce presque tout seul. Ensuite, on pourra te foutre à poil, les jambes écartées… Tu ne crains rien : impossible de le trouver. »

Après une longue pause, Dimo s'approche de son compagnon :

« Tout bien réfléchi, je crois que je vais rester ici. Après tout, il n'est pas si terrible, ce bagne. La nourriture est seulement passable, mais la vue est jolie, l'air est pur… Sans compter que je dois m'occuper de mes cafards. »

Henri se rend compte de la frayeur qu'inspire à Dimitri le cylindre de bambou.

« Ne dis pas d'âneries. S'il te fait si peur, ce tube, eh bien ! je me charge du tien aussi.

– Et… ça rentrera ? demande Dimitri, admiratif.

– Et comment ! réplique Mathurin, en riant et en se donnant une tape sur l'arrière-train. Si je peux en faire entrer un, je peux bien en faire entrer deux. »

Ilha Grande, colonie pénitentiaire, 14 juillet 1936

Symboliquement, les deux hommes ont choisi pour leur évasion la date anniversaire de la Révolution française. À onze heures du soir, la sentinelle de l'aile ouest, séduite par les charmes de Mathurin et par les cent mille réaux offerts par Dimitri, leur laisse creuser un passage sous la clôture de fil de fer barbelé. Pour se prémunir contre toute accusation, il demande à Mathurin de lui donner un grand coup sur la tête avec sa pelle, requête à laquelle le Français accède avec un plaisir sans mélange. Évitant le sentier qui conduit à l'embarcadère, les deux fuyards traversent le bois entre le pic de la Pedra d'Agua et le pic du Papagaio et se dirigent vers une crique appelée le Saco do Céu.

De temps à autre, Dimitri sursaute aux étranges bruits de la nuit, inaccoutumé qu'il est à la vie au milieu de la forêt. Au moment où l'aube commence à poindre, ils parviennent à une sorte de hameau dissimulé parmi les arbres, au pied d'une colline.

« Qu'est-ce que c'est que cet endroit ? s'enquiert Dimitri.

– N'aie pas peur. C'est le village des lépreux. Peu de gens connaissent son existence.

– Des lépreux ?

– Oui. Ce sont aussi de bons commerçants. C'est eux qui vont nous vendre la barque pour quitter cette île. Du moins, s'ils nous trouvent sympathiques. Sinon…

– Sinon ?

– Sinon, le plus probable est qu'ils nous tueront et qu'ils garderont l'argent. »

Avant que Dimitri ait pu dire un mot, les voilà soudain entourés d'une bande d'hommes armés de fusils. Malgré la pénombre, on distingue qu'ils sont tous défigurés par la lèpre. Les deux fugitifs tâchent de masquer l'effroi que leur inspire ce cercle d'horreur.

Un des lépreux, sans arme, probablement le chef du groupe, un chapeau enfoncé jusqu'aux yeux, s'approche des deux hommes avec un sourire ironique sur ce qui lui reste de lèvres :

« Où allez-vous, avec votre jolie peau bien propre ? Vous êtes pressés d'attraper une petite maladie ? »

Une fois encore, Dimo pense avec nostalgie à ses chers cafards. Mais Mathurin s'avance et affronte l'homme :

« Nous nous sommes évadés du bagne.

– Alors, vous vous êtes évadés d'un bagne pour tomber dans un autre », dit en riant le chef.

Dimo et Henri se voient entourés d'un chœur qui s'esclaffe à gorge déployée. Le Français, pourtant, est décidé à entamer la négociation.

« Nous voudrions acheter une barque.

– Une barque ? Avec quel argent ?

– L'argent, nous en avons.

– Vous en avez ? Vous n'en aurez plus quand vous serez morts, déclare la goguenarde victime du bacille de Hansen. Mais croyez-moi : il vaut mieux mourir sur le coup d'une balle de fusil que rester ici à pourrir de la lèpre. »

Autour d'eux, les hommes au visage rongé par la morphée chargent leurs armes et se mettent en position pour l'exécution, attendant le commandement de leur chef. Mathurin ferme les yeux, résigné ; mais c'est alors que Dimo déclare, sûr de lui :

« Moi, je ne mourrai jamais de la lèpre. Je l'ai déjà eue, j'en suis guéri, et je sais qu'on peut trouver le remède ici, sur cette île. »

Le chef des lépreux suspend la fusillade :

« Qu'est-ce que tu veux dire ?

– J'ai attrapé la maladie au cours d'un voyage aux Indes. Mon corps était couvert de lépromes et j'avais le visage complètement déformé par la léontiasis. Je n'avais plus aucun espoir de survie, quand un gourou pakistanais me donna une recette sacrée : celle d'une tisane concoctée avec trois plantes. J'ai remarqué que les trois plantes en question poussent en abondance dans ces forêts. Ici même, à la souche de cet arbre, la terre en est couverte », assure Dimitri en désignant un fourré.

L'homme observe Dimo avec défiance :

« Et qu'est-ce qui me prouve que tu n'es pas en train de raconter des fariboles pour sauver ta peau ?

– J'en suis la preuve vivante. J'étais défiguré, mes pieds et mes mains n'étaient plus que des moignons et en quelques semaines cette potion a régénéré mon nez et les extrémités de mes membres, qui étaient complètement rongés. Il ne m'est resté qu'une séquelle. Voyez-vous, j'étais tellement impatient de guérir que j'ai trop bu de ce remède et il m'a repoussé un doigt en trop à chaque main », atteste Dimitri en exhibant les douze doigts qu'il a depuis le berceau.

Aussitôt, les lépreux s'émerveillent devant cette preuve irréfutable.

« Quelles sont les trois plantes et comment prépare-t-on la tisane ? demande anxieusement le chef.

– Du calme. D'abord, dites-moi si vous allez nous procurer une barque.

– Bien sûr, l'ami ! Et gratis, encore !

– Non, non. Je tiens à vous payer. Les affaires sont les affaires.

– Et quand le traitement commence-t-il à faire effet ?

– C'est variable. Parfois, cela prend quelques jours, parfois quelques semaines. Mais les premiers signes se manifestent en moins d'un mois. »

Sous la conduite de Dimitri, Mathurin et les lépreux passent l'heure qui suit à récolter quelques herbes inoffensives dans les halliers entourant le village caché.

En montant dans la barque, Dimo fait ses dernières recommandations au sujet de la recette magique :

« C'est très facile. Il suffit de faire bouillir les herbes pendant cinq heures, à feu doux, sur un foyer de bois vert. Ensuite, exposez le chaudron au serein et laissez la décoction se mouiller de rosée jusqu'au lendemain. »

Dimitri et Henri saisissent les rames et entament leur voyage vers la liberté. Tandis qu'ils s'éloignent, Dimo entend le chef des lépreux crier de la rive :

« Merci encore ! Et pardonne-moi de ne pas t'avoir serré la main. Je n'en ai plus. »

10

Rio de Janeiro, novembre 1937

[...] Le président Getúlio
A dissous d'un revers de main
Et la Chambre et le Sénat
Pour tout envoyer au diable.

[...] Le Brésil du nord jusqu'au sud
Ne se tient plus d'admiration
Pour ce grand homme d'État
Qui dirige aujourd'hui la nation...

[...] En instaurant la dictature,
Le chef de cet « Estado Novo »
A ôté au riche l'arrogance
Et conquis l'âme du peuple,
Du littoral jusqu'au sertão...

Littérature satirique populaire

Le général Dutra, ministre de la Guerre, au côté de Getúlio Vargas le jour de la proclamation de l'« Estado Novo ».

Depuis son évasion, voilà plus d'un an, Dimitri a mis de côté ses rêves révolutionnaires pour que rien ne vienne troubler les heures voluptueuses qu'il passe dans le lit moelleux de Maria Eugênia Pequeno. Aussitôt après avoir débarqué, son compagnon et lui se sont séparés : Mathurin est parti vers le quartier du Mangue, où l'attendait un emploi de cerbère dans la maison de tolérance de Mme Rosaly, une grosse tenancière de ses amies, qui possède un établissement réputé dans la rua Júlio do Carme. Quant à Dimitri, il s'est empressé de trouver un sensuel refuge entre les bras accueillants de la jolie veuve.

Dès lors, Dimo et Pequetita passent des semaines entières presque sans sortir de leur chambre, et la jeune femme est obligée d'admettre en son for intérieur – non sans une pointe de remords – que jamais elle n'a éprouvé de sensations aussi intenses en faisant l'amour avec son défunt mari. Les mains de Dimitri éteignent sur sa peau le souvenir des caresses anciennes. C'est qu'entre eux, jamais le sexe ne tourne à la routine : ils inventent et découvrent jour après jour de nouvelles et inépuisables sources de plaisir, leurs deux corps vibrant de jouissances insoupçonnées.

Pendant ce temps, la direction de la pension est confiée à Francisca, une gouvernante portugaise qui n'a pas quitté Pequetita depuis son enfance. Bien loin d'être fâchée par ce surcroît de travail, Francisca se réjouit de tout son cœur de voir sa maîtresse à nouveau heureuse.

Dimitri ne se soucie plus de lire les journaux, si ce n'est les nouvelles sportives. Il s'est pris d'une passion quasi fanatique pour un jeu dont, jusqu'ici, il ne connaissait rien ou pas grand-chose : le football. Ses préférences vont à l'équipe du Flamengo, dont les couleurs – noir et rouge – le séduisent tout naturellement, et il s'enthousiasme devant les buts acrobatiques de Leônidas, le Diamant noir.

Moustache cultivée par Dimitri.

Par précaution, il a pris la décision de modifier son apparence en cultivant une épaisse moustache, qui vient parfaire son physique d'anarchiste romantique.

Chaque fois que lui revient en tête l'idée d'éliminer Getúlio, il l'éloigne aussitôt et remet sa mission à plus tard, en se persuadant que le moment d'agir n'est pas encore venu.

Le 10 novembre à huit heures du soir, Dimitri est

étendu au côté de Pequetita dans le lit en désordre, dont les draps continuent d'exhaler les effluves d'un long après-midi d'ébats amoureux. Les deux amants écoutent distraitement la radio posée sur la table de chevet. C'est alors que la voix d'un speaker interrompt le programme habituel :

« La parole est à Son Excellence monsieur le président de la République. »

L'instant d'après, c'est la voix de Vargas qui frappe brutalement son oreille et lance son immuable invocation à la population :

« Travailleurs du Brésil… »

Dans un long discours, Getúlio proclame l'instauration de l'Ordre nouveau. Sous le faux prétexte d'un complot communiste visant à mettre à bas le gouvernement par la lutte armée, il annonce qu'il a renvoyé le Congrès, dissous les partis politiques et suspendu *sine die* les élections prévues l'année suivante. Avec l'appui des forces armées, il a décrété que tous les pouvoirs seraient désormais concentrés entre les mains de la présidence. L'« Estado Novo » est créé. Tout cela, déclare-t-il, a été décidé au nom de la sécurité nationale.

L'allocution terminée, Dimitri comprend, non sans un lourd sentiment de culpabilité, qu'il s'est dérobé à son devoir. Il éteint le poste, allume une cigarette Petit Londrinos achetée à la Tabacaria Londres et s'assied sur le lit, soudain accablé. Maria Eugênia remarque son air d'abattement :

« Qu'est-ce que tu as ?

– J'ai que tout ce que nous venons d'entendre aurait pu être évité.

– Que veux-tu dire ? demande la jeune veuve, intriguée.

– Tu me comprends parfaitement. Si je n'avais pas manqué à ma mission, le dictateur serait mort à l'heure qu'il est. »

Pequetita l'entoure tendrement de ses bras :

« Mon amour, oublie donc cette folie.

– Cette folie ? répète amèrement Dimitri, en se

dégageant de son étreinte. Alors, tu appelles folie ce qui est le but ultime de mon existence ? »

Pequetita se cherche une excuse :

« J'appelle ça une folie parce qu'un homme seul ne peut rien.

– Ce n'est pas ce que nous montre l'Histoire. Parfois, il suffit d'un homme. D'un homme, et d'une balle », déclare sentencieusement Dimitri, le regard perdu dans le vague, en se rappelant Sarajevo.

Maria Eugênia se désespère, prévoyant que, peut-être, elle va perdre pour la seconde fois l'être qu'elle chérit. Elle doit le dissuader de toute entreprise insensée. Elle arrache sa chemise, laissant voir ses seins parfaits et tentant de l'attirer à nouveau sous la douceur des couvertures :

« Viens. J'ai envie de toi ! » dit-elle, ouvrant ses cuisses généreuses.

Mais Dimo se détourne pour ne pas succomber à la séduction. Puis il se lève et enfile prestement son pantalon et sa chemise.

« Où vas-tu ? demande Pequetita, anxieuse.

– Dans ma chambre. J'ai besoin de réfléchir. »

Dimitri quitte l'alcôve de leurs tendresses, refermant la porte derrière lui. Une profonde tristesse envahit le cœur de la jeune femme, et elle tire sur elle le couvre-lit froissé pour recouvrir sa nudité offerte. Deux larmes perlent à ses paupières et tracent sur ses joues deux petits sentiers de douleur.

[...] J'ai vu des corridas à Madrid,
Pararatiboum, boum, boum,
Pararatiboum, boum, boum,
Et j'ai failli ne jamais revenir...

[...] J'ai connu une Espagnole native
de Catalogne.
Elle voulait que je joue des castagnettes,

Que j'agrippe le taureau à mains nues.
Caramba, caracoles !
Je suis un homme de samba, ne
m'en détourne pas :
Vers le Brésil je veux m'enfuir :
On s'y raconte avec douceur
Des histoires à dormir debout !
Pararatiboum, boum, boum,
Pararatiboum, boum, boum...

Rio de Janeiro, 19 avril 1938

Passage extrait du cahier (incomplet) de Dimitri Borja Korozec, intitulé *Souvenirs et trous de mémoire : notes pour une autobiographie :*

Le carnaval a pris fin il y a deux mois, et pourtant je n'arrive pas à me sortir de la tête la joyeuse rengaine de la petite marche Corridas à Madrid. *Pararatiboum, boum, boum... Pour moi, ce son qui revient à la fin de chaque couplet, bien loin de me rappeler l'allégresse des festivités, a pris une signification démoniaque. Il me fait penser à la guerre civile en Espagne, que les républicains sont en train de perdre face aux armées fascistes de Franco, appuyées par les bombardiers allemands de la légion Condor.*
Les onomatopées du refrain s'associent dans ma tête au bruit de la mitraille et des bombes lâchées sur des villes sans défense. Pararatiboum, boum, boum... García Lorca fusillé : pararatiboum, boum, boum... Guernica pulvérisée par les bombes : pararatiboum, boum, boum...
La Catalogne et le Pays basque décimés : pararatiboum, boum, boum... Le sang répandu de mes camarades anarchistes inondant la terre ensoleillée d'Espagne : pararatiboum, boum, boum...

Au début de cette année, je me suis mis en quête des frères Samariego à la Confeitaria Colombo pour organiser avec eux l'assassinat de Vargas, qui doit se réjouir des victoires de son double espagnol, mais tous les deux étaient retournés dans leur pays natal pour se joindre aux forces républicaines. Naturellement, ils ne pouvaient rester en retrait de cette lutte acharnée.

Aujourd'hui, on célèbre l'anniversaire de Getúlio. L'Hora do Brasil, *cette émission de radio que les gens surnomment « Parle-tout-seul », a promis pour ce soir un programme spécial en son honneur. Leurs programmes habituels sont déjà odieux, et ce soir ce sera plus insupportable encore. Un autre dictateur qui fête son anniversaire, c'est Adolf Hitler, en Allemagne. Le sien, c'est demain ; mais ils pourraient s'entendre pour faire la fête ensemble, tous les deux.*

Mes moments d'érotisme avec Maria Eugênia sont à présent moins fréquents, mais ils n'ont rien perdu en intensité. Chaque fois que je m'absente, elle me dit au revoir comme si elle me voyait pour la dernière fois. Je vois dans son regard qu'elle craint pour ma vie. Pour le moment, c'est une crainte infondée, car l'occasion ne s'est pas encore présentée d'accomplir la tâche que je me suis fixée. Ce doit être une obsession de veuve.

En décembre dernier, sachant que Vargas joue au golf assidûment, je me suis fait engager comme caddie sur le terrain qu'il fréquente. Malheureusement, avant que nos chemins aient eu le temps de se croiser, il m'a fallu abandonner ce travail à cause d'un lumbago provoqué par le poids des sacs remplis de clubs.

En février de cette année, nouvelle tentative : je me suis habillé en gaucho pour me porter candidat à un emploi d'assistant braiseur de viande au palais présidentiel ; mais mon inaptitude à découper les morceaux a rapidement trahi mon manque de pratique.

Il y a un mois, après de longues et sérieuses réflexions et faute de trouver une alternative, je me suis résolu à une démarche pragmatique qui m'a beaucoup coûté. Malgré le profond dégoût que m'inspirent les intégralistes, j'ai réussi à m'infiltrer dans leur faction par l'intermédiaire de César Albanelli, un millionnaire idiot que j'ai rencontré dans un bar de Copacabana, un jour où il était à moitié saoul et faisait le matamore devant les autres clients. Pour entrer dans ses bonnes grâces, je me suis fait passer pour italien, je lui ai raconté que je connaissais Mussolini et que je m'appelais Corozecco – le nom que j'avais utilisé jadis pour gagner la confiance d'Al Capone.

J'ai le plus absolu mépris pour l'intégralisme, ce nationalisme de bas étage qui singe le national-fascisme et ses théories racistes, mais je sais que ces gens préparent activement un attentat contre Vargas depuis que leur parti a été mis hors la loi. Pour moi, la fin justifie les moyens.

Finalement, j'entrevois donc une possibilité d'abattre le tyran.

Rio de Janeiro, 2 mai 1938

« *Anauê !*

– *Anauê !* » crie à son tour Dimitri, répondant au salut intégraliste emprunté à il ne sait trop quelle langue indigène.

Il se sent quelque peu ridicule d'être présent à cette réunion secrète dans le quartier de Botafogo, portant l'uniforme interdit des intégralistes : pantalon noir, chemise verte, casquette et brassard ornés de la lettre grecque *sigma* dont la forme évoque ostensiblement la swastika nazie. Les plus exaltés brandissent aussi des bannières frappées du même emblème. La vaste demeure où ils sont rassemblés a été mise à leur disposition par César Albanelli, qui est l'ami du leader intégraliste Plínio Salgado et membre du parti depuis sa fondation. L'interdiction du mouvement a conduit l'Action intégraliste brésilienne à se travestir en club civique et de loisirs, mais le haut commandement des Chemises vertes, la Chambre des Quarante, est résolu à prendre le pouvoir par les armes.

Le plan, élaboré par le médecin ultra-nationaliste Belmiro Valverde de concert avec quelques militaires, est d'envahir le palais Guanabara, résidence officielle du président, et de s'emparer de Getúlio Vargas. Au cas où il résisterait, le dictateur serait tout simplement éliminé.

Dimitri écoute en silence Belmiro Valverde exposer son projet. Peu lui importent les idéaux primaires des fascistes brasiliolâtres. S'il est là, c'est uniquement parce qu'il a entrevu une possibilité de s'introduire dans le palais et d'assassiner Getúlio.

La réunion dans la villa d'Albanelli. On aperçoit à gauche de la photo la main de Dimitri.

À son côté, il sent que César Albanelli commence à bouillir d'irritation en voyant Valverde prendre ainsi la direction des opérations. Au bout du compte, c'est dans sa propre villa que se tient la réunion ; aussi le millionnaire se sent-il atteint dans sa pharaonique vanité. Gras, le visage cruel, sans l'ombre d'un cheveu sur la tête, Albanelli tire beaucoup d'orgueil de sa ressemblance avec Mussolini. C'est lui qui a eu l'idée du port obligatoire de l'uniforme ce soir, condition *sine qua non* pour qu'il mît sa demeure à la disposition des conjurés. Comme il était impensable de circuler en ville dans cet accoutrement, les participants ont été contraints de se changer dans la cuisine.

Interrompant Valverde, il suggère :

« Avant d'aller plus loin, il serait bon, je crois, que nous prenions l'habitude de nous adresser les uns aux autres par nos noms de guerre. Le mien est Maringá. Corozecco, quel est le vôtre ?

– Queiroga, invente Dimitri, presque éberlué par le ridicule de la situation.

– Parfait ! le félicite Albanelli, qui le gratifie d'une grande bourrade dans les côtes. Et les vôtres ? »

Après un silence contraint, chaque participant se présente :

« Tibiriçá.

– Macedo.

– Carvalhães.

– Bulhões.

– Albanelli », crie du fond de la salle un petit homme à la peau sombre, dont les traits font penser à Goebbels.

César interrompt l'appel :

« Attendez. Vous ne pouvez pas vous faire appeler ainsi. Albanelli est mon nom.

– Justement.

– Comment ça, justement ?

– C'est pour mieux semer la confusion dans l'esprit de nos ennemis. »

La raillerie inopportune du petit homme provoque un éclat de rire général. Albanelli ne dit rien, mais son visage est pourpre de rage et de frustration. Cependant, Valverde reprend les rênes de la conférence :

« Je ne crois pas que le moment soit bien choisi pour plaisanter. »

S'appuyant à une table sur laquelle une carte est dépliée, il se tourne vers le lieutenant Severo Fournier, un jeune officier de la Marine de haute taille et au physique avantageux, et commence à récapituler l'ensemble de la manœuvre :

« Fournier, l'assaut contre le palais est placé sous votre commandement. Les chambres se trouvent dans l'aile droite et donnent directement sur la chapelle. Au moment où vous attaquerez, d'autres contingents encercleront les ministères de l'Armée et de la Marine, ainsi que les résidences des principales autorités du gouvernement. Le déclenchement des opérations aura lieu le 11 au petit matin.

– Devons-nous nous attendre à une importante résistance ? s'enquiert le lieutenant, en lissant ses cheveux châtains parfaitement coupés.

– J'en doute, répond Valverde. Le lieutenant Júlio Nascimento, commandant des fusiliers marins qui protègent le palais, fait partie de la conspiration. Il s'est d'ores et déjà porté volontaire pour nous donner accès à l'intérieur. Il se chargera d'ouvrir le portail du poste de garde à l'entrée pour permettre aux deux camions transportant nos hommes de pénétrer dans les jardins. »

Fournier examine la carte, s'efforçant de mémoriser chaque détail :

« Il nous reste un seul problème à résoudre. Nous avons besoin d'un technicien pour couper les communications dans le palais. S'ils réussissent à faire venir des renforts de l'extérieur, nous sommes perdus. »

Se rappelant le long entraînement qu'il a reçu en ce domaine à la Skola Atentora, Dimitri se propose pour pallier cette difficulté :

« Quant à cela, vous pouvez être tranquilles. Je me charge d'isoler toute la zone. Je suis expert en la matière. Les liaisons téléphoniques et télégraphiques n'ont pas de secret pour moi. »

Valverde, qui connaît mal le nouvel adepte du mouvement, demande avec appréhension :

« Vous en êtes sûr ? »

Bombant fièrement le torse, César Albanelli confirme les dires de son plus récent protégé :

« S'il dit qu'il s'y connaît, c'est qu'il s'y connaît. Mon ami Corozecco n'est pas du genre à se vanter. »

Peu après minuit, Alzira Vargas, fille du dictateur, est réveillée dans sa chambre par le fracas d'un coup de feu isolé. Alzirinha attribue ce bruit à la maladresse d'une sentinelle somnolente qui a dû appuyer sur la détente par inadvertance. Des incidents similaires se sont déjà produits en plusieurs occasions. Elle enfonce la tête dans son traversin, tâchant de se rendormir. Mais un second tir lui donne la certitude qu'il se passe quelque chose d'anormal. Elle extrait de son tiroir le revolver calibre 38 qu'elle a reçu en cadeau voilà quelques jours pour s'entraîner au tir sur des cibles. Sans même se changer, elle court vers la chambre de son père. Getúlio est déjà en train de glisser son arme dans sa ceinture, par-dessus son pyjama.

« Qu'est-ce qui se passe ? demande-t-elle, soucieuse.

– Des gens attaquent le palais, Rapariguinha, répond Vargas, utilisant un des nombreux petits noms tendres qu'il donne à sa fille.

– Qui ?

– Ce doit être les intégralistes. Ils sont furieux depuis que j'ai dissous leur parti. »

Tous deux se dirigent vers le petit cabinet particulier contigu à la bibliothèque. De haut, ils voient que les mitraillettes ennemies ont commencé de balayer les murs de l'édifice. À l'intérieur du palais, les personnes susceptibles d'opposer une résistance ne sont pas nombreuses : seulement quelques policiers, deux ou trois aides de camp, l'officier de garde et la propre famille du président. Des fenêtres, Vargas observe attentivement le jardin, tâchant d'évaluer la situation, indifférent aux balles qui mettent sa vie en péril. Avec un courage peu commun, Alzirinha quitte le petit cabinet et dévale l'escalier, son arme à la main, dans l'espoir d'obtenir plus d'informations. Au rez-de-chaussée, les assiégés répliquent aux rafales de mitraillettes par des tirs de pistolets. La seule et unique mitraillette qui se trouve dans le palais est enrayée.

Alzira remonte en toute hâte au premier étage et informe Getúlio que le palais Guanabara est encerclé par les rebelles. Père et fille chargent leur arme : que la défaite les attende ou non, ils sont résolus à vendre chèrement leur peau.

« Nous n'allons pas pouvoir résister longtemps. Il faut absolument téléphoner pour demander de l'aide, dit le président, dont la tension nerveuse renforce l'accent gaucho.

– J'ai déjà essayé. Les téléphones du palais ne marchent plus. »

« Tu as coupé toutes les lignes ?

– Toutes.

– Même la ligne directe ?

– Quelle ligne directe ?

– Celle qui relie le téléphone personnel de Vargas au bureau du chef de la police. »

Le bruit des troupes commandées par le colonel Cordeiro de Farias qui arrivent à la rescousse du dictateur est la meilleure réponse à la question posée à Dimitri.

En conséquence du désastreux oubli de Dimitri, le putsch intégraliste est un échec sur toute la ligne. Pourtant – le fait mérite d'être souligné – aussi bien l'armée que le contingent envoyé par la tristement célèbre Police spéciale, avec ses bonnets rouges, ont mis plus de cinq heures à pénétrer dans le palais Guanabara.

Ils sont entrés par le terrain du football-club Fluminense, que seul un mur sépare des jardins. Motif de ce retard : d'abord, le commandement attendait des ordres précis. Ensuite, la porte de communication entre le club de football et le palais était fermée et personne n'avait la clef. Au lieu de forcer la porte, on a préféré contacter Filinto Müller à la préfecture de police, qui est ensuite entré en communication avec Alzira Vargas, laquelle, furieuse de cette invraisemblable lenteur, a donné ordre à un des gardes du palais assiégé de se glisser dans l'ombre avec une clef et d'ouvrir enfin cette maudite porte.

En apprenant ces événements quelques jours plus tard au *Café Lamas*, Max Cabaretier, un des bohèmes qui fréquentent assidûment l'établissement, a commenté : « C'est grâce à des âneries de ce genre que le Brésil ne mourra pas. »

💣💣💣

Trois mois après cette ridicule aventure, voyant que la situation a fini par se calmer, Dimitri décide de récupérer son ceinturon rempli de livres sterling, qui reste enfermé sous une table d'autopsie à la morgue de l'Assistance publique municipale, protégé par une couche de plâtre. Il craint qu'un réaménagement de l'hôpital ne dévoile la cachette de ses pièces d'or.

Pendant des semaines, il surveille le poste de premiers secours de la praça da República, observant les entrées et les sorties des employés et réfléchissant au meilleur moyen d'agir. Il ne souhaite pas être reconnu par tel ou tel de ses anciens collègues. Il choisit finalement, pour exécuter son plan, la nuit du 28 août : c'est un dimanche, jour où les allées et venues sont moins nombreuses.

À onze heures, il force une des fenêtres de derrière et pénètre silencieusement dans le bâtiment. Il se dirige vers la morgue, prenant soin de se cacher chaque fois qu'un médecin ou un infirmier apparaît dans un des couloirs. Par précaution encore, lorsqu'il entre dans la morgue, il s'abstient d'allumer la lumière. Sur la table d'autopsie, Dimitri aperçoit dans la pénombre un corps recouvert d'un linceul, et maudit son manque de chance. L'épaisse table en marbre est déjà suffisamment lourde sans ce poids mort supplémentaire. Il s'approche, ployant les genoux, et commence à traîner la table vers lui, en s'efforçant de ne faire aucun bruit.

Soudain, le cadavre se lève, épouvanté, envoie voler son linceul et court vers la porte en criant : « Seigneur mon Dieu, aidez-moi ! Il y a des forces maléfiques dans cette pièce ! La table bouge toute seule ! »

À la vérité, le « mort » n'était autre qu'un aide-soignant qui avait profité d'un moment de tranquillité et de la fraîcheur de la morgue pour faire un petit somme sur la table de marbre. Dimo, qui a eu une peur bleue lui aussi, sort de sa poche un couteau, débouche rapidement la cavité obstruée avec du plâtre et récupère son trésor.

Avant que le faux défunt ne revienne avec des agents, Dimitri s'éclipse comme il est entré, regagnant la praça da República où il ne risque plus rien.

L'incident, cependant, l'a mis dans un tel état d'excitation que, en rentrant à la pension de la rua do Catete, il fait l'amour avec Pequetita jusqu'au matin.

11

Rio de Janeiro, décembre 1939

Brésil,
Mon Brésil brésilien,
Mon mulâtre intrigant,
Je veux te chanter dans mes vers...
Ô Brésil, samba qui bat,
Rythme qui balance les corps,
Ô Brésil de mon amour,
Terre de Notre-Seigneur...

Brésil, Brésil !
Brésil, Brésil !

En cette fin d'année 1939, la fameuse « samba-exaltation » d'Ari Barroso, chantée par Francisco Alves – le roi de la Voix – est diffusée en permanence sur les ondes de la radio nationale, et sa tendre gaieté enchante les premiers réfugiés qui débarquent au Brésil. L'Europe est de nouveau en guerre : Hitler, après avoir annexé l'Autriche et soumis la Tchécoslovaquie, a envahi la Pologne, décidant la France et la Grande-Bretagne à engager les hostilités.

Le pays qui accueille les exilés au son d'*Aquarela do Brasil* leur fait l'effet d'un paradis tropical, d'une grande île de tranquillité où les bombardements de la Luftwaffe paraissent à des années-lumière.

Tel n'est pas l'état d'esprit de Dimitri Borja Korozec. La sombre mélancolie qui l'habite depuis sa tentative manquée pour assassiner le dictateur Vargas se lit sur son visage. Ce jour-là, il a réussi à échapper aux soldats qui encerclaient le palais et, en rentrant à la pension, il s'est empressé de brûler l'uniforme exécré des intégralistes qu'il s'était résigné à porter bien à contrecœur. Plus tard, après avoir récupéré ses pièces d'or, il est resté de longues heures à contempler le ceinturon offert jadis par Dragutin, se demandant comment utiliser ce legs pour mener à bien sa mission. Mais ce jour-là comme ceux qui ont suivi, le découragement qui l'accablait l'a empêché de réfléchir avec lucidité.

Au début de l'année, Maria Eugênia l'a persuadé de l'accompagner à Cambuquira ; mais ni les sources riches en particules radioactives de la célèbre ville d'eaux, ni le corps vibrant de Pequetita ne l'ont distrait du sentiment d'échec qui le tourmente. Ces vacances, que la jeune veuve a prolongées jusqu'à la fin du carnaval, n'ont réussi qu'à le faire maigrir de cinq kilos à la suite d'une dysenterie causée par l'effet puissant des eaux de Cambuquira.

En juin, sa compagne a essayé de lui rendre un peu de gaieté en organisant une réunion d'amis pour fêter son anniversaire. Mais ces réjouissances n'ont fait qu'aiguiser en lui la conscience frustrante qu'à quarante-deux ans il a vu tous ses projets d'assassinat se terminer systématiquement par des fiascos.

Au commencement du mois de septembre, il a songé à fabriquer une bombe artisanale pour la lancer contre le dictateur en profitant de la commémoration de l'Indépendance. Tous les 7 septembre, Getúlio préside l'« Heure de la Patrie », la cérémonie patriotique organisée dans le stade Vasco-de-Gama. Mais Maria Eugênia a réussi à l'en dissuader, en arguant qu'un tel acte causerait la mort de centaines d'innocents. En jetant dans la poubelle le matériel acheté pour confectionner sa machine infernale, Dimo a, comme il se doit, failli incendier la pension.

Un samedi après-midi de décembre, une nouvelle qu'il lit dans le *Jornal do Brasil* le démoralise encore plus que de coutume. Le professeur Euclides de Alencar, son compagnon du bagne de l'Ilha Grande, l'homme qui lui a tout appris sur les cafards, est mort la veille. Le sympathique entomologiste avait été libéré l'année précédente et rétabli dans ses fonctions, mais les longs mois d'incarcération avaient miné sa santé de manière irrémédiable. Une veillée funèbre, précise le journal, est organisée à l'Instituto Vital Brasil de Niterói, et Dimitri décide d'aller rendre un dernier hommage au professeur injustement persécuté.

Quand il lui annonce son intention, Pequetita lui propose de l'accompagner d'abord à une parade qui doit avoir lieu à Cinelândia, le quartier des grands cinémas du centre-ville. Une fois de plus, elle espère remonter le moral de son amant.

« Tu ne sais donc pas que j'ai horreur des défilés militaires ? répond Dimitri d'un ton bougon.

– Idiot ! Ça n'a rien à voir avec un défilé militaire. C'est une parade pour lancer le nouveau film de la MGM.

– Quel nouveau film ?

– Ça s'appelle *Le Magicien d'Oz*. Une comédie musicale en Technicolor, avec Judy Garland. Il paraît que c'est une merveille. Le Brésil est le premier pays où il est projeté après les États-Unis », annonce Pequetita, toute fière.

Qui diable peut être cette Judy Garland ? Dimo n'en a pas la moindre idée. Son peu glorieux séjour à Hollywood lui a de toute façon laissé une véritable allergie pour le septième art. La dernière fois qu'il a mis les pieds dans un cinéma, c'était en 1932, pour voir *Scarface*, et seulement parce qu'il était curieux de savoir si Paul Muni proposait d'Al Capone un portrait fidèle et de revoir sur l'écran son ancien ami George Raft, présenté comme la révélation du film. Il est ressorti déçu par l'un et par l'autre. Mais cela ne lui coûte rien de faire ce petit plaisir à Maria Eugênia. Quand les festivités seront finies à Cinelândia, il ira directement à Niterói pour la veillée funèbre.

« Qui doit participer à cette parade ?

– La MGM a dépêché quelques acteurs secondaires et engagé des comédiens brésiliens pour porter les costumes de l'Homme en fer-blanc, de l'Épouvantail et du Lion peureux. »

Pequetita est une lectrice assidue de *A Scena muda,* la revue d'actualités du cinéma.

« Alors, allons-y tout de suite », décide Dimitri, souriant de voir la gaieté enfantine qui éclaire le visage de la jeune femme.

💣💣💣

À partir de 1920, l'audacieux entrepreneur Francisco Serrador avait construit plusieurs édifices sur les terrains occupés pendant un siècle et demi par le monastère da Ajuda.

L'*Império,* le *Capitólio,* le *Glória* et l'*Odeon,* en bordure de la praça Floriano, comprenaient de très modernes salles de cinéma installées au rez-de-chaussée, si bien que le quartier n'avait pas tardé à être connu sous le nom de « Cinelândia ». Le soir et en fin de semaine, c'était un des plus animés de la capitale. Ceux qui n'allaient pas voir les films se promenaient sur la place et goûtaient l'ambiance joyeuse qui y régnait.

C'est sur cette place que se trouvent Dimo et Maria Eugênia, dégustant un sorbet au *jabuticaba*. Comme deux adolescents qui viennent de tomber amoureux, ils le lapent dans la même coupe, pour que leurs langues se touchent sans attirer l'attention des passants. Le soleil de l'après-midi et l'atmosphère de fête semblent avoir éloigné momentanément les sombres pensées de Dimitri.

Tous deux ont pris place au bord du trottoir pour voir de près la parade qui commence. On aperçoit les uniformes colorés de la fanfare qui vient de faire son entrée et attaque les premiers accords de *Somewhere over the rainbow*, le thème musical du film. Le public lance des vivats et applaudit joyeusement. Juste derrière la fanfare apparaissent l'Homme en fer-blanc, l'Épouvantail et le Lion peureux, qui sous leurs lourds costumes doivent trouver plutôt pénible la chaleur de l'été tropical. Avec eux, une actrice qui porte les mêmes vêtements et les mêmes tresses que Dorothy – le personnage interprété par Judy Garland – danse et envoie des baisers à la foule. Une autre, habillée en méchante sorcière, court à cheval sur un balai en lançant des éclats de rire mauvais.

Mais pour les enfants, l'attraction principale, ce sont les petits nains qui constituent le peuple du Pays d'Oz. La MGM en a envoyé dix parmi ceux qui figurent dans la distribution. Avec les mêmes facéties de lutins malicieux que dans le film, ils jettent aux petits garçons et aux petites filles de l'assistance des bonbons importés d'Amérique, et les gamins cariocas ne se tiennent plus de joie.

Dimitri ne peut nier que l'allégresse générale lui rend une partie de son entrain. Ce qu'il n'a pas remarqué, c'est qu'un des nains a tout à coup cessé de lancer aux enfants les bonbons américains tant convoités et qu'il le fixe intensément. Ce nain-là a la peau sensiblement plus foncée que celle des autres, et ses yeux dardent sur lui une haine qu'il distille depuis de longues, longues années. Car l'étrange lutin, qui à présent commence à s'éloigner de ses compagnons, n'est autre que le nain meurtrier de la secte Thug : Motilah Bakash.

Les adeptes de l'occultisme penseront certainement que seule la protection de la déesse Kali a pu permettre à Motilah d'échapper par deux fois à la mort en tombant d'un train lancé à pleine vitesse ; et c'est d'ailleurs ce que lui-même a écrit dans une lettre à sa famille adoptive de gitans, qui s'est maintenant établie à Big Sur, en Californie.

Le fait est qu'après avoir fait un nouveau saut de l'ange par la fenêtre du wagon, cette fois lorsqu'il s'apprêtait à étrangler Dimitri dans l'express Chicago-Miami, le nain assassin est resté accroché au piton d'un des poteaux, en bordure de la voie ferrée, destinés à recevoir les sacs postaux.

Il est resté suspendu à ce poteau pendant plusieurs jours, avant d'être secouru par un employé du service postal, et s'est balancé au gré des intempéries comme une pauvre breloque oubliée. Mais sa haine pour Dimitri l'a maintenu en vie…

Affaibli par cette terrible épreuve, il s'en est ensuite retourné à Los Angeles, où la tribu des gitans l'a de nouveau recueilli. Mayara, une princesse tzigane plantureuse et caressante, à qui sa peau velue donnait une apparence quelque peu masculine, s'est prise de pitié pour le petit Indien, et sa compassion n'a pas tardé à se transformer en amour. Il était touchant de les voir tous les deux se promener parmi les roulottes, la grosse Mayara tirant le minuscule Motilah par la main jusqu'à le soulever de terre comme une poupée soumise à ses caprices.

La nuit, elle le couchait sur son corps imposant et tout en rondeurs, épuisant le petit homme métamorphosé en bibelot érotique. Il est vrai que, dans les fantasmes sexuels de Motilah, la volumineuse anatomie de la gitane avait pris les formes sveltes de l'inoubliable Mata Hari. Lorsqu'il avait joui, Bakash se réfugiait dans les chauds replis de la chair surabondante de Mayara, en quête d'un sommeil réparateur.

Bientôt, il avait repris ses activités habituelles, parcourant les rues avec les enfants de la tribu. Expert lorsqu'il s'agissait de voler les sacs des dames, il était aussi devenu un très habile pickpocket : après s'être entraîné pendant des mois sur un mannequin, Motilah était passé maître dans l'art de subtiliser le portefeuille de n'importe qui, même si sa victime se déplaçait rapidement. Pour compenser ses petits pas, il avait appris à patiner et circulait sur ses roulettes avec une extraordinaire adresse.

Un pur hasard voulut que, après quelques années où il avait vécu relativement heureux, Motilah volât le portefeuille d'un homme qui marchait dans Rodeo Drive. En examinant le contenu, il avait découvert que l'homme en question n'était autre que Victor Fleming, le cinéaste qui s'apprêtait à tourner *Le Magicien d'Oz*.

À cette période, Fleming faisait justement passer des bouts d'essai pour recruter les quarante et quelques nains qui devaient jouer dans son film. Mayara, qui avait une passion pour le cinéma et mourait d'envie de voir sur un écran son petit bien-aimé transformé en géant par la caméra, suggéra à Motilah de rapporter son portefeuille au réalisateur en prétendant l'avoir trouvé dans la rue. Bakash, qui ne lui refusait rien, accéda au désir de sa corpulente maîtresse, non sans avoir d'abord retiré du portefeuille les trois cent onze dollars qui s'y trouvaient. Il n'y laissa que divers documents, sans intérêt pour lui mais de grande valeur pour le cinéaste. Victor Fleming s'enthousiasma aussitôt pour Motilah : en découvrant ce nain à la taille réellement lilliputienne et aux proportions parfaites, il décida sur-le-champ d'en faire un des principaux personnages du petit peuple de la forêt.

Quelle ne fut pas la surprise de Motilah lorsqu'il aperçut en arrivant au Brésil l'objet de son inextinguible désir de vengeance. La grosse moustache qu'arborait maintenant Dimitri ne l'empêcha aucunement de reconnaître les traits de celui qu'il avait maudit tant de fois, et depuis tant d'années. Le temps s'était montré bienveillant envers le soupirant d'un soir de Mata Hari, qui avait conservé intacts son apparence aimable et romantique de poète mal nourri et ses beaux cheveux noirs frisés. S'il l'avait pu, le nain aurait transpercé par la seule force de la pensée les yeux verts de Dimitri.

Au moment où le groupe passe par la rua Alcindo Guanabara, Motilah se cache dans un coin, arrache sa longue barbe postiche et jette au loin son petit chapeau tyrolien. Déjà, il ne ressemble plus du tout à un lutin, mais plutôt à un petit garçon en culottes courtes et bretelles. La parade s'éloigne par la rua Treze de Maio, et le son assourdi de la fanfare se mêle aux bruits habituels de la ville, cependant que les spectateurs de la place commencent à se disperser. Sous le regard furtif de Bakash, Dimitri consulte sa montre et dit au revoir à Maria Eugênia en l'embrassant tendrement sur les lèvres. Il ne veut pas être en retard pour la veillée en hommage au professeur Alencar. Niterói est de l'autre côté de la baie, et il remonte l'avenida Rio Branco pour prendre le bateau à l'embarcadère de la Cantareira.

Motilah Bakash, le nain assassin, le suit. Mais chaque pas de Dimitri l'oblige à en faire deux, et, lorsqu'ils arrivent à la rua Almirante Barroso, les minuscules jambes de Motilah peinent à soutenir le rythme des grandes enjambées de sa proie. Heureusement, Dimo s'attarde devant un kiosque pour lire les manchettes des journaux. Au même instant, Motilah aperçoit de l'autre côté de la rue une boutique d'articles de sport. Une idée salvatrice lui vient : il traverse la rue en toute hâte, entre et achète une paire de patins à roulettes. Le vendeur est tout étonné de voir cette silhouette d'être humain en réduction sortir du magasin en zigzaguant avec adresse parmi les piétons, qui se demandent en s'écartant quels peuvent être les parents irresponsables qui permettent à cet enfant de patiner en plein centre-ville.

Tandis que Dimitri descend la rua da Assembléia en direction de la praça Quinze de Novembro pour gagner ensuite la gare maritime de la Cantareira, Motilah n'a plus aucune difficulté à rester à sa hauteur, glissant élégamment sur le trottoir d'en face.

💣💣💣

Dès 1834, une ligne de bateaux à vapeur avait été créée pour relier Rio de Janeiro à Niterói en traversant la baie. La plaque qu'on pouvait lire alors dans toutes les embarcations était une curiosité :

LES PASSAGERS NE DEVRONT ADRESSER LA PAROLE NI AU MACHINISTE NI AU TIMONIER. SUR LES SIÈGES ARRIÈRE, IL EST INTERDIT DE FUMER OU D'ASSEOIR DES ESCLAVES. LA CABINE INTÉRIEURE EST DESTINÉE AUX DAMES, ET AUCUN PASSAGER N'EST AUTORISÉ À Y PÉNÉTRER.

Vingt-huit ans plus tard, les Anglais Jones et Rainey mirent en place un service de ferry-boats reliant les deux côtés de la baie de Guanabara. Les ferrys, construits dans le style des transbordeurs qui naviguaient sur le Mississippi, furent bientôt connus sous le nom de « bateaux de la Cantareira », d'après le nom de l'entreprise : la Companhia Cantareira de Viação Fluminense – la Compagnie maritime de transports de Rio de Janeiro.

Dimitri arrive à la gare maritime juste à temps pour attraper le ferry de quatre heures. Sans perdre sa trace une seconde, Motilah achète à son tour un billet et franchit d'un bond agile la passerelle flottante. Peu après, la lourde barcasse s'éloigne du quai et creuse un sillon écumeux dans les eaux de la baie.

Il ne reste plus à Motilah Bakash qu'à attendre le moment idéal pour accomplir enfin sa némésis. Il n'a pas sur lui son *roomal,* mais l'écharpe sacrée ne lui fera pas défaut : si intense est son désir de vengeance qu'il a l'intention de sauter sur sa proie et de lui trancher la carotide avec ses dents. La déesse Kali a soif du sang de Dimitri…

Ignorant du péril, l'anarchiste s'est appuyé au bastingage à l'arrière du ferry et observe l'océan, ses pensées mélancoliques tout emplies du deuil de son ami. Quand le bateau a parcouru la moitié du trajet, un orage d'été parsème le ciel bleu de gros nuages noirs et un vent puissant enfle soudain les vagues. « Maintenant ! » pense Motilah. Il ne pleut pas encore, mais l'averse menace et il ne faudrait pas que Dimitri se réfugiât à l'intérieur de l'embarcation. Il s'approche silencieusement, prêt à bondir. Cette fois, l'ennemi haï ne lui échappera pas.

Au moment précis où il va prendre son élan pour sauter à la gorge de sa victime, une grosse vague gonflée par la bourrasque soulève la proue du bateau. Perdant leur point d'appui, les roulettes des patins de Motilah glissent brusquement vers l'arrière sur les planches polies du pont.

Sans un bruit, Motilah Bakash est précipité dans l'océan. Le poids de ses patins l'entraîne aussitôt vers le fond et le cri qui lui monte à la gorge est étouffé par le flot.

Les adeptes de l'occultisme, encore eux, diront sans doute que les premières gouttes de pluie qui tombèrent à cet instant étaient les larmes de Kali, la déesse dévoreuse d'hommes, qui pleurait la triste fin de son plus fidèle serviteur.

Le lendemain, sur le port de Paquetá, deux pêcheurs, en ouvrant le ventre d'un requin qu'ils ont harponné un moment plus tôt, s'immobilisent, intrigués par le contenu des entrailles de l'énorme poisson. La bête a avalé Motilah en une seule bouchée, et ses restes mortels sont parfaitement intacts. En voyant cela, l'un des deux se signe et s'écrie avec alarme :

« Dieu tout-puissant ! Et si c'était le prophète Jonas ?

– Ne dis pas n'importe quoi, Raimundo ! Ce requin n'est pas une baleine et le prophète Jonas n'était pas un nain qui faisait du patin à roulettes. »

12

Rio de Janeiro, septembre 1940

Et ils m'ont dite américanisée,
Que je ne pense plus qu'à l'argent,
Que je suis riche à millions,
Que je ne supporte plus la syncope
d'un tambour,
Et que je suis fâchée quand j'entends
une cuíca.
[...]
Mais sur moi, pourquoi tout ce venin ?
Comment pourrais-je devenir américaine ?
Je suis née sur une samba et je vis dans
la rue
Frappant les vieux rythmes nègres jusqu'au
bout de la nuit.

Chez les mauvais garçons, ceux que j'aime
le mieux,
Je ne dis que « Te amo » et jamais « I love you ».

L'orchestre de Carlos Machado joue les ultimes accords de la chanson, et le parterre du Casino da Urca, debout, applaudit frénétiquement la *diva* Carmen Miranda. Pourtant, la première du spectacle, donnée au bénéfice de la Cité des jeunes filles et présidée par la première dame du Brésil, la senhora Darcy Vargas – soirée qui marquait le grand retour de Carmen Miranda après son fracassant succès à Broadway – s'est révélée décevante. Les nouvelles chansons de facture américaine, comme *I like you very much* ou *Chica Chica Boom Chic*, ont laissé le public de marbre.

Avec l'énergie et le professionnalisme qui la caractérisent, Carmen a annulé la série de galas et, avec quelques semaines de répétitions, a complètement bouleversé le programme. Son nouveau tour de chant ajoute maintenant à ses anciens succès brésiliens des titres tels que *Ela disse que tem* et *Voltei pro morro*, sans compter la vibrante samba de Vicente Paiva et Luís Peixoto en réponse aux médisants qui ont osé prétendre que Carmen Miranda avait perdu son âme brésilienne.

De sa table, Bejo – le colonel Benjamim Vargas, frère du président et grand habitué du Casino – lance des « bravos ! » sonores que sa suite reprend en chœur.

Le luxueux Casino da Urca est l'éclatante concrétisation du rêve d'un visionnaire nommé Joaquim Rolla. Né dans une humble famille du Minas Gerais, celui-ci a débuté dans la vie comme simple muletier, conduisant des bêtes de somme sur les chemins sillonnant les plantations. Quelques années plus tard, c'était un des plus prospères constructeurs de routes du pays.

Après avoir perdu quelques fortunes au jeu, Rolla s'est résolu à passer de l'autre côté des tables de baccara, et bientôt cet affairiste brillant est devenu l'empereur du jeu au Brésil. Il possédait des établissements à travers tout le pays, mais le plus splendide joyau de sa couronne était naturellement le Casino da Urca, qui illuminait de ses feux les plages au pied du Pain de Sucre : les shows qu'il montait sur la scène du *grill-room* attiraient des étoiles de première grandeur, nationales et internationales : de l'acteur brésilien Grande Otelo à Virginia Lane, de Mistinguett à Bing Crosby, tous avaient laissé la marque de leur talent sur ces planches.

Grand et élégant, Joaquim Rolla ne circulait que rarement parmi les clients des salles de jeu. Il dirigeait son empire de sa table personnelle du *grill-room,* où il n'était pas jusqu'aux plus hauts dignitaires de l'Estado Novo qui ne vinssent lui présenter leurs hommages.

D'une intelligence vive et pénétrante, Rolla n'en était pas moins quasi analphabète. C'était à peine s'il savait signer de son nom, et la richesse de son vocabulaire était inversement proportionnelle à celles que sa sagacité lui permettait d'accumuler. On racontait qu'un jour il avait rencontré par hasard dans le centre-ville un politicien connu qui avait passé la soirée de la veille au casino ; celui-ci s'était exclamé :

« Rolla ! Quelle plaisante coïncidence !

– Toute la coïncidence est pour moi, Excellence », avait répondu Rolla avec componction.

C'est justement au Casino da Urca que nous retrouvons Dimitri Borja Korozec, qui s'y est fait engager comme croupier. Il a obtenu cette situation grâce à l'intervention de Mário Charuto, un employé du casino qui réside, comme lui, à la pension de la rua do Catete.

Mário Charuto – « Cigare » –, qui doit son surnom aux Coronas qu'il a perpétuellement entre les dents, a été impressionné par la dextérité de Dimitri dans le maniement des cartes. À l'occasion d'une partie de poker « pour du beurre » disputée par un paresseux après-midi de dimanche, dans le petit jardin de la pension, il a pu admirer combien les douze doigts de Dimo lui permettaient de battre et de distribuer à une vitesse qui tenait du prodige. Quant à Dimitri, si la proposition de Mário l'a immédiatement séduit, c'est parce qu'il sait que Bejo Vargas est un joueur invétéré et un pilier du casino. Bejo est une nature joviale et extravertie. Chaque fois qu'il gagne à la roulette ou au baccara, il se plaît à faire rire tout le monde en jetant en guise de pourboires les lourds jetons de nacre de mille réaux à la tête des serveurs et des musiciens de l'orchestre. Et Bejo intéresse beaucoup Dimitri. Depuis peu, une idée sinistre bouillonne dans son esprit : il projette de porter un coup fatal à Getúlio et à son régime en kidnappant le frère cadet du dictateur.

Casinos de l'époque.

« Faites vos jeux, mesdames et messieurs !
– Rien ne va plus !
– Six sur le ponte !
– La banque gagne tout !
– Banco !
– Carte au ponte !
– Les jeux sont faits, rien ne va plus ! »

À peine les bouleurs ont-ils lancé la bille et fait tourner le cylindre que le jeu s'anime. Le nouveau système d'air conditionné, installé tout récemment, n'est guère efficace contre la chaleur ambiante, et la fumée des cigarettes et des cigares, dont les lumières de la salle dessinent les volutes, forme un nuage presque palpable. Des femmes élégantes en robe du soir et des hommes en smoking s'agglutinent autour des tables, et les joueurs les plus fanatiques sont collés aux tapis verts comme des mouches à du miel. De loin, l'orchestre de Carlos Machado, qui joue dans le *grill-room,* ajoute à l'atmosphère de fiévreuse gaieté qui règne dans le casino.

À la roulette, Luciano Solfieri, notaire à la retraite et perdant opiniâtre, arrache des mains du croupier qui dirige le jeu le dernier jeton dont sa déveine coutumière vient de le délester :

« Celui-là, tu ne l'auras pas ! C'est pour le lait des enfants », dit-il avec autorité.

Tout le monde éclate de rire et le croupier, bonne pâte, se laisse faire. Le gros notaire Solfieri est un vieux client et un ami de Rolla, qui prend tout avec bonne humeur. Depuis que Getúlio l'a exproprié de son étude, il a pris l'habitude de signer « Solfieri-Spoliado ».

La grande attraction de la salle de jeu, toutefois, est le nouveau croupier de la table de baccara. Même ceux qui ne jouent pas s'approchent pour admirer avec quelle virtuosité Dimitri bat les six paquets de cartes du jeu avant de les placer dans le sabot. Il manie la palette qui distribue les cartes et ramasse les jetons comme s'il n'avait fait que cela toute sa vie.

« Trois mille réaux dans la banque, annonce-t-il, tout en brassant à nouveau et en faisant des cartes une cascade colorée.

– Vas-y, Borjinha ! » l'encourage son public.

Dimo se demande comment ses douze doigts, qui lui ont joué tellement de tours quand il s'efforçait d'apprendre les techniques du cirque, ont pu inopinément s'adapter avec tant de précision au baccara.

Parmi les joueurs littéralement émerveillés par sa dextérité, il y a le colonel Benjamim Vargas. Bejo, qui est encore plus petit que Getúlio et fait penser à une réplique en réduction de son aîné, en arrive à oublier de jouer pour contempler bouche bée les prouesses de Dimitri. Comme celui-ci l'avait prévu, le caractère débonnaire du frère du président lui permet d'engager sans difficulté la conversation avec lui, et Bejo se prend aussitôt d'une vive sympathie pour l'habile croupier. De surcroît, il y a quelque chose dans les traits de Dimitri qui lui rappelle curieusement son père, le vieux général Vargas.

Souvent, à trois heures du matin, lorsque toute activité cesse dans les salles de jeu, Bejo le convie à prendre un whisky au bar et ils restent à bavarder jusqu'au lever du jour. Dimitri puise dans les événements de son passé aventureux pour concocter des histoires qui fascinent son compagnon nocturne. Petit à petit, leurs relations deviennent familières et le colonel le considère sans une ombre de méfiance. C'est au cours d'une de ces fins de nuit que Dimitri conçoit soudain comment il doit s'y prendre pour kidnapper Benjamim Vargas.

D'abord, il faudra l'enivrer jusqu'à ce qu'il sombre dans l'inconscience. Ensuite, sous prétexte de le reconduire personnellement au palais Guanabara, Dimo n'aura qu'à le transporter dans un lieu ignoré de tous. Tout ce qui lui manque désormais, c'est une cachette assez sûre pour y séquestrer son prisonnier ; mais il sait déjà qui peut l'aider à la trouver.

« Tu es complètement cinglé, déclare froidement Henri Mathurin en avalant d'un trait son énième verre de bière.

– Cinglé, non. Obstiné, c'est tout. Je sais quel est mon devoir, et je l'accomplirai », réplique Dimitri d'un ton déterminé.

C'est dans un café de la rua Júlio do Carme, dans le quartier du Mangue, à deux pas du bordel de Mme Rosaly – où Mathurin a maintenant été promu gérant – que les deux anciens compagnons d'évasion sont en pleine discussion. Pour décourager les oreilles indiscrètes, ils se parlent en français. Il a grossi, l'ancien perceur de coffres-forts – conséquence de la vie paisible et douillette qu'il mène entre les murs de la maison de passe. Il n'a plus le corps svelte et musclé dont il pouvait tirer fierté sur l'Ilha Grande et qui résistait à l'épreuve du bagne. Sans compter qu'avec ses fonctions directoriales, ce n'est plus à lui de courir derrière les resquilleurs – tous ces jeunes bohèmes qui profitent des services des prostituées et filent ensuite sans payer. Henri se borne à administrer les affaires de Mme Rosaly comme n'importe quel commerçant prospère. Il n'empêche qu'on continue de le craindre dans le quartier. Même les macs les plus teigneux – des hommes endurcis pourtant, habitués aux duels au couteau – ne se hasardent pas à se gausser de ses penchants sexuels. Et c'est seulement à voix basse qu'on ose prononcer son respectueux surnom : le Postérieur de Madame.

Dimitri lui a résumé ses allées et venues – et déconvenues – de ces dernières années ; il lui a aussi parlé de sa liaison avec Maria Eugênia, mais a gardé pour la fin l'essentiel : son engagement comme croupier au Casino da Urca et son projet d'enlèvement. S'il est venu trouver Mathurin, c'est parce qu'il attend de son ami qu'il lui procure une bonne cachette pour y séquestrer Bejo Vargas.

« Tu ne vois pas que tu cours droit à la catastrophe ? Même si tu réussis à kidnapper ce type, tu ne pourras plus jamais remettre les pieds à la pension ou au casino. Et ta veuve, que pense-t-elle de tout ça ? demande-t-il, soucieux.

– D'abord, ce n'est pas *ma* veuve. Jusqu'à nouvel ordre, je suis encore vivant, corrige Dimitri en touchant le bois de la table, une superstition qu'il a acquise au Brésil. Ensuite, je ne lui ai parlé de rien, naturellement. Je ne veux pas qu'elle soit mêlée à cette histoire. Je sais très bien quels risques je cours.

– Eh bien, moi, je suis contre, s'entête Mathurin.

– Si c'est seulement une question d'argent, j'ai en ma possession deux cents livres sterling en or que m'a offertes jadis le colonel Dragutin Dimitrijevic, l'homme qui a guidé mes débuts dans le terrorisme au temps où j'étais encore en Bosnie. Elles sont à toi. »

Une ombre funeste voile le regard de Mathurin.

« Ne m'insulte pas ! »

Dimo comprend qu'il a blessé son vieux camarade.

« Pardonne-moi. C'est le désespoir qui me fait dire des bêtises. »

Mathurin pousse un long soupir, résigné devant la détermination de son ami :

« Bon. Puisque apparemment rien ne te fera démordre de cette folie, je veux bien t'aider. J'ai une bicoque dans les bois, à Barra do Piraí. C'est là que j'amène mes petits mignons. Tu n'auras qu'à l'y enfermer. Je vais te faire un plan, mais je ne te donnerai pas les clefs. Je préfère que tu forces la porte. Comme ça, si les choses tournent mal, je pourrai toujours prétendre que je n'étais au courant de rien.

– Merci, Henri. Voilà une autre dette de reconnaissance que j'aurai envers toi, dit l'anarchiste, ému.

– Oublie ça, réplique Mathurin, réprimant sa propre émotion. Mais, à supposer que tu réussisses ton enlèvement, qu'as-tu l'intention de faire ensuite ? »

Les yeux de Dimo brillent d'excitation à la pensée de son triomphe anticipé :

« Forcer le tyran à confesser ses crimes dans un discours à la radio et à démissionner. Sinon, je liquide son frère ! »

Mathurin ne sait s'il doit imputer ces propos délirants à un accès de démence ou à la canicule qui accable la ville de Rio.

***

Dimitri choisit un vendredi soir pour mettre à exécution son projet et enivrer, puis kidnapper Benjamim Vargas. Il imagine la fin de semaine horriblement angoissée que passera Getúlio dans sa résidence d'été, le palais Rio Negro à Petrópolis – la petite cité à flanc de montagne où, jadis, la famille impériale se retirait, comme lui, pour échapper à la touffeur de la capitale. Dimo a déjà préparé l'abri improvisé – dans le garage de la maisonnette de Mathurin – où, dès cette nuit, il cachera le colonel.

À trois heures du matin, quand le jeu s'arrête sur les tapis verts des salles, il accompagne comme de coutume Bejo au bar du casino, et, comme de coutume encore, tous deux commencent à boire. Sans que le colonel s'en aperçoive, pour chaque rasade de whisky versée dans son verre, Dimitri en verse deux dans celui de Bejo. Tout semble marcher comme sur des roulettes (ainsi qu'il est normal dans un casino, songe Dimo). Il ne lui reste qu'à se débarrasser des deux gardes du corps en civil qui veillent sur Benjamim. Pour piquer la vanité du frère cadet du dictateur, il lui lance d'un ton moqueur :

« Tu te balades toujours avec ces deux brutes. De quoi as-tu peur ?

– De rien ! » fanfaronne le colonel, en montrant le calibre 38 glissé dans sa ceinture.

Et, par une bravade qui n'a rien d'inhabituel chez lui, il congédie ses deux estafiers.

Dimo le félicite pour son cran, puis lui raconte une fois de plus des histoires mirobolantes sur son passé, tout en vidant peu à peu la bouteille dans le verre de Bejo. Lui, cependant, prend soin de boire à petites gorgées.

« Maintenant, il n'y en a plus pour longtemps », songe-t-il, voyant que désormais rien ni personne ne peut empêcher la réussite de l'enlèvement.

Effectivement, le plan audacieux de Dimitri avait toutes les chances de réussir, n'eût été un détail inconnu de lui : malgré sa stature fluette, Benjamin Vargas est doué d'une résistance à l'alcool hors du commun. Il est capable d'absorber jusqu'à deux bouteilles de scotch sans que sa lucidité s'en trouve le moins du monde altérée.

Or, on ne saurait en dire autant de Dimitri Borja Korozec. Malgré la parcimonie avec laquelle il se sert, à quatre heures du matin Dimo est complètement ivre. Et cette ébriété suscite en lui un comportement tout à fait opposé à ce qu'on sait de son caractère, un étrange débordement de sentimentalité, aussi véhémente que répétitive. En sorte que le frère du dictateur devient tout à coup l'objet de la plus fougueuse tendresse. Dimitri serre Benjamim dans ses bras, visage presque collé au sien, et lui déclare d'une voix pâteuse :

« Bejo ! Tu sais que je t'aime, Bejo. Crois-moi, je serais désespéré si on te faisait le moindre mal, Bejo !

– Je sais, Borjinha, répond Benjamim, l'esprit parfaitement clair et avec la patience d'un homme habitué depuis des décennies à supporter les rengaines et l'haleine chargée de centaines d'ivrognes.

– Pour moi, tu es plus qu'un ami. Tu fais partie de ma famille ! Un père, c'est un père, une mère, c'est une mère et la famille, c'est la famille. Pas vrai ?

– Bien sûr, Borjinha.

– Bejo, embrasse-moi ! Donne-moi un bisou ! Je t'aime, Bejo ! Je veux un bisou, Bejo ! »

Puis, ces serments d'amitié éternelle sont interrompus par des exclamations d'une extraordinaire ferveur religieuse :

« Que Dieu Notre-Seigneur te bénisse et te protège, Bejo !

– Amen, Borjinha. »

Soudain, un remords inattendu s'empare de Dimitri :

« Bejo, sais-tu ce que je suis ? Une ordure ! Un fils de pute ! Et sais-tu pourquoi ? Eh bien, parce qu'un père, c'est un père, une mère, c'est une mère, mais en plus de tout cela, Bejo, un grand-père, c'est un grand-père ! C'est pour ça, tu comprends ? C'est pour ça que tu es un si grand ami, et que moi je suis un si grand fils de pûûûûûte ! » ulule Dimitri, avant d'éclater en sanglots.

Sans plus pouvoir prononcer un mot, Dimo pleure longuement et copieusement, puis s'endort comme un bébé dans les bras de Benjamim Vargas.

Le barman, qui a assisté à la scène avec une totale impassibilité, propose alors ses services :

« Laissez, colonel. Je m'occupe de le porter dans un taxi.

– Pas la peine. De toute façon, j'allais partir. J'en profiterai pour le ramener chez lui. Vous savez où il habite ? »

Le barman donne à Benjamim l'adresse de la rua do Catete, puis tous deux transportent Dimitri inconscient jusqu'à la limousine qui attend le colonel. Dans la cour devant le casino, les ronflements sourds de l'anarchiste ivre mort provoquent les rires étouffés des femmes de ménage qui arrivent pour nettoyer les salles de jeu.

Ainsi, contrairement aux prévisions de Dimitri, est-ce le présumé kidnappé qui dépose l'aspirant kidnappeur sur le seuil de la pension de la rua do Catete.

13

Rio de Janeiro, décembre 1941

> *Le radeau est parti avec Chico, Ferreiro*
> *et Bento*
> *Mais le radeau est revenu seul.*
> *Il est parti, c'est bien certain. Un tourbillon,*
> *Et le radeau est revenu seul...*

Le triste lamento de la chanson de Caymmi semblait le présage de la tragédie qui frappa un certain pêcheur appelé Jacaré. Lui et trois compagnons natifs du Ceará, un État du Nordeste particulièrement pauvre, avaient voyagé soixante et un jours sur un radeau, de Fortaleza à Rio, pour réclamer de Getúlio l'extension des droits du travail aux travailleurs de la mer. Leur traversée, authentique épopée moderne, émut profondément tout le pays. Lorsqu'ils débarquèrent sur la praça Mauá, on plaça le radeau sur un camion avec les quatre héros, et ils franchirent les dernières centaines de mètres jusqu'au palais Guanabara au milieu d'une véritable liesse populaire. Vargas ne repoussa pas leur demande.

Quelque temps plus tard, Orson Welles, qui se trouvait au Brésil pour tourner *It's all true*[14], décida d'intégrer cette aventure à son documentaire. Le voyage fut donc reproduit pour les caméras et les pêcheurs reprirent la mer. Au milieu du tournage, il advint qu'une vague plus forte que les autres renversât la rudimentaire embarcation et engloutît son équipage. Un seul d'entre eux ne parvint pas à remonter à la surface. C'était justement le chef de l'expédition, celui qui conduisait le radeau : Jacaré.

Le 15 novembre, six mois avant ce fatidique accident, le radeau est d'abord un symbole de courage et d'espérance ; car ce jour-là, en fin d'après-midi, Getúlio doit recevoir au palais les quatre pêcheurs du Ceará.

Dimitri Borja Korozec s'intéresse tout particulièrement à cette même date, mais pour des raisons qui n'ont rien à voir avec la prouesse des valeureux navigateurs nordestins. C'est aussi ce jour-là qu'a lieu, sur le champ de courses du Jockey-Club, le grand prix Getúlio-Vargas, en présence du président.

La beuverie homérique qui a mis un terme à son absurde projet d'enlèvement a contraint Dimitri à quitter le Casino da Urca. Non qu'on l'en ait chassé : bien loin de lui faire du tort, l'épisode a encore accru sa popularité, d'autant plus que Bejo, pour sa part, l'a trouvé très amusant. Mais Dimo a renoncé à son emploi par pur sentiment d'humiliation, et cela malgré les instances de Joaquim Rolla qui tenait à garder son croupier le plus apprécié.

Son ivrognerie involontaire a également suscité l'ire de Maria Eugênia, très mécontente de le voir rentrer complètement saoul alors que le jour se levait déjà. Cette affaire a même causé la première dispute entre les deux amants. C'est que Pequetita commence à grandement s'exaspérer des comportements infantiles de l'anarchiste.

Pourtant, sans prêter l'oreille aux plaintes de la jolie veuve, Dimitri a plongé la tête la première dans un nouveau projet. Il a lu dans *O Globo* un long article sur le grand prix, événement à la fois sportif, politique et mondain, qui fait partie des festivités commémorant la naissance de la République. Comme de coutume, Getúlio assistera à la course baptisée de son nom. Le dictateur prend beaucoup de plaisir à effectuer un tour d'honneur en voiture décapotée sur la piste, ainsi que Lourival Fontes, le directeur du département de la Presse et de la Propagande, le lui a conseillé pour promouvoir son image. Il y a une semaine, Dimitri s'est rendu sur le champ de courses pour étudier la possibilité d'éliminer Getúlio Vargas lors de sa venue au Jockey-Club.

Alors qu'il se promenait sur les pelouses, son attention a été attirée par les ramasseurs de papiers chargés de glaner sur les gazons et les allées les récépissés de paris déchirés par le public des courses précédentes. Ces employés en uniforme piquent sans se baisser les bulletins jetés par terre au moyen d'un manche en bois muni d'une pointe métallique et les placent dans un sac qu'ils portent en bandoulière. Dimitri, songeur, reste un long moment à observer le mouvement toujours répété des ramasseurs. Il remarque également que les turfistes, trop absorbés par les chevaux, ne leur prêtent aucune attention. La dernière course terminée, Dimo aborde un des employés et, se prétendant collectionneur, lui offre une coquette somme en échange de sa casaque et de sa casquette. Il lui achète également son sac et son pique-papiers.

En rentrant à la pension, il sait déjà comment il s'y prendra pour assassiner Getúlio Vargas.

***

Dans son petit atelier aménagé dans le garage de la pension, Dimo met la dernière main à l'arme qu'il a confectionnée pour perpétrer son attentat.

En se servant d'un tube en aluminium, de fragments de tuyauterie et de morceaux d'un vieux revolver ayant appartenu au défunt mari de Pequetita, il a fabriqué la copie en métal d'un pique-papiers en bois et transformé ce simple cylindre en fusil calibre 22 à un coup. Sous son apparence inoffensive, l'objet est en réalité une arme silencieuse à fort pouvoir de pénétration.

Reste à tester l'efficacité de l'instrument. Sachant que Maria Eugênia est sortie faire des courses, Dimitri emporte son fusil au bout du jardin où un manguier chargé de fruits sera parfait pour en vérifier la précision. Ses dons de tireur, qui impressionnaient tant ses camarades de la Skola Atentora, demeurent intacts.

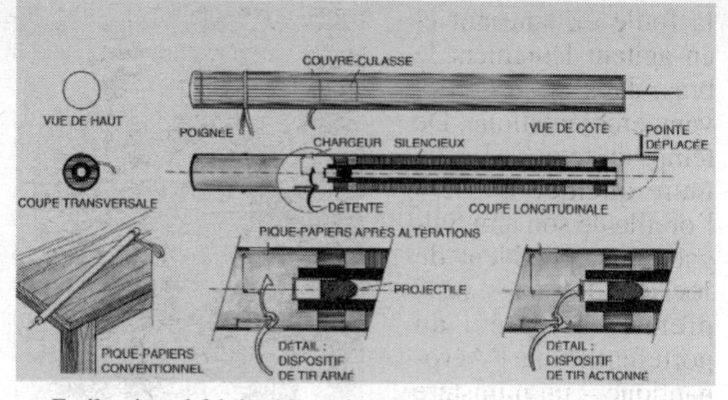

Fusil artisanal fabriqué à partir d'un pique-papiers initialement destiné à ramasser les récépissés de paris.

Utilisant les mangues comme cibles, il règle sa visée, en corrigeant l'angle et la trajectoire. Bientôt, chacun de ses tirs traverse presque automatiquement le fruit de part en part.

Samedi, au Jockey-Club, une balle bien ajustée ira se loger dans la tête du dictateur et mettra un terme à l'Estado Novo.

La pluie de la veille a inondé le sol meuble de l'hippodrome et les jeunes femmes qui défilent sur les pelouses en arborant des toilettes dernier cri maculent de boue leurs élégants souliers doublés d'étoffe.

Encore quelques minutes avant le début du grand prix Getúlio-Vargas. Sur la piste, le galop de présentation qu'effectuent les chevaux en lice avant la course a fait admirer la forme exceptionnelle de Trunfo, un des favoris, monté par le jockey chilien Agostín Gutierrez. Mais Tenor et Albatroz se sont également montrés brillants, et tous les trois sont capables de l'emporter sur ce terrain très lourd.

De la tribune d'honneur, entouré de dignitaires du régime et des inévitables flagorneurs, le président salue la foule en souriant et en agitant lentement le bras, dans un geste devenu emblématique. De temps en temps, il murmure quelque chose à l'oreille de son ami Salgado fils, président du Jockey-Club mais aussi premier détenteur du portefeuille de l'Aéronautique – un ministère tout récemment créé. Vargas quittera le champ de courses aussitôt après le grand prix, car il doit recevoir les héroïques pêcheurs du Ceará au palais Guanabara.

Au grand prix, le ministre Salgado fils et un enfant en grande tenue. Au fond, on reconnaît Dimitri déguisé en ramasseur de papiers.

De l'autre côté de la piste, les chevaux s'alignent derrière la marque des deux mille mètres. Même les ramasseurs de papiers interrompent un moment leur tâche pour ne pas manquer le départ. Seul l'un d'eux, tournant le dos à l'événement qui se prépare, continue à nettoyer la pelouse et à piquer les bulletins déchirés par terre. Son geste est distrait et mécanique ; son regard, lui, ne quitte pas une seconde la silhouette trapue du président.

Le ramasseur indifférent n'est autre que Dimitri, qui attend le début de la course et le moment où l'attention générale se concentrera sur les chevaux lancés au galop pour armer son faux pique-papiers et viser le dictateur. Sans cesser son travail, il prend soigneusement position devant la tribune d'honneur. Si d'aventure le silencieux ne couvre pas complètement le bruit du coup de feu, il sera de toute façon noyé par le vacarme des parieurs. Dimitri est prêt à tirer.

Rageusement, il plante la pointe de son instrument dans un dernier bulletin boueux, tandis que retentit le coup tiré à blanc qui donne le signal du départ.

La course est lancée et les jockeys éperonnent leurs montures, cherchant aussitôt la meilleure position à l'intérieur du couloir. Dans les tribunes, les supporters crient à tue-tête le nom de leurs favoris :

« Vas-y, Adonis !

– Bouscule-le, Tenor ! »

À l'entrée dans la courbe finale, Trunfo, galvanisé par les encouragements de son jockey chilien, se détache du peloton et livre un corps à corps acharné avec Albatroz, deuxième placé. Quelques mètres en arrière, Tenor et Adonis restent en troisième et quatrième position. Des centaines de jumelles suivent fébrilement l'issue du grand prix. C'est le moment. Dimo lève son pique-papiers, vise la tête de Getúlio et appuie sur la détente. Une détonation étouffée... L'anarchiste est par terre et se tord de douleur.

Il existe une explication scientifique au curieux phénomène qui s'est produit lorsque Dimitri Borja Korozec a actionné son ingénieux appareil. Comme la terre de la pelouse était encore détrempée par la pluie de vendredi, chaque fois qu'il plantait le faux pique-papiers dans le sol pour ramasser un bulletin déchiré, des parcelles de boue s'accumulaient progressivement dans le canon de l'arme, empêchant la propulsion de la balle. Les gaz dégagés par l'explosion, bloqués par l'obturation du tube de métal, se sont donc déchargés dans l'autre sens et ont projeté le couvercle bouchant l'arrière du cylindre dans la figure de Dimitri. La force de l'impact a fait tomber le tireur à la renverse. Par chance, les turfistes étaient tellement captivés par la course que personne n'a remarqué l'incident.

Dimitri se tire de l'aventure avec un œil au beurre noir et son orgueil en lambeaux.

14

Jamais je n'ai vu tant d'exigences,
Ni faire à autrui ce que vous me faites !
Ne savez-vous donc pas ce qu'est la conscience,
Ne voyez-vous pas que je ne suis
qu'un pauvre garçon ?
[...]
C'était Amélia qui m'aimait sans caprices,
C'était Amélia la femme au cœur sincère !

Rio, 30 avril 1942

Passage extrait du cahier (incomplet) de Dimitri Borja Korozec, intitulé *Souvenirs et trous de mémoire : notes pour une autobiographie :*

Je viens de remonter le phonographe et j'écoute pour la cinquième fois Ataulfo Alves chanter cette samba. Je suis seul dans ma chambre. La chanson me rappelle Mira Kosanovic, la belle Albanaise qui fut jadis mon premier amour. « C'était Mira qui m'aimait sans caprices, c'était Mira la femme au cœur sincère... » : je chantonne le refrain en remplaçant le prénom. Ce n'est pas que j'aie perdu ma tendresse pour ma belle veuve. Il serait injuste d'ignorer tout ce que Maria Eugênia a fait pour moi, quitte à mettre en péril sa propre liberté. Non : ce qui m'ennuie, c'est que Pequetita ne cesse de s'inquiéter toujours davantage à cause de mes activités, et de les désapprouver. Au lieu de m'encourager, comme devrait le faire la compagne d'un anarchiste, elle cherche à me dissuader de toute entreprise qui comporte un danger pour moi.

Le plus étrange, c'est que j'ai la certitude que, à la lecture de mes notes, elle a été véritablement fascinée par mon passé révolutionnaire. Bien évidemment, je ne veux pas faire d'elle ma complice ; et, bien évidemment, je comprends que son éducation religieuse lui fasse condamner la violence. Pourtant, j'aimerais lui faire entendre que ma vie est tout entière vouée à la destruction de la tyrannie, quoi qu'il doive en coûter.

Je me rappelle encore sa réaction lorsque je suis revenu du Jockey-Club après mon attentat manqué sur le champ de courses. Elle m'a grondé exactement comme un enfant qui aurait fait une bêtise ! Bien sûr, elle a soigné ma blessure avec beaucoup de sollicitude (ce qui, soit dit en passant, n'a pas empêché que la vision de mon œil droit fût diminuée de moitié à la suite d'une infection causée par la poudre), mais elle a jeté dans les eaux de la lagune Rodrigo de Freitas mon automatique 45 que je gardais précieusement depuis l'époque de Chicago. Quand je le lui ai reproché, elle m'a répliqué qu'il était désormais hors de question que je conserve une arme à la maison.

Elle m'a aussi obligé à démonter entièrement l'atelier que je m'étais aménagé avec tant de soin et fait poser quatre serrures de sûreté sur la porte du garage. Maintenant, je me vois forcé de cacher dans la chasse d'eau, enveloppés dans plusieurs sacs en plastique, les trente bâtons de dynamite que j'ai volés dans une carrière de pierres à Jacarepaguá. Chaque fois que je vais aux toilettes, il faut donc que je fasse attention à démonter la valve. Je me sens comme un gamin qui fume en cachette de sa mère !

Je ne sais pas pourquoi, mais j'ai parfois le sentiment que Pequetita nourrit des doutes sur ma santé mentale. J'aimerais de tout mon cœur lui révéler mon nouveau plan pour éliminer le tyran et la voir vibrer d'enthousiasme, mais, hélas ! je sens qu'il est au contraire impératif que je ne la mette pas dans le secret.

Mon plan, donc : demain, 1er mai, Getúlio doit comme chaque année présider un grand meeting de travailleurs au stade Vasco-de-Gama pour célébrer la fête du Travail. Je sais quel sera son itinéraire et je sais aussi que, en ces occasions, le dictateur circule sans son escorte de gorilles. Mon intention est de lancer contre sa voiture celle de Maria Eugênia chargée d'explosifs. La seule difficulté sera de sauter de la voiture en marche avant la collision. Quelque chose me dit que Pequetita ne verrait pas cette idée d'un très bon œil.

Au matin du 1er mai, Dimitri éprouve une vive déception. En retirant de la chasse d'eau les explosifs avec lesquels il comptait transformer la voiture de Pequetita en bombe sur roues, il découvre que le plastique de protection s'est déchiré et que les bâtons de dynamite sont mouillés. Un moment, il se résigne à ajourner l'opération ; puis, réfléchissant mieux, il aboutit à la conclusion que la dynamite n'est nullement indispensable. La Cadillac qui transportera Getúlio n'est pas blindée. S'il lance la voiture contre la portière latérale avec assez de force, la violence de la collision suffira à causer la mort du passager. Le 1er mai est férié et les rues sont vides, ce qui facilitera l'accident prémédité.

Dimitri s'installe donc au volant et file tout droit dans la vieille Ford de Maria Eugênia jusqu'à la rua do Russell. C'est là qu'il attendra le passage de Vargas.

La Cadillac Fleetwood modèle 1941, avec ses larges marchepieds, est la préférée du président. Getúlio, court sur pattes et rondouillard comme il est, se sent plus à son aise assis sur la vaste banquette arrière de la limousine. Le chauffeur prend la route de la plage du Flamengo en empruntant la rua Silveira Martins.

Vargas, qui est descendu de Petrópolis pour les festivités du 1er mai, profite du trajet pour relire le discours qu'il doit prononcer de la tribune du stade Vasco-de-Gama. Tranquillement, il pose ses lunettes sans monture sur le bout de son nez et s'apprête à allumer un cigare quand une voiture lancée à toute allure débouche de la rua do Russell et se précipite comme un bolide contre sa Cadillac. Le choc brutal le prend complètement par surprise, et voilà Getúlio projeté d'un côté à l'autre de la limousine, son corps sans aucun appui balancé et secoué comme un pantin invertébré.

Le président échappe de peu à la mort, mais il souffre de fractures multiples, à la jambe gauche, à la mâchoire et à une main.

L'accident n'a pas laissé en meilleur état l'auteur de ce haut fait d'armes. Dimitri n'a pas réussi à sauter de la voiture en marche : au moment d'ouvrir la portière, la manche de son veston s'est coincée dans la poignée.

Peut-être par un châtiment de la Providence, les blessures dont souffre l'anarchiste sont les mêmes que celles qu'il a infligées à sa victime.

O ACIDENTE COM O CARRO DO PRESIDENTE VARGAS

O acidente havido com o auto do presidente Getulio Vargas, quando este se dirigia ao local onde era comemorado com um desfile o "Dia do Trabalho".

O desastre teve lugar na Praia do Flamengo, e reuniu imediatamente um grande número de populares, que, como se pode ver nas fotos que publicamos, acorreram a prestar ajuda, sendo, então fotografados junto à limousine que conduzia o chefe da Nação.

Photo de l'accident publiée dans la *Noite ilustrada.* La flèche indique le tramway où s'est caché Dimitri.

La Cadillac 1941 a raisonnablement bien résisté à la violence du choc – au contraire de la Ford 1934 de Maria Eugênia, réduite à un amas de ferraille.

S'extirpant avec peine de ce qui reste de la carrosserie, Dimo cherche refuge dans un tramway dont le conducteur s'est arrêté pour contempler le désastre. L'important, pour le moment, est de se protéger de la foule en furie, qui veut lyncher le responsable de l'accident.

Mais alors que la populace s'élance à l'assaut du tramway pour mettre à mort le bourreau du chef et bienfaiteur de la nation, on entend tout à coup, venant de la limousine emboutie, la voix reconnaissable entre mille – quoique un peu déformée par sa mâchoire brisée – du despote bien-aimé :

« Ne faites pas ça, je vous en prie ! Il ne l'a pas fait exprès ! »

Le peuple obéit à contrecœur à l'ordre du président blessé. Devant l'ironie de la situation, Dimitri se sent envahi par un effroyable sentiment de déconfiture et d'humiliation. Sa douleur morale est bien plus insupportable que celle de son corps meurtri. Sa vie vient d'être épargnée par la volonté de l'homme qu'il voulait assassiner.

Getúlio Dornelles Vargas et Dimitri Borja Korozec sont secourus avec la même rapidité. Un passant se porte volontaire pour emmener le président au palais Guanabara, où il sera soigné avec zèle par les docteurs Castro Araújo, Juscelino Albuquerque et Florêncio de Abreu. Aussitôt après, un taxi transporte Dimitri à l'hôpital Pedro-Ernesto, où il est accueilli par un interne anonyme.

Ses blessures contraignent Getúlio à passer trois mois pleins alité dans son palais. Médecins et infirmières, toutefois, s'émerveillent devant sa prodigieuse capacité de récupération. Avec des fractures identiques, il faut deux fois plus de temps à Dimitri pour se rétablir.

Dans un témoignage de cette générosité que ses adversaires appellent démagogie, le président a tenu à prendre en charge toutes les dépenses de santé du chauffard qui a failli le faire passer de vie à trépas.

Pendant la longue période où il se trouve bloqué sur son lit d'hôpital avec une jambe suspendue à une poulie, une main plâtrée et le menton couturé, Dimo ne laisse pas d'être étonné par l'absence de Maria Eugênia Pequeno. La jeune veuve se présente quotidiennement à l'infirmière de garde pour demander de ses nouvelles, mais ne lui rend aucune visite dans sa chambre. « Elle doit être fâchée parce que j'ai démoli sa voiture », pense-t-il, sans accorder beaucoup d'importance à cette froideur. Mais la vérité est que Pequetita, fatiguée des péripéties qui mettent sans cesse en péril la vie de son anarchiste d'amant, a décidé, après mûre réflexion, de mettre le holà à toutes ces folies. Elle aime toujours

Dimitri, mais ne supporte plus de vivre le cœur agité par de constantes frayeurs.

En novembre arrive enfin le jour où Dimitri peut quitter l'hôpital. Ce matin-là, Maria Eugênia l'attend devant la porte de la pension. Il s'approche pour l'embrasser, mais Pequetita esquive son baiser et détourne le visage :

« Il faut que nous parlions, dit-elle.

– Je sais. Tu es furieuse à cause de ta voiture.

– Si c'est vraiment ce que tu penses, tu me connais mal ! »

Elle commence à marcher lentement sur le trottoir de la rua do Catete et Dimo la suit, essayant de la prendre dans ses bras :

« Alors, qu'est-ce qu'il y a ? » demande-t-il, intrigué.

Pequetita repousse le bras qui lui entoure la taille :

« Ce qu'il y a ? Tu as le front de me demander ce qu'il y a ?

– Naturellement. Je ne t'ai jamais vue aussi en colère.

– Ce qu'il y a, c'est que j'en ai par-dessus la tête d'aller me coucher le soir sans savoir si je te retrouverai vivant le lendemain ! Je ne supporte pas l'idée de rester veuve une deuxième fois.

– Pour ça, tu ne risques rien.

– Comment, je ne risque rien ?

– Nous ne sommes pas mariés », explique Dimitri dans un sourire, tentant de plaisanter.

Mais cette stratégie a pour effet d'exaspérer Maria Eugênia encore davantage. Elle tourne les talons et retourne vers la pension, non sans l'avertir par-dessus son épaule :

« Moi, en tout cas, j'en ai plus qu'assez ! Ou tu renonces à ces extravagances, ou je préfère ne plus te revoir ! »

L'anarchiste réplique, haussant le ton :

« Ce que tu appelles des extravagances est tout simplement ma raison de vivre, Pequetita ! »

Mais Pequetita ne prend même pas la peine de lui répondre, ce qui a pour effet de le rendre furieux à son tour :

« Va-t'en donc ! Est-ce que tu t'imagines que j'ai besoin de toi ? » lui crie-t-il, se repentant aussitôt de cette immense ingratitude.

Les habitants de la rua do Catete se sont mis à leurs fenêtres pour assister à cette scène insolite. Prenant conscience qu'il est le centre de l'attention générale, Dimo entre dans le premier bar qu'il trouve sur son chemin. Au comptoir, il demande un café et un paquet de Petit Londrinos.

Il regrette profondément les paroles injustes et cruelles qu'il a lancées à Maria Eugênia, et ne sait comment résoudre le dilemme où il se trouve. De toute évidence, il lui faut maintenant choisir entre l'amour de Pequetita et la route incertaine de l'assassinat politique.

Il aspire une longue bouffée de sa forte cigarette à l'épaisse fumée sombre et la garde dans ses poumons jusqu'à en perdre le souffle. Le voilà seul une fois de plus. Seul, littéralement seul. Mais peut-être est-ce mieux ainsi, songe-t-il mélancoliquement. La solitude est l'apanage des guerriers.

15

Rio de Janeiro, mars 1943

Etelvina, ma douce,
J'ai gagné le « millier » !
J'ai touché cinq cents billets :
Plus question de travailler !

C'est en entendant Moreira da Silva dans un cabaret du quartier de Lapa que Dimitri Borja Korozec, légèrement pris de boisson, trouve l'inspiration pour se choisir une nouvelle profession. On peut supposer que, outre l'ébriété, la mélancolie causée par l'absence de Maria Eugênia a également contribué à lui brouiller l'entendement, car on ne voit guère de motifs plausibles pour qu'à quarante-six ans Dimo prenne subitement la résolution de devenir banquier de la Loterie des animaux.

Comme le veut la mode en cette année 1943, Dimitri porte moustache et a recommencé de raidir ses cheveux bouclés en les gominant abondamment, comme au temps où il imitait la coiffure de George Raft. Pour dissiper les humeurs sombres où le plonge la séparation d'avec Pequetita, il fréquente assidûment les lieux de plaisir nocturnes.

Un de ses plus récents compagnons de bohème est Mário Pereira, un étudiant en droit de vingt-sept ans qui n'assiste que fort rarement aux cours de la faculté et, pour cette raison, en est à sa quatrième dernière année.

C'est dans les oreilles de Mário que Dimitri, tout en prenant garde de ne rien révéler de ses activités terroristes, déverse les lamentations habituelles à ceux qui souffrent de chagrins d'amour :

« Cette femme ne me comprend pas. Elle est incapable d'admirer mes travaux.

– Et que fais-tu dans la vie ? demande Mário.

– Oh, un peu de ceci, un peu de cela… Pas mal d'expédients, tu comprends ? Des choses… ponctuelles, répond Dimitri, éludant la question.

– Les femmes préfèrent qu'on ait une profession stable, Borjinha. Moi-même, je suis aussi en butte à ces préjugés, pour la seule raison que je suis étudiant.

– Tu as raison. Voilà pourquoi cette samba de Moreira m'a donné une idée. Je crois que je vais m'établir comme banquier de la Loterie des animaux. »

Mário s'étonne de cette déclaration inattendue :

« Banquier de la Loterie des animaux ? Pour ça, il faut beaucoup d'argent, tu sais ?

– De l'argent, ça peut se trouver… Oui, ça peut se trouver », assure Dimitri avec un sourire énigmatique.

Mário hausse les épaules et change de sujet, attribuant cette affirmation présomptueuse aux trop nombreux verres de caipirinha.

Dimitri termine son verre et prend congé de l'aspirant juriste, car il a hâte de regagner son nouveau domicile. Encore sous le choc de la décision irrévocable de Pequetita, Dimo a été recueilli par Henri Mathurin qui l'héberge au bordel de la rua Júlio do Carmo.

Grâce à sa capacité d'adaptation acquise au long des années, il s'est vite accoutumé à la vie dans le quartier du Mangue. Ses dons de polyglotte l'ont aidé à nouer des amitiés avec les prostituées étrangères qui, en ces temps de crise, sont recrutées en foule dans les asiles misérables de Hongrie, d'Autriche et de Pologne par les hommes de la Zwig Migdal, une organisation de souteneurs juifs qui sont la honte de leur peuple. Ces individus sans foi ni loi n'hésitent pas à promettre aux pauvres filles mariage et fortune lorsqu'elles arriveront au Brésil ; mais une fois sur place, sans défense, loin de leurs familles, ne connaissant pas la langue, les infortunées sont bien vite réduites à la prostitution. Quelques-unes réussissent à s'enrichir et deviennent elles-mêmes tenancières de maisons réputées, tandis que d'autres ne supportent pas leur malheur et préfèrent se donner la mort. Mais l'instinct de survie conduit la plupart à s'accommoder vaille que vaille de leur nouvelle condition.

Pour Dimitri, observer les pensionnaires à moitié nues qui vont et viennent dans la maison de passe sous l'œil vigilant de Mme Rosaly est devenu une habitude plaisante. Il s'amuse de les voir se mettre à la fenêtre pour discuter le prix de leurs services avec les clients ou éconduire ceux qui ne leur inspirent pas confiance. Quand il s'en présente un dont elles ne veulent pas, elles se prétendent malades et crient en allemand, tout en secouant énergiquement la tête :

« *Nein ! Ich habe eine Krankheit ! Eine Krankheit !*

– Allez, on s'en va. Aujourd'hui, la pute a une *encrenca* », répètent les clients, qui entendent mal – créant ainsi, et pour toujours, ce néologisme qui a cours aujourd'hui au Brésil.

La sagacité commerciale de Mathurin n'a pas échappé à la patronne, à tel point que Mme Rosaly n'a pas hésité à le prendre pour associé quand l'ex-perceur de coffres-forts lui a suggéré de rendre ses affaires encore plus florissantes en ouvrant une succursale flambant neuve dans le quartier des Laranjeiras.

En arrivant de Lapa ce samedi 6 mars, Dimitri informe son ami de sa décision. Pragmatique, Mathurin demande :

« Quel rapport y a-t-il entre la Loterie des animaux et le terrorisme politique ?

– Aucun. C'est justement ça qui est magnifique. Tu ne comprends pas ?

– Non.

– Eh bien, de cette façon, je vais pouvoir convaincre Maria Eugênia que j'ai abandonné le terrorisme une bonne fois pour toutes. Et puis, être banquier de la Loterie des animaux est une couverture parfaite pour ma mission révolutionnaire ! »

Mathurin pèse le pour et le contre :

« Tu sais, la Loterie des animaux n'est pas vue d'un très bon œil par la police. Elle est tolérée, mais officiellement illégale. Sans compter que la concurrence est forte.

– Un homme qui a travaillé avec Al Capone ne craint aucune concurrence. »

Le projet, décidément, ne plaît guère à Mathurin. En dernier recours, il invoque le même argument que Mário Pereira un moment plus tôt :

« Et l'argent ? Où vas-tu trouver l'argent pour te lancer comme banquier ? »

Dimitri plante son regard dans celui de son vieux camarade avec l'expression d'un homme qui a réponse à tout :

« J'y ai pensé. J'ai décidé de vendre les pièces d'or anglaises que m'a données Dragutin Dimitrijevic autrefois. »

À supposer qu'il pût entendre les paroles de Dimitri, il est probable que le vieux colonel serbe fit trois tours dans sa tombe.

En 1892, quand le gouvernement abolit la subvention qu'il lui versait pour l'entretien de son jardin zoologique à Vila Isabel, le baron de Drummond inventa une méthode ingénieuse pour stimuler la vente des billets d'entrée. Il décida que chaque ticket, payé mille réaux, serait dorénavant marqué d'un des chiffres numérotant les cages des animaux. À la fin de l'après-midi avait lieu un tirage au sort, et les visiteurs chanceux recevaient une somme représentant vingt fois la valeur du billet. Ainsi était née la Loterie des animaux. Le succès fut immédiat, et l'on put bientôt acheter les tickets dans les magasins, en sorte que des intermédiaires professionnels se mirent de la partie : les futurs banquiers de la Loterie des animaux.

En peu de temps, le jeu, lancé de manière bien innocente, se transforma en une course aux gains effrénée. Les banquiers organisèrent un système beaucoup plus élaboré : les billets correspondant aux vingt-cinq animaux classés en « groupes » se divisaient en cent dizaines, mille centaines et dix mille milliers.

Pour déterminer la dizaine de l'animal choisi, il fallait multiplier le numéro de son groupe par quatre et descendre ensuite de trois chiffres. Par exemple, les dizaines du chameau – groupe 8 – étaient 32, 31, 30 et 29.

La grande attraction de cette astucieuse loterie zoologique était le « millier ». Le joueur pour qui sortait un millier gagnait cinq mille fois le montant de sa mise. Les *pontos,* comme on appelait les endroits où l'on recevait les paris, eurent tôt fait de proliférer dans tous les quartiers de la capitale.

Au début du siècle, la Loterie des animaux fut interdite par les autorités, ce qui ne fit qu'accroître sa popularité : le fruit défendu est toujours plus savoureux. Bien rares étaient ceux qui n'y allaient pas de leur petit pari au moins une fois par semaine.

Tout était affaire de pressentiment : qui rêvait d'une rivière jouait le crocodile ; d'une trompette, l'éléphant ; de lait, la vache. Et quand, en 1923, le populaire Rui Barbosa[15] mourut à Águia de Haia, la population en masse misa sur le groupe 2 et choisit l'*águia* – l'« aigle » – ce qui entraîna la faillite de quelques banques.

Avec une perspicacité digne de magnats de la finance internationale, les banquiers prirent le parti de se partager la gestion des paris trop élevés afin d'éviter semblables déroutes à l'avenir.

C'est dans cette activité fascinante et périlleuse que se lance corps et âme Dimitri Borja Korozec. Il investit une partie de la petite fortune que lui a rapportée la vente de ses pièces d'or dans la location d'une « forteresse » (ainsi nomme-t-on les locaux où officient les banquiers) située rua Benedito Hipólyto, et le reste lui sert de capital tournant. Tout fier de lui, il se pavane devant l'immeuble, arborant un éclatant costume en alpaga blanc coupé sur mesure.

Et pourtant, Dimo n'est pas complètement heureux. Contrairement à ses prévisions, Maria Eugênia Pequeno désapprouve ses nouvelles occupations. Au téléphone, il a tenté de lui expliquer les raisons de son choix :

« C'est pour toi que je me suis embarqué dans cette profession.

– Profession ? Tu appelles ça une profession ? Le jeu est hors la loi. Tu me dis que tu as renoncé au terrorisme, ce que je ne crois pas, mais tu restes un marginal comme tu l'as toujours été !

– Tu ne comprends donc pas que je remplis une fonction d'ascension sociale ?

– Tout ce que ta Loterie a de social, c'est qu'elle fait construire des ascenseurs dans les immeubles des banquiers ! a répliqué la jeune veuve, exaspérée.

– Je ne te savais pas si réactionnaire. Ne me dis pas que tu n'as jamais joué ?

– Joué, moi ? Pas si bête ! Mais si un jour je pointe mon nez dans ta sale boutique d'usurier, attends-toi à me voir jouer le serpent à sonnette ! » a crié Pequetita avant de lui raccrocher au nez.

Vexé, Dimitri a décidé d'ignorer cet incident, et il s'efforce d'oublier Maria Eugênia en se consacrant avec ardeur à sa banque. Avec le temps, il compte bien élargir son territoire ; mais il entend commencer par asseoir sa position de plus important banquier du quartier du Mangue.

Les premières semaines, tout semble aller pour le mieux. Même Mathurin, qui au début était contre l'entreprise, ne s'inquiète plus de voir Dimitri transgresser ouvertement la loi.

Mais cette sérénité idyllique se transforme en cauchemar le vendredi 23 avril, jour de la Saint-Georges.

Son inexpérience, son ignorance des ficelles du métier l'ont empêché de voir qu'il devait absolument se mettre d'accord avec d'autres banquiers pour alléger le poids des fortes sommes misées sur le groupe 11.

À son grand désespoir, le cheval – qui gagne ce jour-là – le fait « plonger » la tête la première et boire le plus amer des bouillons.

C'est ainsi que, en moins de vingt-quatre heures, Dimitri Borja Korozec, le populaire Borjinha du quartier du Mangue, se retrouve sans argent, sans banque et sans veuve.

Par une inexplicable aberration mentale, Dimo impute la totale responsabilité de sa ruine à Getúlio Vargas. La banqueroute réveille en lui l'anarchiste endormi, et la conviction qu'il lui faut faire justice à son irréductible ennemi. Son devoir est de venger les opprimés du régime.

À une heure du matin, après avoir payé le dernier gagnant avec les quelques billets de banque qui lui restent, il ferme la « forteresse » et en confie les clefs à Mathurin.

« Où vas-tu ? demande celui-ci, soucieux.

– Je ne sais pas. »

À ce moment, un nuage sombre en forme de papillon, telle une noire sorcière de mauvais augure, cache la lune dont la clarté illuminait la rue. Dimitri lève les yeux vers le ciel et prophétise :

« Demain, c'est le papillon qui va sortir. »

Relevant le col de son veston froissé, il descend la rua Benedito Hipólyto en évitant les réverbères, et, se dirigeant vers le centre, disparaît dans les ténèbres de la nuit.

16

Savez-vous d'où je viens ?
Je viens de la colline d'Engenho,
Des forêts, des caféières,
De la bonne terre où poussent les cocotiers,
De ces cabanes où une part est peu de chose,
Mais deux la suffisance et trois, l'abondance.

Je viens des plages soyeuses,
Des montagnes altières,
De la pampa, des fermes au bord des rios,
Des rives rugueuses des fleuves,
Des vertes mers farouches
De ma terre natale.

J'ai laissé là-bas mon jardin en terrasse,
Mes citrons, mon citronnier,
Mon pied de jacarandá,
Ma maison, petite, si petite,
Là, tout en haut de la colline
Où roucoule le sabiá.

Et, si vastes les contrées que je parcours,
Puisse Dieu ne pas me laisser mourir
Sans que je retourne là-bas,
Sans que je porte comme insigne
Ce V qui déjà symbolise
Notre victoire qui viendra.

L'histoire du Brésil en l'année 1944 est marquée par deux événements d'importance majeure. Premièrement, le pays – qui a déclaré la guerre aux puissances de l'Axe en réponse au torpillage de plusieurs navires de sa flotte – fait débarquer sur les côtes de Sicile les premiers contingents de la FEB, la Force expéditionnaire brésilienne. Le courage de ces jeunes soldats sera, comme on sait, dûment salué par les vers de Guilhermo de Andrade dans sa *Chanson du corps expéditionnaire.*

Le second événement est la mystérieuse disparition de Dimitri Borja Korozec.

Sur le premier, il existe une abondante documentation relative aux exploits des vingt mille hommes armés par les États-Unis, telle la prise héroïque du Monte Castelo, dans les Apennins, arraché aux Allemands en février 1945. Les pilotes de la FAB – la Force aérienne brésilienne – dans les appareils de l'escadrille Senta a Pua, ont laissé la marque de leur vaillance dans le ciel d'Italie.

La participation des femmes n'eut de surcroît rien à envier à la bravoure des hommes : dès la première heure, des centaines de jeunes Brésiliennes firent la queue devant les bureaux de recrutement pour s'enrôler comme infirmières dans les hôpitaux de campagne.

Un serpent fumant la pipe brodé sur le blason des uniformes était l'emblème des soldats. D'aucuns avaient prétendu qu'on verrait plutôt un cobra fumer que le Brésil entrer en guerre. Eh bien, le cobra avait fumé.

Le conflit suscita la fièvre patriotique de toute la population. Des pyramides de métaux divers s'amoncelèrent dans les rues, contributions individuelles à l'effort de guerre. En raison du rationnement de l'essence, on vit circuler partout des automobiles à gazogène, munies de cheminée à l'arrière qui leur donnait l'apparence de cuisines ambulantes. On instaura également le black-out, précaution nécessaire contre de possibles attaques aériennes. Le soir, Copacabana plongé dans l'obscurité rappelait aux plus âgés des époques depuis longtemps révolues. Les familles, qui craignaient pour leurs fils envoyés sur les champs de bataille, attendaient avec appréhension la convocation de ceux qui n'avaient pas encore été mobilisés.

En ce qui concerne le second événement, assurément le plus troublant, force est de reconnaître, hélas ! qu'on ne possède pas de témoignages fiables sur les allées et venues de Dimitri à cette période ni pendant les dix ans qui suivent.

Malgré des investigations extrêmement poussées, son destin entre 1944 et 1954 constitue une véritable énigme. On ne sait rien de concret sur les heurs et malheurs du terroriste au long de ces années. Des pages manuscrites de son cahier intitulé *Souvenirs et trous de mémoire*, source indispensable à la réalisation de la présente biographie, celles qui comportaient des notes sur la période qui nous occupe se sont probablement perdues pendant l'un ou l'autre de ses voyages à travers le monde, à moins qu'elles n'aient été détruites par leur auteur lui-même.

Il convient cependant de signaler qu'il existe – ainsi qu'il est coutumier en pareil cas – nombre de rumeurs fantaisistes sur ce sujet ; mais à ces attestations apocryphes nul chercheur digne de ce nom ne saurait accorder foi.

Ainsi serait-il pour le moins hasardeux d'affirmer, reprenant en cela certains propos inconsidérés (quoique peut-être bien intentionnés) qu'en octobre 1945, lorsque Getúlio Vargas se vit contraint à démissionner sous la pression des forces armées, Dimitri, armé d'un fusil à viseur télescopique, se trouvait perché dans un arbre au bord de la rua Farani, dans le quartier de Botafogo, artère que devait emprunter le dictateur en route pour l'exil dans son État natal.

Tout aussi malavisés sont ceux qui assurent l'avoir vu rôder autour du domaine de São Borja, où Vargas s'était retiré, dans l'attente d'une occasion favorable pour empoisonner la coupe de *maté* de l'ex-président.

Seuls les esprits les plus égarés pourraient accréditer la thèse délirante qui le présente comme le cadreur maladroit qui détruisit involontairement sa caméra lors de l'inauguration de la chaîne de télévision TV Tupi à São Paulo en 1950.

Plus absurdes encore sont les récits selon lesquels le terroriste serait reparti pour l'Europe où il aurait confectionné à la demande de généraux allemands la bombe utilisée lors de l'attentat manqué contre Adolf Hitler le 20 juillet 1944, ou bien encore ceux qui rapportent que son visage aurait été identifié parmi la foule en fureur qui voulut lyncher Mussolini et suspendit son cadavre à un crochet de boucherie dans une bourgade des environs de Côme, le 28 avril de l'année suivante.

La version la moins improbable de ce qu'il advint de Dimitri pendant ces dix années (encore qu'aucun document probant ne vienne l'étayer de manière irrécusable) est que, après l'issue malheureuse de sa tentative pour s'établir comme banquier de la Loterie des animaux, il traversa une crise de dépression violente et prolongée et fut recueilli par une communauté de moines charitables dans un monastère trappiste du canton de Fribourg.

C'est dans ces heures d'incertitude que le biographe scrupuleux se doit de procéder à un examen approfondi de ses sources, séparant le bon grain de l'ivraie et la vérité historique des élucubrations destinées à la seule édification du mythe.

En réalité, la première trace incontestable que nous possédions des activités de Dimitri depuis sa disparition au tournant des années 1943-1944 apparaît dans ses propres notes, à la date du 1er août 1954.

Entre-temps, Getúlio Vargas, qui a remporté les élections de 1951, est revenu au pouvoir porté par l'enthousiasme populaire. Et trois ans plus tard, après un long intermède vécu dans l'incognito, Dimitri est de retour sur les ailes de la vengeance.

Les notes authentiques qui sont parvenues jusqu'à nous commencent d'être lisibles sur la moitié inférieure d'une feuille arrachée au cahier de Dimitri Borja Korozec.

[...] avec leurs jupes retroussées jusqu'aux genoux, et malgré mon insistance, aucune des deux ne sut m'expliquer pourquoi. Nous continuâmes à rire et à boire jusqu'au petit matin.

Quand arriva ce dimanche 1er août 1954, j'avais, à cinquante-sept ans, presque renoncé à mon projet d'assassiner Getúlio Vargas. Il était de plus en plus difficile de s'approcher du président, maintenant élu par le peuple. Aussi fut-ce totalement le fait du hasard si nos chemins se croisèrent une nouvelle fois.

Quand, en 1946, on ferma les casinos, nombre de croupiers et autres bouleurs se reconvertirent dans l'animation des parcs d'attractions. Au vrai, derrière les comptoirs ou dans les stands où l'on gagnait des lots après différentes formes de tirage au sort, leur travail n'était guère différent de celui qu'ils accomplissaient naguère sur les tapis verts. Mais pour survivre, ils s'étaient vus contraints de quitter les élégantes salles de jeu pour l'ambiance vulgaire des fêtes foraines.

Cela faisait quelque temps que j'étais moi-même employé dans une de ces foires itinérantes : je faisais tourner la Roue de la Fortune, une sorte de roulette verticale où les joueurs gagnaient des cadeaux et non plus de l'argent.

En une des occasions où la foire avait installé ses baraques à Petrópolis, sur le largo dos Prontos, j'entendis quelqu'un crier mon nom d'une voiture qui traversait la place :

« Borjinha ! Ça, alors, je n'en crois pas mes yeux. Borjinha ! »

C'était le colonel Benjamim Vargas.

Visiblement heureux de me rencontrer, Bejo ordonna à son chauffeur de garer la voiture et en descendit d'un bond, accompagné de ses gardes du corps. Aux premiers mots échangés, il trouva difficile à croire que je pusse en être arrivé à gagner ma vie comme simple forain :

« Et que fais-tu au juste ? me demanda-t-il.

– Je suis le responsable de la Roue de la Fortune, répondis-je, très digne.

– Cela fait plus de dix ans que je ne t'ai pas vu. Viens, allons prendre un verre !

– Maintenant, je ne peux pas. Ma pause ne commence que dans une demi-heure.

– Tu plaisantes ? Je suis l'inspecteur des Divertissements publics. Si on ne te laisse pas venir tout de suite, je fais fermer ce bazar ! »

À ce moment, le patron du parc d'attractions, reconnaissant le frère du président, s'approcha avec force courbettes et salamalecs :

« Borja, pourquoi ne m'avez-vous jamais dit que vous étiez un ami du colonel Bejo ? Allez donc vous amuser, je prends votre place. Et surtout, prenez votre temps ! »

Sous la tente qui servait de bar, Bejo commanda un whisky – de provenance douteuse – et moi un Cuba libre. Puis, nous sortîmes nous promener parmi les baraques, sous l'œil vigilant des deux gorilles. Bejo voulait savoir ce que j'avais fait depuis que nous ne nous étions plus revus ; mais j'éludai la question et ne lui dis rien de concret. Le colonel prit ma réticence pour de la gêne, pensant que j'avais honte des humbles tâches auxquelles j'avais été réduit pour survivre ces dernières années. Aussi offrit-il de me procurer un emploi plus gratifiant :

« Je ne sais pas encore dans quel genre de service, mais je suis sûr de pouvoir te caser dans un ministère quelconque. »

Notre conversation fut interrompue par les pleurs d'une fillette. L'enfant, dont les lourdes grappes de cheveux étaient attachées par un ruban de velours bleu, n'avait certainement pas plus de dix ans ; près d'elle, son père essayait de la consoler :

« Ma chérie, papa a manqué la cible. C'est pour ça que le monsieur ne peut pas te donner le nounours ! »

Nous étions arrivés devant un stand de tir, avec des fusils à air comprimé. Les joueurs devaient atteindre les huit petits canards en plâtre qui tournaient sur le tapis roulant au fond de la baraque, et ils pouvaient alors choisir un des prix exposés sur une étagère. Le cadeau qui faisait tant envie à la petite fille était un ours en peluche à poils bleus habillé en marin. Ses sanglots désolés me firent de la peine, et, payant le prix d'une série de cartouches, je saisis un fusil Daisy, réplique inoffensive d'un Winchester 73. Je tirai à hauteur de hanche, et, sans même prendre la peine de viser, je fis voler en éclats les huit canards tournants. Derrière son comptoir, mon collègue forain me jeta un regard coléreux, mais, sans m'en soucier, je le priai de donner l'ours en peluche à la fillette. Celle-ci ne pouvait contenir sa joie, et le père se confondait en remerciements.

Je remarquai soudain que le colonel avait observé toute la scène bouche bée d'admiration :

« Nom d'un chien ! Je ne savais pas que tu étais une si fine gâchette, l'ami ! Où as-tu appris à tirer ?

– Oh... Ici, entre autres, répondis-je évasivement.

– Mais tu tires seulement au fusil à air comprimé ?

– Non, je suis bon tireur avec n'importe quelle arme. Je suppose que c'est un don.

– Alors, je sais quel boulot je peux te décrocher ! » dit Bejo, tout content.

Il griffonna quelques lignes sur une carte de visite frappée du blason de la République et la glissa dans ma poche :

« Dès demain, retourne à Rio, et jeudi prochain, va trouver Gregório au palais du Catete. Donne-lui cette carte de ma part. D'ici quelques jours, tu feras partie de la Garde personnelle de Getúlio ! »

Ce fut ainsi que, sans le savoir, Benjamim Vargas me fournit l'occasion idéale pour assassiner son propre frère.

17

Rio de Janeiro, palais du Catete, jeudi 5 août 1954

Vent de la mer sur mon visage,
Et le soleil qui brûle, qui brûle.
Rues de Rio emplies de foule
Qui passe et qui me voit passer.
Rio de Janeiro, je vous aime,
Et j'aime ceux qui aiment
Ce ciel, cette mer, ces gens heureux...

Gregório éteint le poste de radio Ballade à coffre en Bakélite couleur ivoire, dernier modèle de la marque Standard Electric que lui a récemment offert un général, et la chanson d'Antônio Maria et d'Ismael Neto s'interrompt. Chaque fois qu'il entend cette musique, il se demande comment deux types dont l'un est natif du Pernambuco et l'autre du Pará ont pu composer une valse aussi jolie sur Rio de Janeiro.

Gregório Fortunato, l'Ange noir, est un homme d'origine humble, grand et fort, qui a grandi dans le vaste domaine de São Borja. Voilà presque trente ans qu'il est l'ombre loyale de Getúlio Vargas, son garde du corps et son factotum, et, avec le temps, sa fidélité aussi indéfectible que celle d'un chien pour son maître lui a gagné l'affection sincère du président.

Quand Bejo a dû quitter le commandement de la Garde personnelle, c'est le lieutenant Gregório qui a occupé son poste. Comme chacun le sait très proche du grand chef, il n'a guère tardé à se voir flatté et encensé par tous ceux qui cherchaient à obtenir les bonnes grâces de celui-ci, et a même été décoré par le ministre de la Guerre en personne de la médaille Maria-Quitéria, un des plus grands honneurs que puisse conférer l'armée. Grâce aux faveurs accordées par son intermédiaire, Gregório est à présent un homme riche. C'est qu'à maintes reprises l'influence qu'il a su exercer à l'ombre du trône a surpassé celles des ministres de l'État.

Presque illettré, nullement préparé pour le pouvoir qu'il détient, Gregório s'est par ailleurs révélé un homme arrogant et dangereux, dont les désirs sont interprétés comme des ordres directs du président. La Garde personnelle, que les opposants surnomment la « Garde noire », obéit sans ciller au moindre de ses commandements.

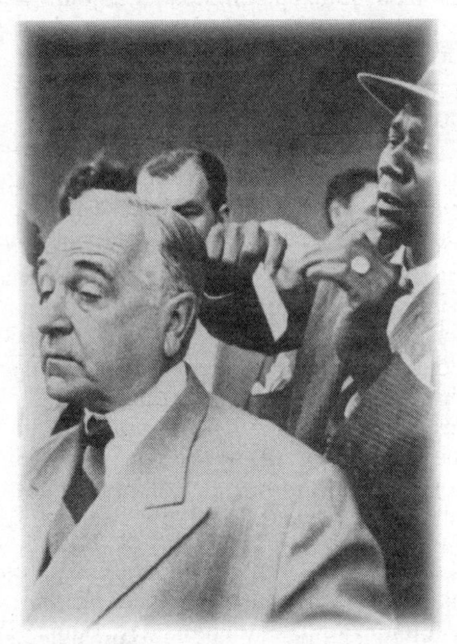

Gregório, l'Ange noir, arrangeant un cheveu rebelle sur la tête du président Vargas.

L'Ange noir examine de la tête aux pieds l'homme qui se tient debout derrière la table de son bureau. Il déchiffre, non sans difficulté, les quelques lignes tracées sur la carte de Benjamim Vargas que Dimitri vient de lui remettre. Puis il la range soigneusement, comme il fait de n'importe quel document – si anodin soit-il – du moment qu'il est signé par une autorité officielle, et s'approche de son visiteur :

« Demétrio Borja. Tu es gaucho ?

– Non. Je suis de Vassouras.

– Tu es très hautement recommandé. Le colonel dit que tu es un homme de confiance et un excellent tireur. Tu as servi dans l'armée ?

– J'ai fait mon service militaire, comme tout le monde.

– Eh bien, soit. Tu commences aujourd'hui même, dès que je t'aurai présenté aux membres de la Garde.

– Merci, mon lieutenant », répond Dimitri, qui n'oublie pas le grade gagné par Gregório lors de la révolution constitutionnaliste de 1932.

L'Ange noir caresse derrière la table le poignard qui ne le quitte jamais, et, le regard dans le vague, murmure comme s'il se parlait à lui-même :

« Dommage que je ne t'aie pas connu plus tôt. Je t'aurais confié une tâche tout à fait dans tes compétences... »

Le lendemain, en lisant les éditions spéciales des journaux, Dimo devine ce que Gregório insinuait par ces paroles sibyllines.

Assis dans la salle où se tiennent les soldats de la Garde personnelle, Dimitri lit avec attention l'article de Carlos Lacerda[16]. Cela fait plusieurs mois qu'on lit sous la plume du journaliste de la *Tribuna da Imprensa* des libelles d'une violence toujours croissante. Plusieurs mois qu'il accuse ouvertement Vargas de couvrir des affaires véreuses, d'enrichir honteusement ses amis et partisans et de plonger le pays dans une corruption effrénée.

TRIBUNA DA IMPRENSA

"A HONRA DA NAÇÃO BRASILEIRA EXIGE A PUNIÇÃO DÊSTE CRIME"

A Nação exige os nomes dos assassinos

O sangue de um inocente

CARLOS LACERDA

Fac-similé de la *Tribuna da Imprensa*
du 5 août 1954.

LE SANG D'UN INNOCENT

Aujourd'hui, que puis-je dire de plus ? L'image de Rubens Vaz, tombé en pleine rue, frappé de deux balles à bout portant, le souvenir de l'interminable trajet jusqu'à l'hôpital, où je l'accompagnai pour le voir mourir dans mes bras, m'empêchent en cet instant d'analyser froidement ce que fut l'ignoble guet-apens d'hier soir. Mais devant Dieu, j'accuse un homme et un seul, que je tiens pour responsable de ce crime. Il est le protecteur des voleurs, à qui l'impunité donne l'audace de perpétrer des actes comme celui de cette nuit. Cet homme s'appelle Getúlio Vargas.

En février, le « Manifeste des colonels » qui dénonçait la maigreur des salaires et « l'incurie dans laquelle on avait précipité l'armée », s'ajoutant au mécontentement des officiers de l'armée de l'Air et de la Marine, ostensiblement opposés à Vargas, a montré avec évidence que le président avait perdu le soutien des militaires. Par ailleurs, l'inflation galopante a réduit à néant l'augmentation de cent pour cent du salaire minimal que Getúlio avait accordée à l'occasion de son traditionnel discours du 1er mai.

Avec la sagacité politique qui le caractérise, Vargas évite de se manifester, dans l'espoir que le temps suffira à noyer les accusations qui le frappent, et se borne à gérer la crise « sans pause et sans hâte ». Mais il n'a pas compté avec la farouche détermination de ses ennemis, laquelle croît avec la véhémence des attaques de Lacerda non plus seulement imprimées dans la *Tribuna da Imprensa,* mais véhiculées par une nouvelle et puissante machine de guerre mise à sa disposition par Assis Chateaubriand, magnat de la presse et patron des *Diários Associados* : la télévision. Lacerda est un formidable orateur, et ses déclarations fracassantes sur la chaîne TV Tupi mobilisent l'opinion publique comme jamais auparavant.

Par crainte d'un attentat, un groupe d'officiers de l'armée de l'Air s'est porté volontaire pour assurer la sécurité du journaliste. C'est l'un d'entre eux, le commandant Rubens Vaz, qui l'accompagnait le mercredi 4 août au soir à un colloque au Colégio São José.

Aux alentours de minuit, Lacerda, son fils Sérgio et le commandant ont repris le chemin de la rua Tonelero, où demeure le journaliste. Au moment où ils se disaient au revoir devant la voiture, ils ont été surpris par des coups de feu tirés par des tueurs embusqués. Lacerda en a réchappé avec seulement une balle dans la jambe, mais le commandant Vaz n'a pas survécu.

Dimitri pressent aussitôt que le commanditaire et organisateur de l'attentat manqué n'est autre que

Gregório Fortunato, l'Ange noir. Et il craint que la Garde personnelle du président ne soit dissoute avant qu'il ait le temps d'assassiner Getúlio.

Les jours qui suivent sont les plus troublés de toute l'histoire du palais du Catete. Le « palais des Aigles », comme on l'appelle aussi, s'est transformé en poudrière près d'exploser d'un moment à l'autre. Civils et militaires attachés au gouvernement tiennent des conciliabules à voix basse et commentent les dernières nouvelles. Un coup de fil anonyme à la rédaction de la *Tribuna da Imprensa* affirme que l'ordre d'abattre Lacerda est bien parti de la Garde. L'informateur précise qu'il est dans l'impossibilité de fournir plus de détails, mais qu'il appartient lui-même à l'escorte présidentielle.

L'armée de l'Air crie au scandale de la « République du Galeão[17] » et, suppléant aux autorités policières discréditées, diligente une enquête pour son propre compte. Les investigations conduisent tout droit au palais du Catete. Il est prouvé sans peine que Gregório entretient des relations suivies avec des criminels bien connus.

Des dénonciations pour corruption sont portées à l'encontre de personnages qui comptent parmi les proches du président. Aucune ne vise Getúlio personnellement, mais elles révèlent dans quelle « mer de boue[18] » patauge son gouvernement. Certains affirment que Vargas sera contraint à la démission. D'autres ont la certitude que le président ne sortira du Catete que les pieds devant.

Dimitri profite du tumulte ambiant pour étudier minutieusement le plan du palais. Usant du laissez-passer fourni par Gregório à tout soldat de la Garde, il en parcourt les dépendances, explore les étages et mémorise chaque détail de l'édifice.

Comme il n'a été recruté que la veille de l'attentat contre Lacerda, il est le seul membre de l'escorte présidentielle sur lequel ne pèse aucun soupçon. Pour cette raison, il lui est facile de nouer des liens d'amitié avec Albino, le vieux concierge du palais du Catete. Maigre et taciturne, Albino est entré en fonction au temps lointain du gouvernement de Nilo Peçanha[19].

Alzira Vargas raconte une anecdote curieuse concernant le concierge. Quand le président Washington Luís[20] fut déposé par la révolution de 1930, il confia à Albino l'écharpe présidentielle avec son blason d'or et ses vingt brillants représentant les vingt États du Brésil, en lui recommandant de ne la remettre qu'à qui de droit. Effrayé à l'idée que la précieuse écharpe pût lui être volée, le consciencieux Albino prit le parti de la porter toujours sous ses vêtements, sauf lorsqu'il prenait son bain. Jusqu'au jour où il transmit l'emblème de la magistrature suprême à Vargas, le concierge du Catete s'endormait et se réveillait président des États-Unis du Brésil à l'insu de tous.

Dimitri et Albino ont de longues conversations et se désolent ensemble du drame qui se déroule dans les lambris du palais. Albino déclare à Dimo qu'il n'a jamais vu Getúlio aussi écœuré. Le président, dit-il, est profondément meurtri par la trahison qu'il sent tout autour de lui.

Le lundi 9 août, la Garde personnelle est dissoute. Tout le personnel de sécurité placé sous les ordres de Gregório retourne vers les services où il a été recruté. Dimitri, toutefois, qui n'appartient à aucun service, continue de rendre visite à Albino, lui apportant de petits cadeaux et charmant le vieux concierge par ses attentions. Peu à peu, il apprend comment s'organise la vie du palais et quelles sont les habitudes du président.

Le jeudi 12, alors que les tensions politiques atteignent leur paroxysme, Vargas part pour Belo Horizonte, où il doit inaugurer la nouvelle usine sidérurgique Mannesmann. Ce jour-là, Dimitri rend de nouveau visite à Albino. Il le trouve abattu par l'atmosphère sinistre qui règne au palais des Aigles :

« On croirait plutôt le palais des Vautours, dit-il, sarcastique.

– Tranquillisez-vous. Vous allez voir que tout s'arrangera », l'encourage Dimitri.

Albino s'est pris d'une véritable affection pour Dimo. Il trouve réconfortant d'échanger des vues avec cet homme affable et attentionné. Aussi ne soupçonne-t-il rien lorsque au bout d'un moment, sous prétexte d'aller aux toilettes, Dimitri s'excuse et pénètre à l'intérieur du Catete. Comme le chef de l'État est en voyage, le lugubre palais est presque vide. Dimitri monte en toute hâte au troisième étage et entre dans la chambre de Getúlio.

L'aspect austère des appartements privés du président le laisse perplexe. En total contraste avec les salles officielles du palais, la pièce ne contient que des meubles lourds et sombres, sans rien d'accueillant. Et peu nombreux : un lit en bois lisse et sans fioritures, une commode, des armoires et un miroir. Aucun luxueux tapis pour rendre la chambre un peu plus chaleureuse. La peinture abîmée des murs et les lézardes au plafond contribuent à l'impression générale de désolation. Les fenêtres sont couvertes par de longs rideaux unis.

Dimitri s'avance, écarte une de ces sombres tentures. L'espace entre le rideau et la fenêtre est suffisant pour qu'un homme s'y cache. Il le remet soigneusement en place et redescend les escaliers à la hâte, avant qu'Albino ne s'étonne de son absence prolongée.

Satisfait, Dimo sait maintenant où il s'embusquera pour perpétrer l'assassinat tant attendu.

Rio de Janeiro, vendredi 23 août 1954

Passage extrait du cahier (incomplet) de Dimitri Borja Korozec, intitulé *Souvenirs et trous de mémoire : notes pour une autobiographie :*

*Installé dans une chambre discrète de l'*Hotel Novo Mondo*, là où la rua Silveira Martins* *débouche sur la plage du Flamengo et à deux pas du palais du Catete, je m'efforce de prendre toute la mesure des événements. Hier, des officiers de l'armée de l'Air ont exigé la démission de Vargas, et aujourd'hui ils ont reçu l'appui des généraux de l'armée de Terre. Certains affirment que Getúlio serait disposé à se mettre en retrait de la République jusqu'à la conclusion des enquêtes policières et militaires, mais que jamais il ne renoncera à sa charge de manière définitive. Une réunion ministérielle de crise est prévue pour ce soir.*

En quelques jours, les investigations ont permis d'identifier les hommes qui ont pris part au guet-apens contre Carlos Lacerda. Alcino do Nascimento, tueur professionnel, Climério de Almeida, enquêteur de police attaché à la Garde personnelle, Nelson de Souza, le chauffeur de taxi qui a transporté les assassins, et Gregório Fortunato, le commanditaire de l'attentat, ont été incarcérés au Galeão.

Les archives de Gregório ont été ouvertes par les militaires, et ceux-ci ont publié des révélations ahurissantes. De nombreuses lettres compromettantes signées de généraux, de députés et même du président de la Banque du Brésil, qui tous sollicitent bassement l'Ange noir, ont plongé la nation dans une stupeur atterrée. Les événements se précipitent à une vitesse vertigineuse.

Je sens que je dois agir tant qu'il en est encore temps. Il me faut frapper le coup final avant que ma proie ne m'échappe une fois de plus en allant se réfugier sur ses terres de São Borja.

En ces heures troublées, grâce à l'aide involontaire de mon nouvel ami Albino, il ne me sera pas difficile de m'introduire au Catete, et, caché derrière les rideaux, d'attendre le moment opportun dans les sinistres appartements de l'ancien caudillo. Quitte à passer une nuit blanche, je ne ressortirai de cette chambre qu'une fois accomplie la mission qui justifiera toute une vie ponctuée d'échecs et de déconvenues. Pour un homme qui a attendu tant d'années, quelques heures sans sommeil ne comptent guère.

Au moment où j'écris ces lignes (peut-être les toutes dernières de ce journal, car, si j'étais pris, je n'ai aucune intention de me rendre vivant), je pense avec mélancolie à Dragutin, à Mata Hari, à Bouchedefeu, à Marie Curie, à George Raft, à Al Capone, à Mathurin et à Maria Eugênia, veuve généreuse. Je me rappelle les rêves de terroriste frustré de mon père, et, surtout, je pense à ma mère, métisse brésilienne exilée en terre étrangère.

Cette fois, rien n'empêchera que le petit-fils bâtard du vieux général Manuel do Nascimento Vargas exécute l'ex-dictateur-despote-tyran-président Getúlio Vargas, son oncle.

Palais du Catete, mardi 24 août 1954, 8 heures du matin

Vêtu d'un pyjama rayé, le président Getúlio Vargas s'assied sur sa couche inhospitalière, entouré par les tristes meubles de sa chambre à la pauvreté franciscaine. La réunion avec tout le ministère, qui a commencé à trois heures du matin, s'est achevée dans une impasse. La plupart des ministres civils préconisaient une solution capable d'éviter un bain de sang – en d'autres termes, son éloignement du pouvoir. Le général Zenóbio da Costa, lui, était partisan d'envoyer la troupe contre les opposants. Quant à Osvaldo Aranha, il s'est déclaré solidaire de la résistance du régime en place, tout en faisant observer que la décision finale incombait à Vargas et à lui seul.

Pour la première fois de sa vie, l'habile politique de soixante et onze ans, le président considéré par les opprimés comme le père des pauvres, doit s'avouer vaincu.

Il n'existe qu'un moyen pour transformer cette déroute en victoire. Le vieil homme pose sur la table de nuit une enveloppe blanche et tire de la poche de son pyjama le Colt calibre 32 à poignée de nacre qui ne le quitte pas depuis des années. Puis il contemple longuement la petite arme, perdu dans ses pensées.

Dimitri observe tout cela de sa cachette derrière les rideaux. Son intention première était d'étrangler Vargas, lui enserrant le cou dans le garrot mortel de ses douze doigts. Mais tout à coup, il vient de comprendre qu'il ne peut pas, ne doit pas permettre le suicide du président. Vaincu, trahi et assiégé par ses ennemis et pour finir mort de sa propre main, Getúlio transfiguré deviendra le martyr du peuple. Et Dimitri prend soudain conscience que s'il veut accomplir son destin d'anarchiste et détruire cet homme, la dernière chose à faire est de le tuer en de telles circonstances.

Non. La meilleure façon d'anéantir le mythe est d'obliger le vieil homme à vivre. Sa vraie vengeance sera de le voir déchu, honni et chassé loin du pouvoir comme une bête acculée. C'est ainsi qu'on abat les oppresseurs.

Une seule nécessité, donc : briser dans son élan l'acte final de cette mauvaise tragédie. Il écarte le rideau et crie :

« Non ! »

Un instant, Getúlio se fige, abasourdi par cette intrusion inattendue. Puis, se reprenant, il demande :

« Qui es-tu ?

– Dimitri Borja Korozec.

– Et que fais-tu ici ?

– Je viens pour empêcher ton suicide.

– Pourquoi ?

– Parce que tu ne mourras que si tu restes en vie ! »

Vargas le fixe des yeux, perplexe. Il y a quelque chose de familier dans ces traits. Dans sa tête, le visage de l'homme se mêle soudain aux souvenirs qu'il garde de son père quand il était jeune, sur ses terres du Rio Grande do Sul.

« D'où viens-tu ? demande le président, toujours intrigué.

– De Bosnie. Je suis ton neveu, fils d'une sœur que tu n'as jamais connue. »

Vargas se souvient tout à coup de la femme de Sarajevo qui, voilà bien des années, lui a envoyé une lettre dans laquelle elle affirmait la même chose. Dans son esprit, la ressemblance entre l'intrus et le vieux général s'accentue d'instant en instant. Mais en cette heure décisive, il ne sait s'il délire et croit voir apparaître des fantômes du passé.

Getúlio fait un effort sur lui-même pour conserver toute sa lucidité et, reprenant l'initiative de son acte interrompu, il arme le petit Colt à poignée de nacre.

D'un bond félin, Dimitri se jette sur lui et saisit le bras qui tient le revolver. Le président se débat pour ne pas lâcher son arme. Tous deux roulent sur le lit spartiate, dans une lutte silencieuse. Enfin, Dimo réussit à serrer l'arme dans sa main.

À l'instant où il croit avoir gagné la bataille, Getúlio, dans une secousse où il met toute son énergie de vieil homme, attire le canon de l'arme contre sa poitrine – et, par mégarde, un des index de Dimitri presse la détente.

Horrifié, Dimitri Borja Korozec prend alors conscience que son doigt vient de suicider Getúlio Dornelles Vargas.

Dimo s'efforce de ranimer la légende vivante qui reste prostrée sur son lit. En vain. Vargas gît inerte entre ses bras. Le malheureux anarchiste se maudit pour sa maladresse, pour ce destin de gaffeur incorrigible qui le tourmente depuis l'enfance – ce destin qui vient de lui faire tuer d'une balle dans le cœur le seul homme qu'il ne devait, qu'il ne pouvait pas tuer.

Soudain, Dimitri entend des bruits de pas alarmés dans le couloir : des gens alertés par le bruit du coup de feu, sans aucun doute. Il faut quitter sur-le-champ cette chambre à coucher transformée en chambre mortuaire. Il ouvre la fenêtre, prêt à escalader les murs jusqu'au toit de l'édifice. C'est de cette façon qu'il avait prévu de fuir.

Auparavant, toutefois, une curiosité presque morbide l'oblige à retourner vers la table de nuit. Il ouvre l'enveloppe blanche et déplie la lettre qu'elle contient. C'est alors que quelqu'un frappe à la porte en criant, et Dimo a seulement le temps de lire la dernière phrase tracée sur le papier portant le blason de la République :

> *« J'accomplis sereinement le premier pas sur le chemin de l'éternité, et je sors de la vie pour entrer dans l'Histoire. »*

Il referme précipitamment l'enveloppe et enjambe d'un bond l'appui de fenêtre pour se hisser au sommet de la résidence du Catete.

Brisé par la conscience de son échec, Dimitri Borja Korozec s'évanouit dans les brumes de ce matin d'août en fuyant par les toits du palais des Aigles.

ÉPILOGUE

Alexandrie, jeudi 27 octobre 1954 – Agence France Presse – Associated Press – Agence Reuters – Agence Tass Égypte

Le président Gamal Abdel Nasser a échappé hier à la mort. Plusieurs coups de feu ont été tirés sur lui par un fanatique au cours d'une cérémonie populaire qui se tenait dans le centre d'Alexandrie. Arrêté, le terroriste Mahmoud Abdel Latif a affirmé qu'il était membre d'une faction radicale appelée « Confrérie musulmane ». En se fondant sur ses déclarations, un commando militaire chargé de démanteler l'organisation en question a accompli, dans les heures qui ont suivi, un véritable exploit en réussissant à arrêter plusieurs membres de la secte réfugiés dans un lieu secret à proximité du marché d'Anfushi. Dans le repaire des assassins ont été saisis un véritable arsenal, ainsi que de nombreux documents qui ont conduit à l'élimination complète et définitive du groupuscule terroriste.

Parmi ces documents, on a découvert un manuscrit à demi détruit intitulé *Souvenirs et trous de mémoire : notes pour une autobiographie,* rédigé par un certain Dimitri Borja Korozec. À en juger par son nom, l'auteur de ce texte n'est certainement pas d'origine arabe.

Un seul des conjurés est parvenu à échapper au commando, lors d'une fuite spectaculaire : l'homme a sauté d'une terrasse au quatrième étage du bâtiment où ses complices et lui s'étaient réfugiés, puis s'est frayé un chemin à travers la foule dans une course effrénée.

Il a néanmoins été reconnu par un commerçant du quartier, qui, effrayé par le tumulte, a crié à tue-tête aussitôt après le passage du fuyard : *« Etnashar esbaa ! Etnashar esbaa ! »* – ce qui, dans le dialecte égyptien parlé à Alexandrie, signifie : « Douze doigts ».

NOTES DU TRADUCTEUR

1. L'*Inconfidência* (l'« Infidélité ») était un mouvement de rébellion démocratique et républicaine d'une partie de l'élite sociale et intellectuelle de la région du Minas Gerais contre la couronne portugaise et ses représentants, notamment en raison des impôts très élevés que les exploitants devaient acquitter. La rébellion dura des derniers mois de 1788 au début de 1792. Elle fut durement réprimée et sa figure emblématique, José Joaquim de Silva Xavier, fut exécutée le 24 avril 1792 à Ouro Preto (Vila Rica à l'époque), qui avait été un des centres vitaux du mouvement.
2. La princesse Isabel, fille aînée de l'empereur du Brésil Pedro II et héritière du trône, fut une pionnière dans le processus d'abolition de l'esclavage (qui ne fut définitive qu'en 1888, un an avant la chute de la monarchie). C'est elle qui signa en 1871 la loi dite du « Ventre libre », qui déclarait affranchi tout enfant d'esclave né après la date de promulgation de la loi.
3. Sur la guerre du Paraguay : La politique autarcique et agressivement nationaliste de ce pays (indépendant depuis 1811) ne laissait pas de poser des problèmes constants à ses voisins. Ce fut le dictateur Solano López (1827-1870) qui entraîna son pays dans la très sanglante « guerre du Paraguay » (1864-1870) contre ce qu'on appela alors la Triple Alliance (Brésil, Argentine, Uruguay). Le conflit dégénéra en une véritable guerre d'extermination, au cours de laquelle 65 % de la population paraguayenne fut décimée. Solano López fut finalement abattu après avoir refusé obstinément de se rendre, malgré la totale déroute de ses armées. Le pays ne dut qu'à la rivalité entre le Brésil et l'Argentine de n'être pas rayé de la carte.
4. José do Patrocínio (1853-1905), fils naturel d'un prêtre et d'une esclave noire, fut un des rares hommes de couleur de son époque à occuper une place importante dans l'intelligentsia brésilienne. Romancier « social » mais surtout figure

de proue du journalisme progressiste, il fut à la tête du très important quotidien *A Gazeta da Tarde* à partir de 1881, et fonda en 1887 un nouveau journal, *A Cidade de Rio*, qui devint la tribune de la cause abolitionniste, mais, à la différence de beaucoup d'intellectuels, il était un ardent défenseur de la monarchie, ce qui lui valut d'être déporté en Amazonie lorsque la république fut proclamée. À son retour, il abandonna le combat politique.

5. Les guerres balkaniques, consécutives à la désagrégation de l'Empire ottoman, à la soif d'indépendance des peuples des Balkans et à la volonté des puissances occidentales et de la Russie de s'assurer la domination sur la péninsule et les détroits, déchirèrent entre elles les petites nations de la région (Serbie, Bulgarie, Grèce, Monténégro, Albanie...).
6. À force de raconter des histoires mirobolantes sur son propre compte et sur sa vie aventureuse, José do Patrocínio faillit en effet être pendu pour espionnage. Les preuves manquaient, en sorte que l'intervention du gouvernement brésilien le sauva sans grande peine après une période d'incarcération. De retour au Brésil, il raconta ses « exploits » (dont sa liaison avec Mata Hari, en réalité une passade des plus superficielles) sous forme de feuilleton dans un journal. Étant payé à la page, il ne se priva pas de faire appel à son imagination prolifique pour « gonfler » ses récits de force détails excitants.
7. Aleister Crowley (1875-1947), décrit par un spécialiste de l'occultisme comme « le plus grand, le plus inquiétant, peut-être le seul magicien du XXe siècle occidental », était un mage satanique fort célèbre en son temps, dont la doctrine, syncrétisme de traditions ésotériques très diverses (égyptiennes, hindoues, rosicruciennes...), se fondait sur la puissance de rituels orgiaques, ou érotico-magiques.
8. Ce mouvement, fondé en 1914 par le Jamaïcain Marcus Garvey (1887-1940) et officiellement appelé *Universal Negro Improvement and Conservation Association,* ambitionna un temps de faire retourner en Afrique (notamment au Libéria) les Noirs des Caraïbes britanniques, de Cuba et des États-Unis. Garvey fut expulsé en 1927. Son idéologie militante inspira plus tard celle des *Black Panthers.*
9. Ville merveilleuse.
10. Luís Carlos Prestes et Olga Benario furent effectivement arrêtés le 5 mars 1936. Olga, juive allemande, fut livrée à

la Gestapo et déportée à Ravensbrück, où elle mourut gazée en 1942. Luís fut condamné à seize ans de prison, mais, libéré au bout de quelques années, il occupa dans les années quarante d'importantes fonctions.

11. En 1922, l'élection contestée à la présidence de la République du candidat « officiel » Artur Bernardes, perpétuant la tradition d'un régime perçu comme corrompu, suscita d'importants troubles politiques et le mécontentement d'une partie de l'armée, marginalisée par le système. Des mutineries graves – qui se définirent comme une « réaction républicaine » – se produisirent : ce fut le mouvement des *tenentes* (les « lieutenants »), jeunes officiers qui lancèrent les 5 et 6 juillet de véritables insurrections, dans des conditions souvent héroïques. Bien que violemment réprimées, ces révoltes débouchèrent ultérieurement sur des actions spectaculaires (telle, en 1924, la prise du pouvoir à São Paulo pendant une vingtaine de jours) puis sur une « guerre de mouvement » sous la conduite du jeune Luís Carlos Prestes (1898-1990) – souvent cité dans le roman –, entamant une longue marche de vingt-cinq mille kilomètres à travers tout le Brésil, défiant les autorités en place et s'efforçant de soulever les populations. L'ex-*tenente* Prestes restera par la suite, et pour longtemps, non seulement un leader insurrectionnel, mais la référence héroïque de toutes les oppositions progressistes et révolutionnaires, avant de devenir sénateur communiste dans les années quarante.

12. Graciliano Ramos (1892-1953) est un des plus grands romanciers brésiliens de la première moitié du XXe siècle, parfois rapproché des Italiens Pirandello et Pavese en raison de la thématique introspective, angoissée et fantasmatique de son œuvre *(Enfance, Angoisse, Insomnie...),* mais aussi considéré à certains égards comme un précurseur de l'existentialisme (il traduisit *La Peste* de Camus). Ses romans sont par ailleurs des chroniques de la vie quotidienne et de la misère matérielle et affective de son Nordeste natal. Journaliste, haut fonctionnaire (préfet, puis directeur de l'Instruction publique pour l'État d'Alagoas, dont il était originaire), ses opinions de gauche lui valurent d'être révoqué, puis emprisonné sans procès par le pouvoir du dictateur Vargas. Il a effectivement écrit ses souvenirs d'incarcération *(Mémoires de prison),* qui furent publiés peu après sa mort.

13. Le général Pedro Aurélio Góis Monteiro (1889-1956), représentant des forces les plus réactionnaires et fascisantes de

l'armée, ministre de la Guerre, puis chef d'état-major, conseiller pour les affaires militaires de Getúlio Vargas, fut, avec le chef de la police de Rio de Janeiro Filinto Müller (1900-1973), un des principaux organisateurs de la répression systématique et brutale de tous les mouvements contestataires.

14. Le documentaire d'Orson Welles, qui comprenait également des scènes tournées en Argentine et au Mexique, demeura inachevé, et l'on crut longtemps les bobines perdues. Un montage du matériel retrouvé (avec notamment l'odyssée des quatre pêcheurs du Ceará) fut réalisé en 1993.

15. Rui Barbosa (1840-1923), juriste, diplomate, journaliste, ministre, fut un des grands zélateurs de l'abolition de l'esclavage. Pacifiste convaincu, représentant du Brésil à la Conférence sur la Paix de La Haye en 1907 – où il plaida ardemment pour la création d'une Cour internationale de justice –, son statut était à la fin de sa vie celui d'une sorte de conscience morale de la nation brésilienne.

16. Carlos Lacerda (1914-1977) était issu d'une famille dont plusieurs membres (en particulier son père, Maurício Lacerda) avaient participé aux premiers mouvements révolutionnaires de gauche du Brésil, au début du siècle. Dans les années trente, lui-même, encore étudiant, avait bataillé contre les intégralistes et été un chaud partisan de Luís Prestes, cité plus tôt dans le roman. Par la suite, il devait néanmoins se convertir à l'anticommunisme le plus virulent et se rallier à l'Union démocratique nationale, grand parti de droite nationale antipopuliste et farouchement « anti-gétuliste » fondé en 1945, dont Lacerda représentait l'aile extrême, assez proche de l'Amérique ultra-libérale et maccarthyste de la même époque.

17. Le *Galeão* (le « galion ») : nom d'une prison de Rio de Janeiro.

18. L'expression est de Vargas lui-même.

19. Nilo Procópio Peçanha (1864-1924) fut président de la République de 1906 à 1910.

20. Washington Luís (1869-1957) fut président de la République à deux reprises dans les années vingt. La révolution de 1930, qui porta Getúlio Vargas au pouvoir, entraîna sa chute et son exil, mais il fit un retour triomphal au Brésil en 1947.

BIBLIOGRAPHIE

Gilberto AMADO, *Presença na política*, Rio de Janeiro, José Olympio, 1958.

Paul AVRICH, *Sacco and Vanzetti. The Anarchist Background*, Princeton, Princeton University Press, 1991.

Fanny BEAUPRÉ et Roger-Henri GUERRAND, *Le Confident de ces dames,* Paris, La Découverte, 1997.

Paulo BERGER, *Dicionário hisrórico das ruas do Rio de Janeiro,* Rio de Janeiro, Olímpica, 1974 (4 vol.).

Laurence BERGREEN, *Capone. The Man and The Era,* New York, Simon & Schuster, 1994.

Philippe BERNETT, *Les Taxis de la Marne.* S.l., s.e., s.d., p. 93.

Joseph BORNSTEIN, *The Politics of Murder,* New York, William Sloane Associates, 1950.

Serge BORSA et C.-R. MICHEL, *La Vie quotidienne dans les hôpitaux en France au* XIXe *siècle,* Paris, Hachette, 1985.

Anna BRAGANCE, *Mata Hari : la poudre aux yeux,* Paris, Belfond, 1995.

José Sette CÂMARA, *Agosto 1954,* São Paulo, Siciliano, 1994.

Glauco CARNEIRO, *História das revoluções brasileiras,* Rio de Janeiro, Edições O Cruzeiro, 1965 (2 vol.).

E. Gomez CARRILLO, *Le Mystère de la vie et de la mort de Mata Hari,* Paris, Charpentier & Fasquelle, 1926.

Henri CHARRIÈRE, *Papillon,* Paris, Robert Laffont, 1969.

Vivaldo COARACY, *Memórias da cidade do Rio de Janeiro,* Rio de Janeiro, José Olympio, 1955.

Richard COLLIER, *The Plague of the Spanish Lady,* Londres, A&B, 1974.

Le Crapouillot, s.d., n° 20, p. 50.

Jean-Paul CRESPELLE, *La Vie quotidienne à Montmartre au temps de Picasso,* Paris, Hachette, 1986.

Aleister CROWLEY, *Aleister Crowley, An Autohagiography,* Londres, J. Cape, 1979.

Gastão CRULS, *Aparência do Rio de Janeiro,* Rio de Janeiro, José Olympio, 1965 (2 vol.).

Ève CURIE, *Madame Curie,* Paris, Gallimard, 1938.

Arkon DARAUL, *Les Sociétés secrètes,* Paris, Planète, 1970.

Christian DELPORTE, *Histoire du journalisme et des journalistes en France,* Paris, PUF, coll. « Que sais-je ? », 1995.

John W. Foster DULLES, *Anarchists and Communists in Brazil,* Austin, University of Texas, 1973.

Luiz EDMUNDO, *O Rio de Janeiro do meu tempo,* Rio de Janeiro, Imprensa Nacional, 1938 (3 vol.).

Sian FACER, *On this day,* New York, Crescent Books, 1992.

Boris FAUSTO, *A Revolução de 30,* São Paulo, Companhia das Letras, 1997.

Roland FLAMINI, *Thalberg, the Last Tycoon,* New York, Crown Publishers, 1994.

Rubem FONSECA, *Un été brésilien,* Grasset, 1993.

Franklin L. FORD, *Le Meurtre politique : du tyrannicide au terrorisme,* Paris, PUF, 1990.

Frank FREIDEL, *Franklin D. Roosevelt. A Rendez-vous with Destiny,* New York, Little, Brown and Co., 1990.

Emma GOLDMAN, *L'Épopée d'une anarchiste : New York 1886-Moscou 1920,* Bruxelles, Éditions Complexe, 1984.

David George GORDON, *The Complete Cockroach,* Berkeley, Ten Speed Press, 1996.

Otis L. GRAHAM Jr. et Meghan R. WANDER, *Franklin D. Roosevelt, His Life and Times,* New York, Da Capo Press, 1985.

Bernard GRUN, *The Timetables of History,* New York, Simon & Schuster, 1991.

Daniel GUÉRIN, *L'Anarchisme : de la doctrine à la pratique,* Gallimard, 1987.

Roger-Henri GUERRAND, *Les Lieux. Histoire des commodités,* Paris, La Découverte, 1997.

Gilbert GUILLEMINAULT, *Le Roman vrai de la IIIe et de la IVe République,* Paris, Robert Laffont, 1991 (2 vol.).

Gilbert GUILLEMINAULT et André MAHÉ, *L'Épopée de la révolte,* Paris, Denoël, 1963.

Van HARTESVELDT, *The 1918-1919 Pandemic of Influenza,* New York, Edwin Mellen Press, 1992.

Affonso HENRIQUES, *Ascensão e queda de Getúlio Vargas,* Rio de Janeiro-São Paulo, Record, 1966 (3 vol.).

Michael HOWARD, *The Occult Conspiracy,* New York, MJF Books, 1989.

Victor HUGO, *Les Misérables,* Paris, Gallimard, coll. « Bibliothèque de la Pléiade », 1951.

Maurice JOYEUX, *Ce que je crois : réflexions sur l'anarchie,* Saint-Denis, Le Vent du ch'min, 1984.

Fred KUPFERMAN, *Mata Hari : songes et mensonges,* Bruxelles, Éditions Complexe, 1982.

Maria José de LANCASTRE, *Fernando Pessoa : une photobiographie,* Paris, Christian Bourgois, 1990.

Harris M. LENTZ III, *Assassinations and Executions. An Encyclopædia of Political Violence, 1865-1986*, Caroline du Nord, McFarland & Co. Inc., 1988.

Orígenes LESSA, *Getúlio Vargas na literatura de cordel,* Rio de Janeiro, Editora Doumentário, 1973.

Emil LUDWIG, *Juillet 1914,* Paris, Payot, 1929.

Carlos MACHADO et Paulo de Faria PINHO, *Memórias sem maquiagem,* São Paulo, Cultura, 1978.

David MACKENZIE, *Apis. The Congenital Conspirator,* New York, Columbia University Press, 1989.

David MACKENZIE, *The « Black Hand » on Trial. Salonika 1917,* New York, Columbia University Press, 1995.

Raimund MAGALHÃES Jr., *O fabuloso Patrocínio Filho,* Rio de Janeiro, Civilisação Brasileira, 1957.

Noel MALCOLM, *Bosnia. A Short History,* New York, New York University Press, 1994.

Betty MATTOS et Alda Rosa TRAVASSOS, *Colombo cem anos,* Rio de Janeiro, Companhia Brasileira de Artes Gráficas, 1994.

William MCNEILL, *Plagues and Peoples,* New York, Anchor Books, 1976.

Martin MONESTIER, *Histoire et bizarreries sociales des excréments,* Paris, Cherche-Midi, 1997.

Fernando MORAIS, *Olga,* Paris, Stock, 1990.

Major Frederick MYATT, *Pistolets et Revolvers : du XVIe siècle à nos jours*, Paris, Bordas, 1985.

André NATAF, *La Vie quotidienne des anarchistes en France,* Paris, Hachette, 1986.

O Cruzeiro, 13 août 1955.

Júlio Amaral de OLIVEIRA, *Circo,* São Paulo, Biblioteca Eucatex de Cultura Brasileira, 1990.

Peter PARTNER, *Templiers, francs-maçons et sociétés secrètes,* Paris, Pygmalion, 1992.

Alzira Vargas de Amaral PEIXOTO, *Getúlio Vargas, meu pai,* Porto Alegre, Globo, 1960.

Celina Vargas do Amaral PEIXOTO, *Getúlio Vargas. Diário,* São Paulo-Rio de Janeiro, Siciliano-Fundação Getúlio Vargas, 1995 (2 vol.).

Paulo Matos PEIXOTO, *Atentados políticos de César a Kennedy,* São Paulo, Paumape, 1990.

Agenor PÔRTO, *Da vida de um médico,* Rio de Janeiro, Irmãos Pongetti, 1961.

Jean PRASTEAU, *La Vie merveilleuse du Casino de Paris,* Paris, Denoël, 1975.

Susan QUINN, *Marie Curie,* Paris, Odile Jacob, 1996.

Jean RABAUT, *Jaurès assassiné,* Bruxelles, Éditions Complexe, 1984.

Graciliano RAMOS, *Mémoires de prison,* Paris, Gallimard, 1991.

Madeleine REBÉRIOUX, *Jaurès. La parole et l'acte,* Paris, Gallimard, coll. « Découvertes », 1994.

René REOUVEN, *Dictionnaire des assassins : de Caïn à Pica, d'Adams à Zulotea,* Paris, Denoël, 1974.

John RICHARDSON, *Vie de Picasso,* Paris, Éditions du Chêne, 1992.

Charles L. ROBERTSON, *The International Herald Tribune. The First Hundred Years,* New York, Columbia University Press, 1987.

Ferdinand SCHEVILL, *A History of the Balkans,* New York, Dorset Press, 1991.

Léon SCHIRMANN, *L'Affaire Mata Hari : enquête sur une machination,* Paris, Taillandier, 1994.

Jairo SEVERIANO et Zuza Homem de MELLO, *A Canção no tempo,* São Paulo, Editora 34, 1997.

Serita Deborak STEVENS et Anne KLARNER, *Deadly Doses,* Cincinnati, Writers Digest Books, 1990.

Philip Meadows TAYLOR, *Mémoires d'un Thug,* Paris, F. Sorlot, 1942.

Antônio TORRES, *O Circo no Brasil,* Rio de Janeiro, Funarte, 1998.

Tribuna da Imprensa, VIe année, août 1954, n° 1402.

Jonathan VANKIN et John WHALEN, *50 Greatest Conspirators of All Time,* New York, Citadel Press, 1995.

Sam WAAGENAAR, *Mata Hari ou la Danse macabre,* Paris, Fayard, 1985.

H. G. WELLS, *Esquisse de l'histoire universelle,* Paris, Payot, 1925.

Julie WHEELWRIGHT, *The Fatal Lover. Mata Hari and the Myth of Women in Espionage,* Londres, Collins & Brown, 1992, planche 3 (Juliet Gardiner Book).

George WOODCOCK, *Anarchism and Anarchists,* Ontario, Quarry Press, 1992.

CRÉDITS PHOTOGRAPHIQUES

Guernica, Pablo Picasso. Museo Reina Sofia, Madrid. Photo Tourisme espagnol. © Succession Picasso, 2000.

Les Taxis de la Marne, collection Sirot-Angel.

Guerre 14-18, médaille commémorative frappée en 1914 pour l'entrée des Allemands à Paris. © Collection Viollet.

ÉGALEMENT CHEZ POCKET
LITTÉRATURE « GÉNÉRALE »

ABGRALL JEAN-MARIE
La mécanique des sectes

ALBERONI FRANCESCO
Le choc amoureux
L'érotisme
L'amitié
Le vol nuptial
Les envieux
La morale
Je t'aime
Vie publique et vie privée

ANTILOGUS PIERRE
FESTJENS JEAN-LOUIS
Guide de self-control à l'usage des conducteurs
Guide de survie au bureau
Guide de survie des parents
Le guide du jeune couple
L'homme expliqué aux femmes
L'école expliquée aux parents

ARNAUD GEORGES
Le salaire de la peur

BARJAVEL RENÉ
Les chemins de Katmandou
Les dames à la licorne
Le grand secret
La nuit des temps
Une rose au paradis

BERBEROVA NINA
Histoire de la baronne Boudberg
Tchaïkovski

BERNANOS GEORGES
Journal d'un curé de campagne
Nouvelle histoire de Mouchette
Un crime

BESSON PATRICK
Le dîner de filles

BLANC HENRI-FRÉDÉRIC
Combats de fauves au crépuscule
Jeu de massacre

BOISSARD JANINE
Marie-Tempête
Une femme en blanc

BORDONOVE GEORGES
Vercingétorix

BORGELLA CATHERINE
Marion du Faouët, brigande et rebelle

BOTTON ALAIN DE
Petite philosophie de l'amour
Comment Proust peut changer votre vie
Le plaisir de souffrir
Portrait d'une jeune fille anglaise

BOUDARD ALPHONSE
Mourir d'enfance
L'étrange Monsieur Joseph

BOULGAKOV MIKHAÏL
Le Maître et Marguerite
La garde blanche

BOULLE PIERRE
La baleine des Malouines
L'épreuve des hommes blancs
La planète des singes
Le pont de la rivière Kwaï
William Conrad

BOVÉ JOSÉ
Le monde n'est pas une marchandise

BOYLE T.C.
Water Music

BRAGANCE ANNE
Anibal
Le voyageur de noces
Le chagrin des Resslingen
Rose de pierre

BRONTË CHARLOTTE
Jane Eyre

BURGESS ANTHONY
L'orange mécanique

Le testament de l'orange
L'homme de Nazareth

Buron Nicole de
Chéri, tu m'écoutes ?

Buzzati Dino
Le désert des Tartares
Le K
Nouvelles (Bilingue)
Un amour

Carr Caleb
L'aliéniste
L'ange des ténèbres

Carrière Jean
L'épervier de Maheux
Achigan

Carrière Jean-Claude
La controverse de Valladolid
Le Mahabharata
La paix des braves
Simon le mage
Le cercle des menteurs

Cesbron Gilbert
Il est minuit, docteur Schweitzer

Chandernagor Françoise
L'allée du roi

Chang Jung
Les cygnes sauvages

Chateaureynaud G.-O.
Le congrès de fantomologie
Le château de verre
La faculté des songes

Chazal Claire
L'institutrice
À quoi bon souffrir ?

Chimo
J'ai peur
Lila dit ça

Cholodenko Marc
Le roi des fées

Clavel Bernard
Le carcajou
Les colonnes du ciel
1. La saison des loups
2. La lumière du lac
3. La femme de guerre
4. Marie Bon Pain
5. Compagnons du Nouveau Monde

La grande patience
1. La maison des autres
2. Celui qui voulait voir la mer
3. Le cœur des vivants
4. Les fruits de l'hiver

Jésus, le fils du charpentier
Malataverne
Lettre à un képi blanc
Le soleil des morts
Le seigneur du fleuve
L'espagnol
Le tambour du bief

Collet Anne
Danse avec les baleines

Comte-Sponville André
Ferry Luc
La sagesse des Modernes

Courrière Yves
Joseph Kessel

Cousteau Jacques-Yves
L'homme, la pieuvre et l'orchidée

Dautin Jeanne
Un ami d'autrefois

David-Néel Alexandra
Au pays des brigands gentilshommes
Le bouddhisme du Bouddha
Immortalité et réincarnation
L'Inde où j'ai vécu
Journal (2 tomes)
Le Lama aux cinq sagesses
Magie d'amour et magie noire
Mystiques et magiciens du Tibet
La puissance du néant
Le sortilège du mystère
Sous une nuée d'orages
Voyage d'une Parisienne à Lhassa
La lampe de sagesse
La vie surhumaine de Guésar de Ling

Decaux Alain
L'abdication
C'était le XVe siècle
tome 1
tome 2
tome 3
Histoires extraordinaires

Nouvelles histoires extraordinaires
Tapis rouge

Deniau Jean-François
La Désirade
L'empire nocturne
Le secret du roi des serpents
Un héros très discret
Mémoires de 7 vies
1. Les temps nouveaux
2. Croire et oser

Deviers-Joncour Christine
Opération bravo

Espitallier Jean-Michel
Pièces détachées

Evans Nicholas
L'homme qui murmurait à l'oreille des chevaux
Le cercle des loups

Faulks Sebastian
Les chemins de feu
Charlotte Gray

Fernandez Dominique
Le promeneur amoureux

Fitzgerald Scott
Un diamant gros comme le Ritz

Forester Cecil Scott
Aspirant de marine
Lieutenant de marine
Seul maître à bord
Trésor de guerre
Retour à bon port
Le vaisseau de ligne
Pavillon haut
Le seigneur de la mer
Lord Hornblower
Mission aux Antilles

France Anatole
Crainquebille
L'île des pingouins

Franck Dan, Vautrin Jean
La dame de Berlin
Le temps des cerises
Les noces de Guernica
Mademoiselle Chat

Gallo Max
Napoléon
1. Le chant du départ
2. Le soleil d'Austerlitz
3. L'empereur des rois
4. L'immortel de Sainte-Hélène
La Baie des Anges
1. La Baie des Anges
2. Le Palais des fêtes
3. La Promenade des Anglais
De Gaulle
1. L'appel du destin
2. La solitude du combattant
3. Le premier des Français
4. La statue du commandeur

Genevoix Maurice
Beau François
Bestiaire enchanté
Bestiaire sans oubli
La forêt perdue
Le jardin dans l'île
La Loire, Agnès et les garçons
Le roman de Renard
Tendre bestiaire

Giroud Françoise
Alma Mahler
Jenny Marx
Cœur de tigre
Cosima la sublime

Grèce Michel de
Le dernier sultan
L'envers du soleil – Louis XIV
La femme sacrée
Le palais des larmes
La Bouboulina
L'impératrice des adieux

Guitton Jean
Mon testament philosophique

Hamilton Jane
La carte du monde

Hermary-Vieille Catherine
Un amour fou
Lola
L'initié
L'ange noir

Hyrigoyen Marie-France
Le harcèlement moral

Hyvernaud Georges
La peau et les os

Inoué Yasushi
La geste des Sanada

Jacq Christian
L'affaire Toutankhamon
Champollion l'Égyptien
Maître Hiram et le roi Salomon
Pour l'amour de Philae
Le Juge d'Égypte
1. La pyramide assassinée
2. La loi du désert
3. La justice du Vizir
La reine soleil
Barrage sur le Nil
Le moine et le vénérable
Sagesse égyptienne
Ramsès
1. Le fils de la lumière
2. Le temple des millions d'années
3. La bataille de Kadesh
4. La dame d'Abou Simbel
5. Sous l'acacia d'Occident
Les Égyptiennes
Le pharaon noir
Le petit Champollion illustré

Janicot Stéphanie
Les Matriochkas

Joyce James
Les gens de Dublin

Kafka Franz
Le château
Le procès

Kaufmann Jean-Claude
Le cœur à l'ouvrage

Kazantzaki Nikos
Alexis Zorba
Le Christ recrucifié
La dernière tentation du Christ
Lettre au Greco
Le pauvre d'Assise

Kennedy Douglas
L'homme qui voulait vivre sa vie
Les désarrois de Ned Allen

Kessel Joseph
Les amants du Tage
L'armée des ombres
Le coup de grâce
Fortune carrée
Pour l'honneur

Lainé Pascal
Elena

Lamy Michel
Les Templiers

Lapierre Alexandra
L'absent
La lionne du boulevard
Fanny Stevenson
Artemisia

Lapierre Dominique
La cité de la joie
Plus grands que l'amour
Mille soleils

Lapierre Dominique et Collins Larry
Cette nuit la liberté
Le cinquième cavalier
Ô Jérusalem
... ou tu porteras mon deuil
Paris brûle-t-il ?

Lawrence D.H.
L'amant de Lady Chatterley

Léautaud Paul
Le petit ouvrage inachevé

Lê Linda
Les trois Parques

Lesueur Véronique
Nous les infirmières

Levi Primo
Si c'est un homme

Lewis Roy
Le dernier roi socialiste
Pourquoi j'ai mangé mon père

Loti Pierre
Pêcheur d'Islande

Lucas Barbara
Infirmière aux portes de la mort

MALLET-JORIS FRANÇOISE
La maison dont le chien est fou
Le rempart des Béguines
Sept démons dans la ville

MANFREDI VALERIO
Alexandre le Grand
1. Le fils du songe
2. Les sables d'Ammon
3. Les confins du monde

MAURIAC FRANÇOIS
Le romancier et ses personnages
Le sagouin

MAWSON ROBERT
L'enfant Lazare

MESSINA ANNA
La maison dans l'impasse

MICHENER JAMES A.
Alaska
1. La citadelle de glace
2. La ceinture de feu
Caraïbes (2 tomes)
Hawaï (2 tomes)
Mexique
Docteur Zorn

MILOVANOFF JEAN-PIERRE
La splendeur d'Antonia
Le maître des paons

MIMOUNI RACHID
De la barbarie en général et de l'intégrisme en particulier
Le fleuve détourné
Une peine à vivre
Tombéza
La malédiction
Le printemps n'en sera que plus beau
Chroniques de Tanger

MIQUEL PIERRE
Le chemin des Dames

MITTERRAND FRÉDÉRIC
Les aigles foudroyés
Destins d'étoiles
Lettres d'amour en Somalie

MONTEILHET HUBERT
Néropolis

MONTUPET JANINE
La dentellière d'Alençon
La jeune amante
Un goût de miel et de bonheur sauvage
Dans un grand vent de fleurs
Bal au palais Darelli
Couleurs de paradis
La jeune fille et la citadelle

MORGIÈVE RICHARD
Fausto
Andrée
Cueille le jour

NAKAGAMI KENJI
La mer aux arbres morts
Mille ans de plaisir

NASR EDDIN HODJA
Sublimes paroles et idioties

NAUDIN PIERRE
Cycle d'Ogier d'Argouges
1. Les lions diffamés
2. Le granit et le feu
3. Les fleurs d'acier
4. La fête écarlate
5. Les noces de fer
6. Le jour des reines

NIN ANAÏS
Henry et June (Carnets secrets)

O'BRIAN PATRICK
Maître à bord
Capitaine de vaisseau
La « Surprise »
L'île de la Désolation
La citadelle de la Baltique

ORBAN CHRISTINE
le collectionneur
Une folie amoureuse
Une année amoureuse de Virginia Woolf
L'âme sœur
L'attente

PEARS IAIN
Le cercle de la croix

PEREC GEORGES
Les choses

Peyramaure Michel
Henri IV
1. L'enfant roi de Navarre
2. Ralliez-vous à mon panache blanc !
3. Les amours, les passions et la gloire

Lavalette, grenadier d'Egypte
Suzanne Valadon
1. Les escaliers de Montmartre
2. Le temps des ivresses

Jeanne d'Arc
1. Et Dieu donnera la victoire
2. La couronne de feu

Picard Bertrand, Brian Jones
Le Tour du monde en 20 jours

Purves Libby
Comment ne pas élever des enfants parfaits
Comment ne pas être une mère parfaite
Comment ne pas être une famille parfaite

Queffelec Yann
La femme sous l'horizon
Le maître des chimères
Prends garde au loup
La menace

Radiguet Raymond
Le diable au corps

Ramuz C.F.
La pensée remonte les fleuves

Revel Jean-François
Mémoires

Ricard Matthieu
Le moine et le philosophe
La grande parade

Rey Françoise
La femme de papier
La rencontre
Nuits d'encre
Marcel facteur
Le désir

Reynaert François
Nos années vaches folles

Rice Anne
Les infortunes de la Belle au bois dormant
1. L'initiation
2. La punition
3. La libération

Rifkin Jeremy
Le siècle biotech

Rivard Adeline
Bernard Clavel, qui êtes-vous ?

Rouanet Marie
Nous les filles
La marche lente des glaciers
Les enfants du bagne

Sagan Françoise
Aimez-vous Brahms..
... et toute ma sympathie
Bonjour tristesse
La chamade
Le chien couchant
Dans un mois, dans un an
Les faux-fuyants
Le garde du cœur
La laisse
Les merveilleux nuages
Musiques de scènes
Répliques
Sarah Bernhardt
Un certain sourire
Un orage immobile
Un piano dans l'herbe
Un profil perdu
Un chagrin de passage
Les violons parfois
Le lit défait
Un peu de soleil dans l'eau froide
Des bleus à l'âme
Le miroir égaré
Derrière l'épaule...

Saint-Exupéry Consuelo de
Mémoires de la rose

Salinger Jerome-David
L'attrape-cœur
Nouvelles

Sarraute Claude
Des hommes en général et des femmes en particulier
C'est pas bientôt fini !

Saumont Annie
Après
Les voilà quel bonheur
Embrassons-nous

Sparks Nicholas
Une bouteille à la mer

Steinberg Paul
Chroniques d'ailleurs

Stocker Bram
Dracula

Tartt Donna
Le maître des illusions

Thibaux Jean-Michel
La bastide blanche
La fille de la garrigue
L'or du diable
Le secret de Magalie
Pour comprendre l'Egypte ancienne
Pour comprendre les celtes et les gaulois
Pour comprendre la Rome antique

Troyat Henri
Faux jour
La fosse commune
Grandeur nature
Le mort saisit le vif
Les semailles et les moissons
1. Les semailles et les moissons
2. Amélie
3. La Grive
4. Tendre et violente Élisabeth
5. La rencontre

La tête sur les épaules

Valdès Zoé
Le néant quotidien
Sang bleu *suivi de* La sous-développée
La douleur du dollar

Vanier Nicolas
L'Odyssée blanche

Vanoyeke Violaine
Une mystérieuse Égyptienne
Le trésor de la reine-cobra

Vialatte Alexandre
Antiquité du grand dossier
Badonce et les créatures
Les bananes de Königsberg
Les champignons du détroit de Behring
Chronique des grands micmacs
Dernières nouvelles de l'homme
L'éléphant est irréfutable
L'éloge du homard et autres insectes utiles
Et c'est ainsi qu'Allah est grand
La porte de Bath Rahbim

Victor Paul-Émile
Dialogues à une voix

Villers Claude
Les grands aventuriers
Les grands voyageurs
Les stars du cinéma
Les voyageurs du rêve

Wallace Lewis
Ben-Hur

Waltari Mika
Les amants de Byzance
Jean le Pérégrin

Wells Rebecca
Les divins secrets des petites ya-ya

Wickham Madeleine
Un week-end entre amis
Une maison de rêve

Wolf Isabel
Les tribulations de Tiffany Trott

Wolfe Tom
Un homme, un vrai

Xénakis Françoise
« Désolée, mais ça ne se fait pas »

Imprimé en France sur Presse Offset par

BRODARD & TAUPIN

GROUPE CPI

6500 – La Flèche (Sarthe), le 28-02-2001
Dépôt légal : mars 2001

POCKET – 12, avenue d'Italie - 75627 Paris cedex 13
Tél. : 01.44.16.05.00